성초이 대봉집

꾸형이

INSPECTOR KOO

PART. 2

차례

· 이 책은 성초이 작가의 드라마 대본 집필 형식을 존중하여
최대한 원본에 따라 편집하였습니다.

· 드라마 대사는 구어체인 점을 감안하여, 어감을 살리기
위해 한글 맞춤법과 다른 부분이라 해도 그 표현을 최대한
살렸습니다. 지문은 한글 맞춤법에 따랐습니다.

· 말줄임표의 수, 띄어쓰기는 다양하게 표현되어 있습니다.
이는 대사 시 호흡의 양을 다양하게 하고자 한 작가의
의도를 반영한 것입니다. 마침표가 없는 것 역시 작가의
집필 방식입니다.

· 쉼표, 마침표 등과 같은 구두점과 이모티콘 등의 인터넷
언어, 영화와 연극, 게임, 만화의 용어, 사투리, 대사의
행갈이 방식 또한 작가의 의도를 따랐습니다.

· 드라마에서 장면을 나타내는 'Scene'의 경우,
표준국어대사전에는 '신'으로 등록되어 있지만 이 책에서는
작가의 집필 형식과 현장에서 쓰이는 방식에 따라 '씬'으로
사용했습니다.

· 이 책에는 작가의 최종 대본을 담았습니다. 따라서
방송되지 않은 부분이 포함되어 있거나 방영된 장면과 다를
수 있습니다.

용어 정리

S# (Scene Number): 장면 번호. 같은 장소와 시간 내에서 이루어지는 상황이나 행동, 대사, 사건이 한 씬을 구성한다.

Off sound: 화면 밖에서 들리는 대사나 소리를 말한다.

사운드 선행: 이어지는 새로운 쇼트나 씬에서 나와야 할 음향이 앞선 장면의 끝 부분에 미리 나오는 것을 말한다.

클로즈업: 인물의 얼굴 등 피사체의 중요한 부분을 크게 확대시켜 촬영하여 나타낸 화면을 말한다.

익스트림 클로즈업: 인물의 얼굴이 화면을 가득 채우도록 가까이 촬영하여 나타낸 화면을 말한다.

인터컷: 시간과 장소가 관계없는 두 가지 이상의 사건을 왔다갔다하는 편집을 말한다.

디졸브: 영상의 이중 인화로 보통 중앙지점에서 한 쇼트가 서서히 페이드 아웃(Fade Out)되고 다음 쇼트가 서서히 나타나는 것을 말한다.

플래시백: 과거에 나왔던 씬을 불러오는 것, 주로 회상하는 장면이나 인과를 설명하며 넣는다.

크레셴도: 음악용어 중 하나로 '점점 세게'를 의미한다.

프레임 아웃: 고정된 화면에서 인물 등의 피사체가 화면 밖으로 나가는 것을 말한다.

소리: 화면 밖에서 들리는 등장인물의 대사를 말한다.

사이: 앞말과 뒷말의 의도적인 빈 공간을 의미한다.

경과: 시간의 경과나 시간의 흐름을 표현한다.

Cut to: 씬 내에서 화면 전환 기법으로 사용한다.

O.S (Off Screen): 출연자가 화면에 나오지 않은 상태. 인물이 대화에 포함되지만 화면에 나오지 않으며, 프레임 밖에서 들리는 대사를 말한다.

V.O (Voice Over): 영상과 일치되지 않는 대사로서 등장인물의 생각이나 기억 등을 전달할 때 종종 사용된다. 내레이션과 같은 역할을 한다.

INS (Insert): 인서트 컷. 씬 중간에 들어가는 삽입장면. 특정 상황을 강조하거나 집중시키기 위해 삽입한 화면으로 클로즈업을 사용하는 경우가 많다. 이 책에서는 현재 시점을 벗어난 장면의 삽입을 말한다.

O.L (Over Lap): 현재 화면이 흐릿하게 사라지면서 다음 화면이 서서히 등장해 겹치게 하는 기법, 앞 화면에 뒤의 화면이 포개어지는 기법을 뜻한다.

F.O (Fade Out): 페이드 아웃. 화면이 차차 어두워지는 효과를 말한다.

F.I (Fade In): 페이드 인. 화면이 차차 밝아지는 효과를 말한다.

B.O (Black Out): F.O와 같은 의미로 사용되며 화면이 차차 어두워지는 효과를 말한다.

B.I (Black In): F.I와 같은 의미로 사용되며 화면이 차차 밝아지는 효과를 말한다.

E (Effect): 효과음. 주로 등장인물은 보이지 않고 화면 밖에서의 음향이나 대사에 의한 효과를 말한다.

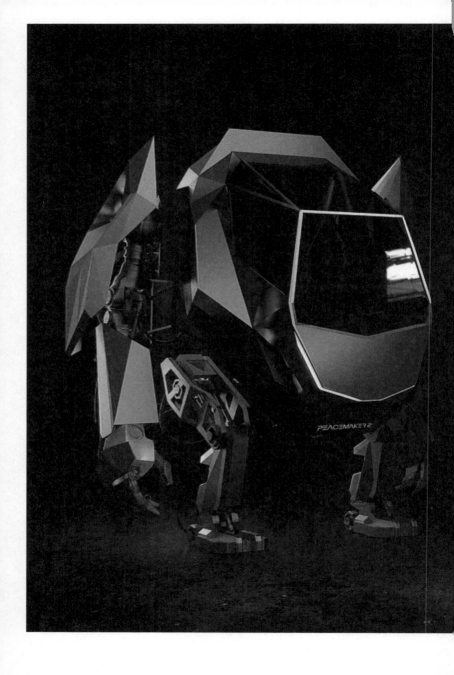

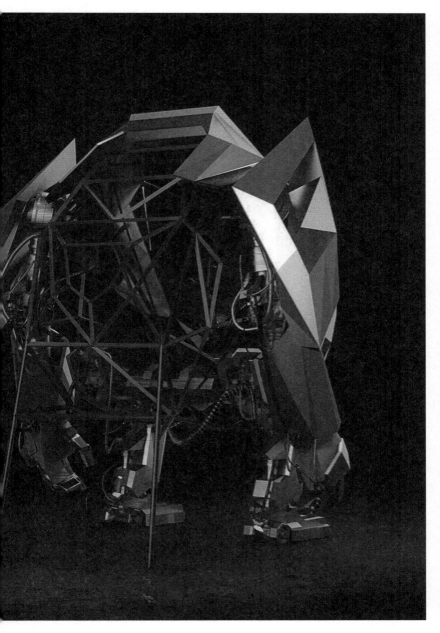

피스히어로2 컨셉 아트

7화

"이 미끼는 물 수밖에 없어.
케이가 지켜야 되는
유일한 거니까."

1. 산타의 집 / 새벽

정갈하게 치워진 산타의 집. 어울리지 않는
노래가 흘러나오고 있다.

노래 한 번쯤 돌아보겠지~ 언제쯤일까
언제쯤일까

흥얼거리고 있는 산타의 입 클로즈업.

산타 (작게) 겁먹은 얼굴로~ 뒤를
돌아보겠지

노래 멈추고 면도를 하는 산타. 새벽 4시를
가리키는 시계. 부산한 산타의 일상.
프린트 된 사진들을 앨범에 끼워 넣는 산타.
몰래 찍은 듯한 구경이 사진이다.
앨범에는 구경이와 조사B팀의 사진들이 이미
~~빽빽~~하고… 옆을 보면,
바늘이 꽂힌, 만들다 만 '괴물인형' 비슷한 것이
놓여 있다.

2. 구경이의 집 / 아침

모니터에 한강 CCTV화면, 고담 관련 기사들,
'송이경' 사진 떠 있고 -
그 앞에서 고꾸라져 자고 있는 구경이. 소리
소문 없이 들어와 화면 끄는 산타의 손.
산타, 구경이 먹던 맥주 캔 치우고 앰풀을 하나
까서 가져온 음료에 따라 놓는다.
기척에 깬 구경이가 손 잡히는 대로 (그게 맥주

캔인 줄 알고) 입으로 갖다 댄다.

구경이 (비몽사몽) 으 뭐야, 음… 맛있군…

꿀꺽꿀꺽 마시는 구경이 내려다보며, 빙그레
웃는 산타.

3. 도로 - 차 안 / 낮

연식이 있는 국산 중형차에 타는 고담. 고담의
차가 출발하자, 경수가 따라간다.

경수 생각보다 보안 느슨한데요? 이럴 때
덤프트럭 같은 거 달려와서 빡 치면-..
어?

맞은편에서 대형 화물차가 달려온다. 한
대도 아니고 네 대. 앞뒤 좌우로 고담의 차를
에워싸고 에스코트하는 화물차들. 보이지도
않는 고담의 차.

경수 헐

4. 피스히어로 공장 앞 / 낮

공장 앞에서 멈춘 고담차와 화물차들. (공장
앞에는 내내 개 짖는 소리가 들린다.)
고담이 내리자마자 보안 요원들이 둘러싸고,
에스코트했던 화물차들은 줄줄이 빠져나간다.

나제희 (멀리서 이를 보는) 틈이 없네

\- 고담 쪽. 보안 요원들과 걸어 들어가던 고담이 가까이서 들리는 개소리에 돌아보면, '소담 유기견 보호센터' 조끼를 입은 봉사자가 강아지들 대여섯 마리를 몰고 나와 있다.

봉사자 …너무 시끄러우시죠? 하필 공장 바로 옆에 센터가 있어서…
고담 무슨 말씀이세요! 좋은 일 하시는데. 개들은 맘껏 짖어야죠!
(개 보며) 산책 잘 해~

고담, 눈인사 하고 공장 안으로 들어간다. 굳게 닫히는 문.

구경이 (목소리) 저걸 어떻게 죽일래?

5. KD PEACE LAB 맞은편 건물 어느 매장 / 낮

산타가 빗자루로 스나이퍼 흉내를 내고 있다.
피---융.
구경이가 망원경으로 KD PEACE LAB 건물 훔쳐보고 있는데 고담은 보이지도 않는다.

경수 (망원경 건네받으며) 사흘 밤낮 잠복해도 틈이 없을 거 같은데요.

경수 말에 산타, 다시 본래 자리로 돌아와 매장 바닥을 쓴다. (왜?)

나제희 (망원경 건네받고) 저렇게 꽁꽁

숨어있는데 어떻게 죽이려나?
구경이 (나제희에게 망원경 받아 들어)
전쟁이라도 나야 기어 나오겠네.
경수 김수용은 일주일 안에 입국인데, 그사이에 전쟁 나면은…
(돌아보며) 산타도 예비군 가나?

건물 안이 보이던 구경이의 시야가 한순간에 분홍빛으로 뿌예진다.

구경이 뭐야?

구경이, 망원경에서 눈 떼면 KD PEACE LAB 건물 전면에 큰 현수막이 펄럭이며 내려오는 게 보인다.
깃발을 들고 있는 로봇 그림과 함께,
'미래를 만들어 가는 KD PEACE LAB, 피스히어로2의 첫 걸음! 00월 00일 00시 KD PEACE LAB 기술센터 1F'

구경이 저거다. 전쟁터로 나가는 잔 다르크.

현수막 속 거대한 피스히어로2의 모습에서 -

6. 병원 어린이 병동 병실 / 낮

지잉- 지잉- 소리를 내며 팔다리를 움직이더니 이내 춤을 추기 시작하는 로봇 장난감.
환자복 입은 아이가 박수를 짝짝 친다.
리모컨을 누르며 아이처럼 신나하는 용 국장.

용 국장 너무 신기하다! 좋지? 좋지?

용 국장이 리모컨을 조작하자, 병실 밖으로
걸어나가는 로봇 장난감.
아이가 링거 폴대를 끌고 로봇 따라 병실
밖으로 나간다. 조용해진 병실 안.

용 국장 고담이라… 그 사람은 죽일
이유가 있는 사람으로는 안 보이던데?
구경이 보이는 게 다가 아니니까요.
나제희 모레 고담 회사에서 제작한
로보트 시연회가 있습니다.
거기서 아마 시장 출마선언을 할 거고요.
(용 국장과 눈맞춤)
용 국장 그래요…

구경이, 나제희와 용 국장이 시선 교환하는
것을 본다.

나제희 집이나 사무실, 개인 동선은 원체
보안이 강해서 이렇게 불특정 다수와
대면하는 기회는 이번이 유일합니다.
케이도 여길 노릴 거고요.
용 국장 그럼 어떡해.
구경이 우선은 행사를 취소시킬 수 있겠죠
용 국장 그럼 케이가 순순히 물러나려나?
구경이 아뇨, 다음 기회를 노리겠죠. 걘
포기 안 할 거니까
용 국장 친구처럼 잘 아네.
나제희 고담도 웬만한 사유 아니고서는
그런 행사 포기 못 할 겁니다.

용 국장 행사는 그대로 진행될 거고, 케이는
어떻게든 그 사람을 죽이려고 할 거고.
그럼 어떡해야 돼. (나제희를 보면서) 그
사람을 죽게 놔둘 수는 없잖아.
구경이 (병실 냉장고를 뒤적거리며) 막아야죠.
용 국장 어떻게?
구경이 무대를 차려 주려고요.

7. 병원 어린이 병동 복도 ~ 구경이 상상 속 무대 / 낮

로봇 따라서 가던 아이가 병원 로비에서
벌어진 공연 보고 멈춘다.
작은 간이 무대 위, 피에로가 올라서 있다.
피에로의 시점에서 보여지는 무대 – 조명이
세고 사방이 어두워 관객석이 보이지 않는다.

구경이(V.O) 무대에 선 사람은 상대적으로
약하죠, 어디에서 공격이 들어올지 알
수가 없으니까.

어둠 속에서 하나씩 날아오는 공들. 피에로는
여기저기를 얻어맞는다.

구경이(V.O) 케이의 공격이라는 게
그렇잖아요? 언제 어디서 올지 알 수가
없는.
나제희(V.O) 던지는 손을 잡을 수는
없으니까 우리는, 공이 날아올 방향을
예측해서 방패를 만드는 겁니다.

무대 장치들이 추가된다. 일종의 방어막이
형성되고, 공들이 튕겨져 나간다.
으쓱 하는 피에로.

용 국장(V.O) 그걸로 되나?
구경이(V.O) 안 되죠.
용 국장(V.O) 아까부터 감질나게 하시네!

방어막을 피해서 피에로를 맞추는 공들.
공의 개수가 엄청 늘어나면서 방어막이
쓰러지고 다시 공 세례를 받는 피에로.
피에로, 울상을 짓는다. 갑자기 머리 위
떠오르는 전구.

구경이(V.O) 무대에 선 사람이 공을 던지는
사람보다 유리한 점이 하나 있어요

피에로, 공들이 쏟아지는 와중에 등 뒤에서
작은 상자를 꺼낸다.

구경이(V.O) 공격하는 사람이, 나를 보고
있다는 사실을 아는 거.

피에로, 상자 뚜껑을 열자 - 안에는 너무나
귀여운 고양이가 들어있다.
공을 던지는 손이, 멈칫하면, 곧바로 그 위치를
파악하는 피에로.
와아악! 소리를 내면서 그쪽으로 달려가면 -
장면 이어지며, 놀란 아이가 로봇을 들고
부리나케 줄행랑.

8. 병원 병실 / 낮

병실로 뛰어들어온 어린아이 눈에 자기 침대에
누워있는 구경이가 보인다.
구경이가 자기 과자랑 음료수 다 먹은 걸 보고
울음을 터뜨리는 아이.
나제희가 아이를 안아 올려서 달랜다. 아이가
나제희의 스카프를 당긴다.

용 국장 인질을 쓰자는 거네요?
구경이 말이 그렇다는 거죠
용 국장 (나제희 보면서) 그럼 일단 내가 뭘
해주면 될까요?

9. 청계천 공구거리 / 저녁

공구거리 노상 플라스틱 간이의자에 앉아
멸치국수 사진 찍고, 먹는 김 부장.
공구가게에서 기술자 아재가 검은 비닐봉지
건넨다.

기술자 (김 부장이 봉지 받자) 조심해. 살짝만
건드려도 쾅 터져. …근데, 이제 이런
일까지 혀?
김 부장 (지폐 뭉치 건네면서) 넌 언제부터 말
놨냐?

기술자, 떨떠름한 얼굴로 돌아선다. 검은
봉지에 들어있는 작은 상자 꺼내 보는 김 부장.

10. 피스히어로 공장 / 아침

공장 입구에 놓인 작은 상자. 공장 직원 여럿이 겁먹은 채 상자를 쳐다보고 있다.

공장 직원 진짜 있네, 저게 뭐야?

안에서 들썩들썩 하다가 갑자기 펑! 하고 연기 올라온다.
작은 폭발에 기겁하며 우왕좌왕 하는 직원들.

11. 피스히어로 공장 안 사무실 / 낮

터지다 만 조잡한 사제폭탄 잔해를 책상 위에 올려 두는 고담.
경호 팀장이 곤란한 얼굴로 서 있다.

고담 (웃는 낯으로) 큰 행사 앞두고 더 철저하게 해 달랬더니… 첩보가 들어와서 다행이었네요. 그렇죠?
경호 팀장 어디서 온 첩보입니까? (고담의 눈치 보고) 죄송합니다.
고담 아니에요, 할 말씀 있으신 거 같은데 해 보세요.
경호 팀장 (머뭇거리다) 아무래도 이번 행사는 취소하시거나 연기하는 게 좋을 듯합니다. 불특정한 위협과 이상 사례가 자꾸 발생하고 있어서..

개 짖는 소리 들린다. 태도가 급변하는 고담.

고담 똥오줌도 못 가리는 것들이 밤낮으로 왈왈왈… (경호 팀장이 말을 잇지 못하자) 할 말 끝났어요? (수화기 들고) 어, 25시가디언즈 계약해지 통보하고, 위약금이랑 손해배상청구도 해 줘. 기자들한테 경호 팀장도 문제 많은 인간이라고…

경호 팀장이 달려와 후크 스위치를 눌러 내선 전화의 통화를 끊어버린다.
무릎 꿇은 경호 팀장.

경호 팀장 죄송합니다, 한 번만 기회를 주시면… 으읍…!

수화기로 경호 팀장의 머리를 퍽퍽 내리치는 고담.

고담 이게 단순히 돈 문제가 아니라, 우리 사이의 신뢰의 문제잖아요.
경호 팀장 (무릎 꿇은 채) 죄송합니다
고담 죄송하세요? 말만 듣고 내가 어떻게 알아. 팀장님이 죄송하시면, 그 죄송한 마음을 보여 주셔야지. 그래야 내가 믿고 우리 사이에 신뢰가 쌓이지. 안 그래요?
경호 팀장 제가 어떻게…
고담 어떻게, 봉사활동 좀 하시겠어요?

고담 시선 따라 보면, 방 한쪽에 있는 개 사료 포대.

12. 소담 유기견 센터 / 낮

귀 떨어질 듯 시끄러운 개 짖는 소리.
포대 사료를 붓고 있는 경호 팀장. 개들이
정신없이 밥그릇으로 달려가서 밥을 먹는다.

경호 팀장 (누군가와 통화하며) 그러더니
유기견들 밥을 주라고 하시는 거야.
고 대표님 사람이 특이하셔서 그렇지,
좋으신 분이야. 기회 주신대.

마지막 사료까지 털어낸 경호 팀장, 그때
들어오는 문자 알림음. 확인하면,
[KD PEACE LAB 보안 중도 계약 해지,
위약금 및 손해배상금 청구서 첨부합니다…]

경호 팀장 이럴 리가 없는데…

그런데, 순간 주변이 쥐 죽은 듯이 조용하다는
사실을 깨닫는 경호 팀장.
돌아보면 방금까지 사료에 달라붙어 있던
개들이 거품 물고 전부 죽어 있다.
자기가 뿌린 텅 빈 사료 포대 내려다보는 경호
팀장. 식은땀이 흐른다.

고담 (뒤에서) 애도 그렇고 개도 그렇고
조용해야 그나마 참을 만하네. 안 그래요?
센터 봉사자 (멀리서 달려오며) 무슨
일이에요? 이게 다 뭐예요!!!
고담 (낮게) 동물보호법 위반은 얼마
살지도 않으니까, 괜히 뻘소리 하지 말고

조사 잘 받아요. 와이프 이번에도
유산하면 마음 되게 슬플 거 아냐.
경호 팀장 !!!

봉사자가 가까이 오자 고담이 곧바로 다른
사람이 되어서 경호 팀장 멱살을 잡는다.

고담 (오열) 아니이이! 사람이 어떻게 이럴
수 있어! 어떻게!!

13. 복지재단 사무실 / 밤

[청계천 숨은 맛집… 멸치 똥을 제거하지 않아
독특한 쓴맛을 내는 멸치육수]
열심히 블로그 쓰고 있는 김 부장, 전화기에
뜨는 번호 보고 여유롭게 수화기 든다.

김 부장 네에, 탑 보디가드입니다. (사이)
네. (사이) KD PEACE LAB이요?

14. 행사장 근처 / 아침

TOP 로고가 박힌 조끼를 입은 보안업체
직원들이 우르르 들어온다.

케이 보안업체도 바꿨네

화면 빠지면 - 케이, 프레시 매니저로 위장하고
야쿠르트 배달 카트를 타고 있다.
꽃무늬 마스크 올려 쓰고 멀지 않은 곳을
배회하는 케이.

문자 알람. 정연이 할머니와 함께 찍은
사진이 뜬다.
[언제 올 거야? 할머니가 많이 보고 싶대]
답장을 보내는 이경.
[이번 주 안에는 갈게! 좀만 기둘 ㅇㅇ]

건욱 (블루투스 이어폰 통해 목소리) 것도 계속
쓰면 들킨다
케이 내 화면도 감시 중이야?
건욱 완벽하게 해야지

케이, 문자 보낸 핸드폰을 바닥에 내던진다.
오토바이 한 대가 폰 밟아 박살 낸다.
가까이 다가온 집배원 오토바이.

집배원 요새 잘 나가는 거 싱싱한 거 주세요
케이 (비닐봉지에 든 물건 전해주며) 맛있게
드세요

비닐봉지 받아 든 집배원, 오토바이를 돌려
행사장 건물 쪽으로 향한다.
택배를 들고 건물 안으로 들어가는 집배원
지켜보는 케이.
집배원 오토바이에 꽂힌 열쇠, 거기에 검은
'괴물인형'이 달랑거린다.

15. 조사B팀 사무실 / 낮

인물 사진이 빼곡한 보드를 밀고 오는 경수.

경수 해당 날짜 출입 가능한 사람들입니다.

VIP들, 사진 기자들, 케이터링 직원까지.
고담 쪽이 워낙 철두철미해서 못 믿을
사람은 아예 안 불렀어요.

케이터링 직원 목록 가운데 산타의 블링블링
프로필 사진.

산타 (AI보이스) 면접만 세 번 봤어요
경수 …저는 1차 탈락…
구경이 의심 가는 인력은 안 쓴다는 거군.
경수 (구경이 반응 비꼬며) 예~ 예~
그렇더라구요~
구경이 많이 컸다. 저기 씨?
나제희 보안업체 쪽 해결됐으니까 경수
씨는 그쪽 통해서 들어가.
산타 씨는 내부에서, 경수 씨는 외부에서
살피면 되지

옆에는 식순과 도면 붙은 보드들.
가운데에는 행사장 미니어처. 위에는 작은
로봇과 고담 사진이 붙은 인형 등이 놓여있다.

나제희 인사말, 내빈 소개 몇 명 하고,
고담이 로보트 올라타서 시연하고,
(강조) 시민들 불러서 꽃다발 수여식 하면,
이게 피날레. 포토타임.
경수 기자회견은 보안 문제로 취소했고,
출마 선언만 한다네요.

도면을 살피는 구경이.

구경이 (눈은 도면에서 떼지 않고, 나제희에게) 근데 그때 왜 그런 말 했어?

나제희 갑자기 뭔 소리야?

구경이 전에 고담 사무실 갔을 때. 출마하면 골치 아프겠다고 했었잖아. 누구 골치가 아픈 건데?

나제희 (짐짓 태연) 용 국장 첫째 아들이 시장 출마하잖아. 유명한데. 경수 씨도 알지?

경수 예~ 알죠, 조사관님은 게임 속 세상만 아시고 리얼 월드에는 관심이 없으셔서

나제희 용 국장이 골치 아프겠다, 하는 거였지. 같이 일하는 사인데, 그런 말도 못 해?

구경이 긴장할 때 말꼬리 올리는 버릇 아직도 있네. 경찰 일에 도움 안 된다고 누누이 말했거늘.

나제희 사람 몰아가지 마↘! (말꼬리 억지로 내린다.)

구경이 (다시 도면 보며) 여기 안 나오는 다른 통로 같은 건 없는 거지?

나제희 없어! 최종 도면이야 이게.

구경이 토끼는?

나제희 한국으로 오는 중.

산타, 작은 토끼 인형을 가지고 온다.

경수 근데 CCTV가 다 차단됐는데, 케이가 무슨 수로 봐요?

구경이 자기만 볼 수 있는 눈을 심겠지. 그게 또 빈틈이 될 거고.

산타, 두리번두리번하다 과자 하나를 '눈'인 척 올린다.

경수 이것이 조사관님의 빅 픽처…

나제희 통할까?

구경이 이 미끼는 물 수밖에 없어. 케이가 지켜야 되는 유일한 거니까.

(산타가 올린 과자 홀랑 집어먹는)

모두 토끼 인형을 쳐다본다.

16. 안전가옥 안 / 낮

창에 쳐져 있는 커튼을 확 걷는 손.

정연 와, 전망 한 번 끝내주네.

미국 풍경이라도 보일 것 같지만 - 유리에 칠이 되어 있어, 보이는 건 깜깜 그 자체다. 고급 주택 내부인데, 가재도구가 없어 썰렁한 집 안. 김 부장과 젊은 여자가 정연과 거리를 두고 앉아 있다. 언뜻 보면 기묘한 가족 같은 풍경.

정연 (자리로 돌아와서) 저녁 먹을 시간인가? 이래 놓으니까 몇 신지도 모르겠고… 근처에 부대찌개 팔려나? 여기가 어디쯤인 줄 알면 맛집 추천해 줄 텐데

김 부장 정정연 씨

정연 저 화장실, 화장실 가고 싶어요
(일어서자, 젊은 여자가 곧바로 따라붙는다.) 뭐예요
진짜? 화장실까지 갈 거야?

김 부장 같이 다녀오세요.

정연 (버럭) 쑥 들어갔어요!!

김 부장 그럼 앉으세요.

젊은 여자가 김 부장 가까이 와서 속삭인다.

젊은 여자 핸드폰 추적은 실패랍니다

김 부장 국내에 있는지 국외에 있는지~
서울에 있는지 어데 딴 데 있는지~

정연 (귀를 쫑긋하다가) 답답해 죽겠네. 진짜!
다 말해 줬잖아요. 이경이 어딨는지 나도
모른다고. 제 핸드폰이나 돌려주세요.
내가 물어볼게. 아니다, 그냥 내가
찾아올게! 찾아서 오해 풀면 되잖아.
사람을 이렇게 가둬 두는 게 어딨어요?

김 부장 정정연 씨 언제든지 나가실 수
있어요

정연이 고개를 든다.

김 부장 저희 작전에 협조한다고 한마디만
하시면, 언제든 나갈 수 있으시다고요.
아시잖아요

그 말은, 자기 조카가 살인자라는 걸
인정하라는 말. 정연은 그 말이 아프다.
무전이 들어온다. 젊은 여자가 문을 열어 주자,

모습을 보이는 구경이.

정연 …너도 여기 한패야?

구경이 예, 저도 오랜만이네요.

정연 당신이 꾸민 짓이야? 당신이 우리
애 모함한 거지! 이야기해!

구경이 이야기… 를 하면 저도 좋겠는데,
(주변을 돌아보고) 나가서 이야기 하실까요?

젊은 여자가 움찔하면서 구경이를 막는데,
구경이는 도리어 김 부장 쳐다본다.

구경이 ㅇㅇ? 잠깐 나가서 이야기 좀
할게요?

떼잉, 하면서 끄덕이는 김 부장. 구경이 나가자,
정연이 따라 나간다.

17. 안전가옥 밖 / 낮

건물 밖으로 나온 구경이와 정연.
아주 아름다운 바다가 보인다.
정연, 이런 곳인지 몰랐다.

구경이 (쏟아지는 햇살에 인상 찌푸리며) 어우 밝아

멀리서 정연을 감시하는 김 부장.

구경이 (바다 보면서) 뭐 하는 거야… 도다리
세꼬시에다가 소주 한 병 때리고
게임 두 판 돌리면 완벽하겠구만… (사이)

옛날부터 알았죠?

정연 뭘요?

구경이 이경이, 다른 애들이랑 다르다는 거.

정연이 구경이를 노려본다.

정연 애 없죠?

구경이 …

정연 자기 애는 다 특별해 보여요. 당연히 다르게 보이지. 우리 애기 순진하고 착해요.

구경이 자기가 낳은 것도 아니잖아. 할머니 위독하다고 거짓말로 연락한 거. 그거 이경이가 한 거 알죠. 어떤 순진한 애기가 그런 거짓말을 해서 이모를 미국으로 빼돌리나?

정연 이경이가 했다는 증거, 하나도 없던데. 당신들 주장이지.

구경이 증거도 없는데 이쪽 말 믿고 한국까지 온 게, 당신 스스로 증명한 거예요. 정정연 씨도 마음속으로 걱정하고 있었다고요. 그동안 의심했던 게 망상이 아니라 실체가 있을 수도 있다고.

정연 전 우리 애 걱정돼서 온 거예요.

구경이 무슨 일을 당할까 봐 걱정되는 게 아니라, 무슨 짓을 저지를까 봐 걱정돼서.

정연 또 똑같은 얘기 하네.

구경이 네. 송이경이요, 사람을 죽였어요.

정연 야!

정연, 분이 너무 끓어 넘쳐서 제 화를 못 이기고 구경이를 잡고 막 흔든다. 흔들어 대는 와중에 구경이 코트가 자연스럽게 벗겨진다.

벗겨진 코트 바닥에 내팽개치고 발로 쾅쾅 밟는 정연.

코트가 엉망이 되자 정연이 행동을 멈추고 숨을 씩씩거린다.

구경이 다 하셨어요?

구경이가 엉망이 된 코트를 집어 들어서 다시 입는다.

구경이 정정연 씨랑 저희는 바라는 게 같아요. 내일 행사에서, 아무도 안 죽고 안 다치는 거.

정연, 구경이의 눈을 들여다본다. 구경이의 눈에는 흔들림이 없다.

정연 아무도 안 죽고, 안 다칠 거야. 우리 애 살인자 아니니까. 내일 이경이 만나서 오해 다 풀 거고, 그럼 이딴 헛소리한 거 나랑 우리 이경이한테 사과해야 될 거야.

구경이 이경이 만나면 지금 속으로 의심하고 있는 거, 꼭 물어보세요. 걔한텐 이모 말고 솔직하게 말할 사람 아무도 없으니까.

돌아서는 구경이 등짝에 커다랗게 찍힌 발자국.

18. 고급 일식집 / 저녁

금가루 솔솔 고오급 스시를 먹는 종준.
셰프가 한 알씩 내어주는 스시 먹고 눈물이
맺힌다.

종준 (감동) 너는 이런 데를 어떻게
알았냐? 입에서 녹는다 녹아
나제희 앞으로 자주 와서 드세요, 용돈
넉넉하게 드릴게
종준 내가 너 덕에 호강하는 날이 올 줄
알았어. (큼큼) 승진했어?
나제희 조금만 더 하면 가능성이 있지
종준 (먹으려다 말고) 그럼 더 바빠지겠구나
나제희 (장난스럽게) 그러니까 나나 좀 더 잘
부탁드려요
종준 (살짝 씁쓸) …

종준, 말없이 스시를 씹는다.
나제희, 무심결에 쳐다보다 바 자리에 앉은 김
부장을 발견하고 소스라치게 놀란다.
정성껏 스시 사진 찍던 김 부장, 나제희를 보고
빙그레 눈인사 한다.
나제희, 가볍게 목례하면서도 살짝 긴장된 기색.

19. 야구 배팅장 / 밤

배트 휘두르는 25시가디언즈 경호 팀장.
어딘가 불안한 얼굴. 공을 하나도 못 맞춘다.
옆 배팅 존의 커플(건욱과 케이)이 요란하다.
'홈런이다! 잘 친다! 쭉쭉 나간다!'

케이 이승엽 만루 홈런이언! 하나 둘 셋이야!!

경호 팀장, 그 소리에 행동을 멈춘다. 슉-! 경호
팀장 몸 옆으로 날아가는 야구공.
타석에서 나와 배트 꽂이에 방금 쓰던 배트
놓아두고 가버리는 경호 팀장.
건욱이 경호 팀장이 둔 배트를 집어 들어, 돌려
열면 둘둘 말려 있는 종이 나온다.

20. 로봇 시연 행사장 / 행사 하루 전날 밤

행사장으로 들어서는 구경이. 경수가 따라
들어오며,

경수 어디부터-
구경이 쉿!

구경이, 주변을 한 번 훑더니 행사장의
가운데에 쪼그려 앉는다. 의아한 경수 표정.

21. 건욱의 집 / 행사 하루 전날 밤

해킹한 CCTV 화면으로 보이는 구경이의
쪼그려 앉은 모습.

케이 뭐하는 거야?

화면 속 구경이, 꼼짝도 안 한다.

케이 이거 화면 멈춘 거 아니지?
건욱 (옆에서 컴퓨터 조작하다가) 문제없는데?

화면 속 구경이가 CCTV 쪽을 올려다본다. 작게 보이는 구경이지만, 화면 너머로 케이와 눈이 마주친다.

케이 어?

동시에 팟, 꺼지는 화면. SIGNAL MISSING.

건욱 이것들 또 신호 바꿨네. (키보드 두드리면서) 내부 신호로 돌렸고 리셋 깔았다. (짜증 내며) 이라면 뚫기 고된데
케이 이런다고 뭘 못할 거라고 생각하는 거야? 쎔 귀엽다

오히려 헤벌쭉 웃는 케이, 옆에 있던 이어폰을 챙겨 귀에 끼운다.

22. 로봇 시연 행사장 / 행사 하루 전날 밤

행사장으로 들어오는 나제희.

나제희 시킨 대로 했어

구경이, 그제서야 쭈그렸던 자세에서 일어나는데 다리에 쥐가 나서 휘청하며 주저앉는다.

나제희 그러게 왜 그러고 있었어?
경수 이제 말해도 되나요?
구경이 말해도 되지. 근데 케이가 듣고 있다고 생각하고 말해.

경수 (구경이 옆으로 와서 귀에 대고 소근소근) 근데 잔 다르크면, 화형 시키는 거 아니에요? 인화물질 점검 다 끝냈는데…

구경이, 질색팔색 하면서 경수 밀쳐낸다.

경수 (역시 소근소근) 작게 말씀드려야 될 거 같아서…
구경이 가끔은 부럽다, 너의 그 단순함이.

구경이가 잔 다르크 대본 품에서 꺼내 보인다. 빽빽하게 표시된 페이지들.

구경이 여기에 사람 죽이는 방법이 얼마나 많이 나오는지 아니?
나제희 그래서 조금이라도 이상한 건 전부 보고 하라고 했어—
경수 (찔려서 괜히 두리번두리번 손전등으로 구석을 비춰보다) 저게 뭐죠?
구경이 뭐

경수가 가리키는 곳에 있는 검고 작은 알갱이들.

구경이 노안이 와서 내가…

구경이, 납작하게 엎드려서 조심스럽게 들여다본다.

구경이 직경 1mm… 검은색, 여러 개고… 이스라엘에서 개발한 소형 폭탄이 이렇게 생겼는데…

(조심스럽게 비닐에 하나씩 담는다.)

경수 폭탄이요?!

나제희 …쥐똥 아니야?

구경이, 손톱으로 꾹 눌러본다. 뭉그러지는
쥐똥. 킁킁 냄새 맡는 구경이.
으윽 하며 물러서는 산타.

구경이 어디서 들어왔지?

나제희 뭐가?

구경이 쥐.

Cut to.
쥐구멍에 우레탄폼 채워 넣는 경수.

경수 이렇게까지… 이렇게까지요?

구경이 작은 틈 하나도 없어야 돼. 긴장해.

사뭇 진지한 구경이의 태도에 저도 되레
긴장하는 나제희.
쥐구멍 안쪽에 깊이 심겨져 있던 작은 장치.
빛이 사라지자 깜박거림도 멈춘다.

23. 건욱의 집 / 밤

케이 (귀에서 이어폰 빼며) 잘하네 보물찾기

케이, 옆에 기어가는 개미에 시선을 뺏긴다.
개미가 가는 길을 종이로 막아보는 케이.

건욱 고담 처리하는 거보다 그 쌤이랑

노는 걸 더 열심히 하는 거 같노

케이 (개미가는 길을 막으면서) 재밌잖아
아등바등하는 게.

개미가 종이벽을 피해 뱅뱅 돈다.

케이 고담 처리하는 거야-

케이, 길을 막고 있던 종이를 개미 위에
덮어버리고 그 위를 꾹 누른다.

케이 너무 쉬우니까

개미 덮은 종이 - 행사장 도면이다. 구경이가
보던 것과 같아 보이지만…
거기에는 새로운 통로가 하나 더 보인다.

케이 너무 숙이고 있으면 전체가 안
보이는 법이라고 했는데 (이빨을 드러내고
웃으면서) 우리 밥 은제 먹어? (문 두드리는
소리 나자) 배달시켰어?

케이가 곧바로 몸을 숨기고 빼꼼 쳐다보는데,
문 앞 CCTV 통해 보이는 사람은 대호다.

건욱 (케이 돌아보며) 나오지 마라

문 여는 건욱.

대호 (걱정스러운 얼굴로) 약은 먹었어?

대호 들어오자마자 건욱의 안색 살피고
이마에 손 짚는다.

대호 열은 없네
건욱 안 와도 된다고 했잖아
대호 밥 안 먹었지? 같이 먹으려고 많이
사 왔어

대호가 죽 들고 들어오고, 건욱이
엉거주춤하는데 케이가 화장실에서 유유히
나온다.

케이 안녕하세요^^
대호 예? 안녕하세요? (건욱을 보면)
건욱 (당황해서) 아..
케이 (유려한 부산 사투리 - 연기를 이렇게 하지) 저
건욱이 오빠야 사촌인데요~
서울에 놀러 왔는 김에 오빠야 우짜고
사나 보러 왔어요

대호는 일전에 부딪힌 적이 있던 케이의
얼굴을 알아보는 듯, 마는 듯.

대호 (갸웃하며) 어 안녕 나는 너네 오빠
직장 동료야
케이 사이 옥수 좋은 갑다! 직장 동료가
죽도 사다 주고~ 같이 먹어도 돼요?
대호 … 그래… 그러자

대호랑 건욱, 케이가 개다리소반 펼쳐 놓고
죽을 먹는다. 긴장 속 잠깐의 평화.

건욱이 뜨거워하자 물 가지러 가는 대호. 물을
꺼내는데 소주병과 맥주병이 보인다…
대호, 설마 하고 병을 하나 들어보면
찰랑거리는 액체.
뚜껑을 열고 냄새를 맡아 보려는데…

케이 그거 제 껀데
대호 어?
케이 제 꺼라고요. 우리 오빠야 술 안
마시는 거 알잖아요

대호가 병을 내려놓는다. 보고 있던 건욱이
안도의 한숨을 내쉰다.

케이 남의 물건 함부로 만지고 하는 거 노
매너인데.
대호 (피식) 남 아니야.
케이 에에? 직장 동료면 남 맞는데
대호 (케이에게) 너 여기 오래 있을 거야?
케이 왜요?
대호 (술병들 가리키며) 이거 너네 오빠한테
안 좋으니까 좀 치워줬으면 좋겠어서.
케이 아 모야모야~ 오빠야 직장 동료님
완전 오지라퍼고? 마누라가!
건욱 송이경!

케이, 자기 이름이 불리자 얼굴 찡그리고
건욱을 본다.

건욱 뭐하노? 죽이나 무라. 밥 묵고 할 일
많다매?

케이 (웃으면서) 알았어요~ 엉가이 알아서
할게요

케이 웃으면서 자리 피한다. 건욱과 대호가
서로를 쳐다본다.

24. 로봇 시연 행사장 / 밤

천장 환풍구를 기어 다니고 있는 산타. 비계
위를 걸어 다니고 있는 경수.

구경이 케이가 대본에서 얻는 건 살인
방법이라기보단… 어떤… 영감에
가까워.

조명기 모두 켜진다. 눈을 찌푸리는 구경이.
그 중 하나의 조명이 흐려지더니 약간 깜빡인다.

구경이(V.O) 맨 처음엔 천사들이 하늘에서
나타났고-

올려다보는 구경이.

구경이(V.O) …적군의 투석기가 쏜
돌멩이가 잔 다르크의 머리 위로
떨어진다

- INS. 피복이 벗겨져서 아슬아슬 끊어질 것
같은 조명기 전선.
순간 뚜둑- 하고 끊어지는 전선! 추락하는
조명기! 아래에 있던 고담의 머리로 향하는데!

비계에 올라가 벗겨진 전선 낚아채는 경수.
전선을 수리한다.

구경이(V.O) 두 번째 전투에서는 천사들이
내려준 비로 영국군의 발이 묶인다

기어 다니던 산타의 눈에, 스프링클러가
들어온다. 급수관의 나사가 빠개져 있다.
구경이가 빠르게 지도 위 배관을 훑는다.

- INS. 빠르게 흐르는 물의 이미지.

- INS. 오직 한곳의 스프링클러만 터진다. 고담
위로 쏟아지는 물!
닿자마자 취이익 소리를 내며 기화하는 액체.
소리를 지르는 고담.

스프링클러 손보는 산타.

구경이(V.O) 프랑스군의 석궁에 다리를
맞은 잔 다르크, 전장 한가운데 버려지고
만다.

나제희가 고담이 앉을 의자에 앉아
흔들어보지만 별문제 없다.
고담의 다리가 위치할 곳을 '향하고 있는 듯' 한
환기구 루바가 보인다.
무릎을 꿇고 루바를 뜯어내는 구경이.
환기구 맨 안쪽에 뭔가 있는데 잘 보이진
않는다. 손 끝이 거기에 닿을 듯 -,
하는데 순간 푸슉! 날아오는 파이프. 간발의

차로 나제희가 구경이를 밀친다.
그대로 벽에 날아가는 파이프.

나제희 의심 많은 사람이 살인 장치
제거하면서 왜 이렇게 겁이 없어?
괜찮아?
구경이 (얼떨떨한 상태에서 발음 흐리며) 그마어..

튕겨져 나간 파이프 보는 구경이, 엄청나게
뾰족하다.

구경이 (약간 놀랐지만 티 안내고) 일단 저기도
막자.

산타가 가림막으로 환기구 안쪽을 막고 루바를
다시 박아 넣는다.

경수 (낑낑거리면서 내려와서) 얼마나… 많이
남았어요?

가운데 선 로봇이 보인다.

구경이 제일 의심스러운 거 하나 남았다.

산타, 묘하게 흥분된 얼굴로 구경이 따라나서고
나제희, 핸드폰 울려서 액정 화면 본다. '김 부장'
전화를 받으려 행사장 밖으로 나가는 나제희의
모습을 눈으로 좇는 구경이.
산타가 간이 계단을 밀어온다. 구경이가 계단
위로 한 칸씩 올라가 본다.

경수 들어가도 작동은 못 해보는 거
아시죠?

마지막 계단까지 올라간 구경이, 멈칫하며
아래를 내려다본다.

경수 막상 올라가니까 무서우시죠
구경이 몇 분 정도 시승하지?
경수 (리플렛 뒤적이며) 테스트 해본 걸로는
평균 13분 40초 정도요.
구경이 뚜껑이 한 번 열고 닫히는 데는?
경수 완전히 밀폐되고 열리는 데는 13초
정도 걸린답니다.

구경이가 계단 최상단 손잡이를 만져보다가
로봇 조종간 내부로 들어간다.
조종간에 앉아서 자세를 잡아보는 구경이.
구경이, 마치 로봇을 직접 움직여볼 것처럼
손과 발을 모두 자리에 둔다.
그러다가 코를 벌름거리고… 신발 쪽 아래를
더듬어 보고는 뭔가 알았다는 표정.
계단 위쪽까지 올라온 경수와 산타. 구경이를
들여다본다.

경수 뭐 하세요?
구경이 칼 있는 사람?

산타가 주머니칼을 손에서 능숙하게 한 바퀴
돌린 다음 펼쳐서 준다.
구경이가 그걸 받아서 한두 계단을 내려간다.

구경이 너넨 내려가

경수와 산타가 내려가자, 주머니칼로 계단
손잡이를 휙! 긁는다. 파팟! 작은 불꽃이 튄다.

구경이 로보트가 아니라 계단이
문제였어. 페로세륨 같은데 부싯돌이지.
금속이랑 부딪히면,

구경이가 몇 번 더 칼로 내려치자, 이제는
확연히 눈에 보일 정도로 불꽃이 튄다.

구경이 이 상태로 들어간다는 건 불씨를
안고 가는 거고…
장난감 내부에서 조금만 불씨를
살려줘도, 발화되는 거지
경수 고담이 그걸 칼로 긁으면서
들어가진 않잖아요

25. 구경이의 상상

구경이 목소리 깔리면서, 보여지는 고담 모습.
시승 행사, 고담이 손잡이를 잡고
계단을 한 걸음씩 올라가는데 고담 손가락에
있는 반지.

구경이(V.O) 그 반지, 빼질 않더라고.

- INS. 변호사 사무실에서, 기자회견 등에서 늘
눈에 띄던 고담의 반지.

고담의 반지와 계단 손잡이가 마찰되면서 불씨가
피어오른다.
불씨, 고담의 움직임 따라서 로봇 조종간까지
따라 들어가고…

구경이(V.O) 그리고 로보트 조종을
하려면-

조종간 안으로 들어가는 고담. 로봇 조작을
위해서 버클을 채우고, 신고 있던 구두를 벗고,
발을 로봇 조작용 발 패드 위에 갖다 끼운다.
반지를 따라오던 불씨가 구두의 표면에 닿으며-

경수(V.O) 구두약… 불 피우기 딱이네요
구경이(V.O) 그리고 내부는 독극물이
의심돼서

- INS. 로봇 내부를 더듬어 보면서 킁킁거리는
구경이.

구경이(V.O) 알콜로 열심히 닦아 놨지.
내일 타기 전에도 한 번 더 닦을 거고.

조종간에 올라탄 고담.

구경이(V.O) "십자가를 들어주세요!"
타오르는 불길에도 잔 다르크는
목소리를 높인다.

뚜껑 덮고 의심 없이 전원을 올리는데, 반지를
따라온 불꽃이 구두에 옮겨붙으며

순간적으로 조종간 내부에 불길이 일면서
화르륵 펑! 불길 속에서 비명을 지르는 고담.

26. 행사 당일 행사장 / 낮

펑! 하고 울리는 팡파르. 로봇 시연 행사의 막이
올랐다. 박수 치고 있는 사람들.
고담, 아무렇지 않게 계단을 딛고 조종간에
올라가서 로봇의 팔을 흔들어 보이고 있다.

고담 (MIC로) 피스히어로와 함께하는
퓨처는… 피스! 평화 그 자체입니다!

로봇이 손동작을 하나하나 할 때마다
관중들의 환호.

27. 통제실 / 낮

전체 행사장을 조망할 수 있는 통제실에서
아래를 내려다보고 있는 나제희.

나제희 여기까지 무사통과네. 케이 그냥
포기한 거 아냐?
구경이(E) 케이라면 이제부터 시작이지.
계단 누가 갖다 놨는지 확인 아직이니?
나제희 오늘 행사 마무리되면, 하나하나
역추적할 거야. 그 전에 케이가 우리
손에 떨어지면 땡큐지만.

28. (교차) 행사장 이곳저곳 / 낮

보안 요원들과 같은 옷을 입은 채 구석에서
로봇 시연 지켜보고 있는 구경이.
로봇이 무사히 움직이자 안도하여 미소를
지으며 시연을 이어가는 고담.
케이터링 직원 옷을 입은 산타도 로봇을
보고 있다.

경수(E) 진짜 움직여요? 나도 보고
싶은데–

– 행사장 밖 복도. 청소 직원 옷 입은 경수,
행사장 안으로 못 들어가고, 밖에서 기웃기웃.

– 행사장 안.

구경이 (경수에게) 구경 온 거 아니다, 자리
지켜 (산타에게 다가가) 너도.

사람들은 모두 로봇에 눈이 팔려 있다.
잔뜩 진지한 가운데 구경이가 샴페인을 한
잔을 들어서 유심하게 본다.

산타 —— (비난하는 얼굴)
구경이 독 들었는지 확인하는 거야…. 헉!
산타 @_@???!!!
나제희(E) 뭐야 왜 그래?
구경이 …너무 맛있어…

산타 -_-… 표정으로 제자리로 돌아간다.
– 행사장 밖. 건물 코너 어두운 곳. 쓰러져 있는
사람의 실루엣이 보인다.

건욱이 케이터링 직원 유니폼을 뺏어 입고
나타난다.
안경에 코도 붙여 변장한 건욱의 외양.
쓰레기봉투 끌고 행사장 밖 지나는 경수와
스쳐 지나는 건욱.

건욱 (행사 진행되는 걸 보고) 이 정도면 니보다
똑똑한 거 아이가?

반짝이는 안경.

29. 카페 / 낮

건욱의 시점이 그대로 케이의 패드 화면에
보인다. 안경의 카메라로 행사장 보는 케이.

케이 (밀크티 쪽 빨며) 딱 기대한 수준이거든

30. 행사장 / 낮

건욱, 옆에 있던 쟁반 들고 능숙하게 정리하는
시늉 한다.

건욱 (케이에게) 몇 개 남았는데?

옆에서 케이터링 테이블 챙기던 직원이
자기한테 하는 말인 줄 알고 –

직원 빵? 몇 개 안 남았어.
건욱 (친절, 서울말씨) 제가 갖다 놓을게요.
케이(E) 목소리 뭐야. 왜 이렇게 자상해?

나한테도 해줘 봐라 그런 거.
건욱 (빈 그릇 들고 가면서) 시끄럽고, 몇 개
남았냐고.

바삐 걸어가는 건욱의 모습 위로.

31. 카페 / 낮

케이 불바다까지는 그냥 몸풀기였고.
사실은 이게 진짜라는 거.
건욱(E) 언제?
케이 (손목 꺾는 제스처 하며) 지금.

케이가 보는 화면 속, 행사장 밖으로 나가는
건욱의 카메라 시점.

32. 로봇 시연 행사장 외부 / 낮

건물 외부, 케이터링 업체가 음식을 세팅하는
공간으로 나온 건욱.
건욱이 케이터링 업체의 물품들이 올려진
트롤리들을 스캔한다.

케이(E) 그거!

건욱, 트롤리 하나에서 눈이 멈춘다.

케이(E) 아니, 그 전.
건욱, 그 옆의 트롤리를 본다.

케이(E) 맞아.

케이가 지정한 트롤리에는 빵이 가득 올려져 있다. 천천히 그걸 밀고 들어가는 건욱.

건욱 뭐가 이렇게 무겁노?
케이(E) 애인이랑 운동 열심히 하더니 힘 다 어따 썼어?

33. 로봇 시연 행사장 앞 / 낮

트롤리 밀고 행사장으로 향하는 건욱.
입구에는 보안 요원들이 오가는 사람들의 소지품, 물품 등을 하나하나 검사하고 있다.
건욱이 보안 요원들을 본다. 하나하나 챙기는 듯하지만, 다 시늉이고 은근히 허술하다.
건욱이 모르는 척하고 트롤리 밀고 지나가려는데…

보안 요원1 거기! (트롤리로 다가오는)
건욱 예?
보안 요원1 (빵 두 개 집으며) 마실 거는 없어요?
건욱 (웃으며) 바로 갖다 드릴게요
보안 요원2 너 탄수화물 중독이야

빵 먹으며 낄낄거리는 보안 요원. 건욱이 행사장 안으로 들어간다.

34. (교차) 로봇 시연 행사장 안 - 카페 - 통제실 / 낮

무사히 들어왔나 싶은데, 들어서자마자 트롤리

앞에 드리우는 사람 그림자. 보면, 산타다.
산타가 트롤리 반대쪽 손잡이를 턱 잡는다.
각자 손잡이를 잡고 눈을 마주치는 산타와 건욱.
건욱이 잠시 긴장하는데 산타, 예의
'도와드릴게요' 미소를 띠며 앞에서 당겨준다.

건욱 아… 감사합니다…
산타 (빙그레)
건욱 저는 보안팀 마실 것 챙겨 드릴게요. 부탁드려요.
케이(E) 왜? 즐거운 시간 더 보내지~? 니 스타일 아냐?

건욱이 트롤리를 산타에게 맡기고 자신은 입구 쪽으로 향한다.
구경이, 무대 뒤쪽에서 대기하고 있는 여성단체 관련인들 주시하고 있다.

구경이 (노래) 산-토끼, 토끼… 준비 됐니?
나제희 응, 지금 나가.

사회자 다음은 이 자리를 빛내 주기 위해 성범죄 피해자 지원센터에서 나오셨습니다-
고담 대표님이 특별히 모신 손님들입니다.

로봇 옆으로 여자들 여러 명이 선다. 얼굴들 가운데, 정연도 보인다.
정연은 행사장에 모인 사람들의 얼굴을 하나하나 보고 있다. 혹시 이경이 있나 해서.

사회자 평화와 정의로운 사회를
위한다는 의미로, 고담 대표님이
조종하는 피스히어로2가 여성분들께
꽃다발을 전달하겠습니다!

로봇이 앞서 나온 여자들에게 꽃다발을 하나씩
전달해준다.

구경이 (홀 둘러보며) 눈이 빈틈을 보일 때가
됐는데…

단체 대표 …저희 센터에서는 고담
대표님의 차기 서울 시장 도전을
응원합니다!

머쓱하지만 당당한 미소 지으며 마이크를
잡는 고담.

고담 안 들리는 척하려고 했는데, 마이크
성능이 너무 좋네요. (모두들 하하하)
(진지하게) 여러분들의 목소리를 무겁게
받아들이겠습니다! 맞습니다! 저 혼자
한 분 한 분 피해자를 도와드리는
것으로는 역부족입니다. 사회의
시스템이 변해야 더 이상의 피해도
없다는 사실을 통감하고 있습니다.
건욱 별 쇼를 다 하네.

건욱, 행사를 흘긋 보다 주머니 속 리모컨
버튼을 누른다.

고담 …저 고담이 차기 서울시장이 되어
범죄 걱정 없는 서울,
모두가 안심하고 살 수 있는 서울을
만들겠습니다!

- 카페. 건욱이 비추는 출마 선언 장면 보며
낄낄거리던 케이. 익숙한 얼굴이 지나간다.

건욱(E) 나 이제 빠진다
케이 잠깐만!
건욱(E) 왜?
케이 로보트 쪽 다시 봐 봐. 거기 나온
사람들!

- 행사장. 건욱, 성범죄 피해자 지원센터
사람들 보는데…

건욱 어?…

건욱의 시야에 센터 사람들과 함께 서 있는, 쉴
새 없이 두리번거리는 정연이 보인다.

- 카페.

케이 이모? 이모가 왜 저깄어?
건욱(E) 야. 이거 뭐가 잘못된 거 같은데…
케이 이모 빨리 데리고 나와! 로보트,
로보트는 어떻게 됐는데?

- 행사장. 케이터링 테이블 앞에서 트롤리 위에
있는 빵 옮기는 산타.

건욱이 트롤리 쪽 보는데 - 산타의 귀에 작게
'덜커덩' 소리 들린다. 뭐지? 하고 보면.
작은 로봇들이 트롤리 아랫부분의 천 사이에서
일렬로 걸어 나오고 있다.

건욱 (리모컨 버튼 눌러보지만 소용없는) 이미
나왔다

행사장 사이사이로 흩어지는 로봇들. 사람들이
"이거 뭐야" "귀여워" 탄성을 내뱉는다.
로봇들이 동시에 춤을 추기 시작한다.
사람들이 로봇 주변을 둘러싸고 구경한다.

구경이 (나제희에게) 이거 예정된 거야?

고담을 돌아보면, 고담은 사회자에게 멘트
진행하라고 손을 흔든다.

사회자 정말 귀여운 로보트들이네요!
K-pop의 나라에서 만든 로보트들 답게!
칼군무를 보여주고 있습니다!

케이 빨리 이모 빼내!

건욱, 눈치 보며 정연 쪽으로 다가간다.

- 카페. '울 이모'에게 전화하는 케이.

소리 전화기가 꺼져 있어 소리샘으로
연결됩니다…
케이 아이씨!

- 행사장.

구경이 (나제희에게) 리스트에 있던 거냐고!

- 통제실.

나제희 (긴박) 없었어.

- 행사장.
구경이, 사람들 헤치고 로봇들 쪽으로 간다.
사람들이 둘러싸서 쉽지 않다.
엉덩이를 씰룩거리며 춤을 추고 있는 로봇
장난감. 로봇의 양손에 검은색 막대가 쥐어져
있다. 반복적으로 마찰되는 막대.
그리고 그때마다 불꽃이 튕겨져 나온다.

구경이 사람들 대피시켜.
나제희(E) 선배는?

팟, 팟, 튀기는 불꽃. 구경이, 로봇들에서 눈을
떼고 둘러보면,
소란스러운 사이로 정연에게 어떤
남자(건욱)가 접근한 것이 보인다.

건욱 (정연의 옷깃 잡고 속삭이는) 이모님,
나오세요.
정연 누구세요?
건욱 이경이가 나오래요.
정연 ! 얘 어딨어요?

건욱, 두 사람을 향해 오는 구경이 발견한다!

정연 이경이랑 고담이 진짜 관련 있어?

케이(E) 빨리 나와!

건욱 빨리요!!

건욱이 정연을 끌어당기지만 그럴수록 정연은 이경이 의심스러워진다.

정연 (건욱의 눈보며) 우리 이경이가… 고담 죽이려고 해?

케이 !!

건욱을 향해 돌진하는 구경이! 건욱이 다급하게 구경이를 뿌리치고 도망친다.

케이(E) 야!!! 이모 챙기라고!!!!!

정연, 쫓고 쫓기는 두 사람이 아닌 고담을 쳐다본다. 근처에 이경이 있는 것처럼.

구경이 (건욱 쫓아가며 큰 소리로) 다들 밖으로 나가요!!!

건욱을 따라 행사장 밖으로 나가는 구경이. 사람들 뭐야 뭐야 하고 고담도 막 로봇에서 내려오는데…
그 때 로봇에서 불길이 화르륵! 순식간에 엄청난 기세로 타오른다.
사람들이 비명을 지르고 다른 로봇들도 화염에 휩싸인다.
우왕좌왕 난리 난 사이 누군가 불타는 로봇에

들고 있던 컵의 물을 부어버리는데
불이 꺼지기는커녕 펑! 소리가 나면서 연기가 피어오른다. 콜록콜록 기침하는 사람들.
스프링클러 터지고, 물과 반응하자 연기가 더 크게 피어오른다.
웨에에에엥- 울리기 시작하는 경고 사이렌.

35. 로봇 시연 행사장 앞 / 낮

케이터링 조끼 벗어 던지며 달리는 건욱. 마대 걸레 들고 있던 경수가 건욱을 붙잡는다.
건욱이 경수를 뿌리치는데, 동시에 건욱의 소매 일부가 찢기며 팔뚝의 문신이 드러난다.
그걸 보는 경수.

구경이 (달려오며 경수에게) 정정연 챙겨.

경수를 지나쳐 계속 건욱 쫓아가는 구경이.
경수, 일어나 행사장 쪽으로 달려간다.

구경이 (나제희에게) 고담은 어딨어!

- 통제실. 대혼란이 된 행사장 안을 보고 있는 나제희, 눈으로 고담을 쫓는다.

36. 카페 / 낮

케이가 보고 있던 화면에는 건욱이 달리느라 흔들리는 길밖에 보이지 않는다.
카페 문이 덜렁 흔들린다. 케이가 달려나간 것.

37. 로봇 시연 행사장 앞 / 낮

사람들이 우왕좌왕 입구 쪽으로 몰리고 난리다.
입구로 들어온 경수에게 로봇 쪽에 있는 정연과
사람들에게 마구 밟히는 산타가 보인다.

경수 산타!

경수가 사람들을 헤치고 행사장 안으로 들어가
산타를 붙잡는다.
연기 사이로, 사람들과 함께 쓸려나가듯
대피하는 정연의 모습이 보인다.
경수가 한눈판 사이, 산타가 또 지나가는
사람에게 밟힌다. 코피 터진 산타.

경수 일단 나가자.

경수가 만신창이 된 산타를 부축하여 도망친다.

정연, 출구 쪽으로 쓸려 나가면서도
고담에서 눈을 떼지 않는다.

정연 (패닉 상태) 아닌데… 우리 이경이
아닌데…

고담은 출구가 아닌 벽 쪽으로 달려가고 있다.
이내 시야에서 사라지는 고담.
정연, 고담이 사라진 벽을 더듬거리는 정연.
눈으로는 보이지 않는 틈이 만져진다.
벽의 일부를 밀자 드러나는 작은 통로. 정연이
그 안으로 들어간다.

38. 로봇 시연 행사장 건물 근처 / 낮

건욱의 뒤꽁무니를 쫓는 구경이.
건욱, 턱 같은 것도 훌쩍훌쩍 올라가는데
구경이는 점점 숨 딸려 죽겠다.
구경이, 겨우 담 넘어가는데, 막 오토바이에
올라타는 건욱 보인다.
건욱이 달고 있던 인이어, 바닥에 떨어지면서
박살 난다.
담에서 무리해서 뛰어내리는 구경이.
막 달려서 오토바이 끝으로 손을 뻗는데, 부앙,
출발하는 오토바이.
구경이, 오토바이를 놓쳐 데굴데굴 구르고…
번호판을 유심히 본다.

구경이 (숨 헉헉대며) 다 봤다 시X… 헉헉.
우웩… (나제희에게) 고담 확보했어? 나
팀장! (반응 없다.) …나제희!

39. 거리 / 낮

행사장으로 달리고 있는 케이. 구급차와
경찰차가 사이렌을 울리며 케이를 추월해
간다.

40. 로봇 시연 행사장 건물 비밀 통로 / 낮

경호 인력도 다 따돌리고 혼자 비밀통로를
달리고 있는 고담.

고담 일을 어떻게 했길래, (헉헉) 감히

내 행사장에, (헉헉) 이딴 일이 일어나,
(헉헉)망신망신 (헉헉) 망신살 (헉헉)

고담의 눈앞에 비상구 표시와 문이 보인다.

고담 샛길 안 터 놨으면 (헉헉) 요건 몰랐지
(헉헉) 어디 나를 죽이겠다고 (헉헉)

고담의 귀에 누군가 달려오는 발소리가 들린다.
멈춰 서는 고담. 따라오던 발소리도 멈췄나
싶더니, 멀리서 다시 발소리가 들린다.

고담 (품에서 가스총 꺼내면서) 누구야! 어떤
놈이야?

긴장된 순간, 점점 더 가까워지는 발소리.
고담이 품에 있는 가스총으로 손을
가져가는데…
뒤에서 튀어나온 나제희가 고담의 목에 암
바를 걸며 전기충격기로 고담을 지진다.
허우적거리다가 힘이 빠져 쓰러지는 고담.
고담과 함께 주저앉은 나제희.

구경이(E) 고담 확보했어? 나 팀장!

헉헉 거리는 나제희, 인이어 뽑아버리고,
전화를 건다. 수신자는 '김 부장'.

나제희 (헉헉) 고담, 확보했습니다.
김 부장(E) 사람 보내겠습니다

나제희가 고개를 드는데, 이 광경을 모두
지켜본 정연.

정연 이게 다 뭐야…

깜짝 놀란 나제희, 힘겹게 일어서며.

나제희 정정연 씨, 지금 무슨 생각
하시는지 알겠는데… 그거 아니에요
정연 이러려고 우리 이경이가 저 놈 죽일
거라고 한 거지.
당신들이 죽이고 덮어씌우려고!
나제희 오해세요. 행사장 난리 난 거
보셨잖아요. 그거 송이경 짓 맞아요.
정연 그 말을 어떻게 믿어. 당신들이 저
인간 죽이려고 그런 거잖아.
나제희 아니에요. 저거 안 죽었어요. 살아
있어요, 와서 보세요.

나제희가 고담에게서 손 떼고 양손 든 채
물러난다.
정연, 나제희에게 눈 떼지 않고 고담 쪽으로 가
코 밑으로 숨이 드나드는지 확인한다.
고담의 안주머니에 꽂혀 있는 가스총이 보인다.

나제희 저는 이 사람 무사히 나가게
하려고 그런 거예요.
정연 (가스총 꺼내 들어 나제희 겨누며) 개소리
하지 마. 이경이 어딨어.

41. 행사장 건물 건너편 / 낮

막 달리고 있는 케이의 눈에 행사장 건물이
보인다.
멀리서 보기에도 난리가 난 풍경. 사람들이
입구 쪽으로 막 쏟아져 나오고,
구급차 경찰차가 속속 도착. 난리가 난 풍경.

케이 이모 어딨어… 어딨냐고!!!

케이가 외쳐보지만 이미 건욱과의 연결은
끊어졌다.
지지직 소리뿐인 이어폰 빼 버리는 케이.
차들이 쌩쌩 달리는 8차선 도로를 앞에 두고
멈춰 선다.

케이 도움도 안 되는 새끼…

케이가 차도에 뛰어든다. 빵빵거리면서 케이를
칠 듯 스치고 지나가는 차들.
중앙선까지 간신히 도달한 케이가
아슬아슬하게 서서 입구 쪽을 보려 애쓴다.
사람들 사이에서 정연의 모습을 찾지만 보이지
않는다.

케이 어딨는데… 왜 여기 왔는데…

케이에게 빵빵거리는 차들. 케이, 중앙선 따라
뛰면서 행사장 가까이로 가는데-
문득, 케이를 스치고 지나가는 불안한 예감.
시선을 돌려 행사장 건물과 조금 떨어진 곳에

위치한 간이 건물을 바라본다. '설마…'
케이, 등록되지 않은 번호를 눌러 전화를 건다.

42. (교차) 행사장 건물 비상 통로 -
행사장 건물 건너편 도로 / 낮

정연 이경이 어딨냐고.

나제희에게 가스총 겨누고 있는 정연.
정적 속에 핸드폰 벨소리가 들린다. 둘 다
두리번두리번.
정연이 고담의 옷 주머니에서 핸드폰을 빼내서
받는다.

정연 여보세요.

케이 이모? 왜 이모가 받아. 어디야 지금?

정연 이경이니? 왜 여기로… 너 다친 데
없어?
나제희 송이경이에요?

정연이 다가오지 말라는 듯 나제희에게
총을 겨눈다.

케이 이모 어디냐고! 왜 고담 옆에 있어!
무사한 거지?
정연 응, 이 사람 안 죽었어. 너 어디야
지금?

정연의 눈에 비상구 문이 보인다. 나제희에게

총 겨눈 채로 비상구로 다가가는 정연.

케이 (차도로 뛰어들며) 내가 지금 갈 테니까.
정연 씨 거기 가만히 있어.

덤프트럭이 하이빔을 번쩍이면서 빠아아앙!
경적을 울리며 케이를 덮칠 듯 달려든다.

정연 (경적 소리 듣고) 이경아!!! 괜찮아????
이경아!!

정연이 비상구 문을 열고 나간다. 정연의
목덜미에 새하얀 쉬폰 재질의 천이 닿는다.
정연, 뭐지? 하고 쳐다보면 천이 스르륵
내려오며 문과 연결되어 있는 장치가 작동한다.
푸슉, 소리와 함께 정연이 멈칫한다.

케이를 피하려고 핸들을 꺾은 덤프트럭.
간신히 케이의 곁을 스치고 지나가서 멈추고
뒤이어 줄줄이 차들이 급정거를 한다.
빽빽한 차들 사이에 갇힌 케이.

케이 거기서 움직이지 말고 딱 그대로
있어! 거기 뭐 보여?

정연, 입을 열고 대답하려 하는데 목소리가
나가지 않는다. 숨을 거세게 들이쉬는 정연.
정연의 거친 숨소리를 듣는 케이.
나제희의 눈에 문 앞에 가만히 서 있는 정연이
보인다. 하얀 천이 피로 물들기 시작한다.

나제희 정정연 씨…

케이 이모? 이모!

새하얀 천을 가로질러 정연의 폐를 관통한
활 하나.
숨을 쉬지 못해 빈 숨을 들이쉬던 정연이
서서히 쓰러진다.

케이 이모!!!! 대답해!!!!

나제희에 눈에 쓰러지는 정연이 보이고 곧
비상구 문이 닫힌다. 눈을 감아버리는 나제희.

겨우 길 건넌 케이가 간이 건물로 달린다.
멀리서 케이 향해 질주해오는 건욱 오토바이.
케이의 눈에 빨간 얼룩이 묻은 새하얀 천에
덮여 있는 누군가가 보인다.

케이 안 돼… 안 된다고… 이모!

케이, 걸음이 느려져 휘청이며 앞으로
나아가는데…

정연 쪽을 향해 가는 구경이가 보인다.
구경이, 쓰러진 정연 곁으로 가서 몸을
굽혔다가 잠시 뒤 일어선다.
정연의 죽음을 확인한 구경이. 그리고 그
모습을 보고 이모가 죽은 걸 알아차린 케이.
아주 먼 거리를 두고 눈이 마주치는 두 사람.
서로에게 달려갈 생각도 하지 못하고 멈춰 선

채 절망감을 공유하는 케이와 구경이.

그 때 건욱이의 오토바이가 인도를 질주해,
케이 앞에 선다.

건욱 가야 돼!

억지로 케이를 태워 출발하는 건욱.

남겨진 구경이, 정연이 나왔음이 분명한
비상구 문을 열어보는데…
안에는 아무도 없다.

43. 건물 근처 / 낮

고담을 끌고 온 나제희가 숨을 몰아쉰다.
얼굴에 드리우는 죄책감.

나제희 말씀하신 대로 했습니다…

축 늘어진 고담을 내려다보고 있는 김 부장.

김 부장 수고했어요.

김 부장, 고담의 볼을 톡톡, 톡톡 친다. 다
풀어진 눈을 겨우 뜨는 고담.
품에서 폰 꺼내서 용 국장과 영상통화
연결하는 김 부장.

용 국장 딴 게 아니고, 내가 물어볼 게
남아서. 마지막으로 얼굴도 볼 겸 해서.

고담 아들들에 대한 사랑이…
이렇게까지 극진하신 줄 몰랐네요.
원하시는 거 드릴 테니까 여기까지
하시죠… 아주 크게 혼났습니다 제가.
많이 배웁니다.
용 국장 내가 그걸 믿으면은 좋을 텐데,
나도 의심이 많아 가지고.
고담 저밖에 모르는 일이고, 저만 접근할
수 있습니다. 새어 나갈 일 절대 없어요.
내가 죽어도 무덤까지 함께할 겁니다.
용 국장 (눈 반짝) 그래요? 그럼 이야기
끝났네

요원들이 능수능란하게 고담의 팔다리를
잡는다. 고담, 저항하지만 속수무책.

고담 ㅎ…? 뭐야…? 뭐야…!

고담의 양말을 벗겨 발가락 사이에 주사를
놓는 요원들. 정말로 눈앞에서 누군가를
'죽이려는 공작'이 벌어지자 얼어붙는 나제희.
완전히 정신을 잃은 고담을 운전석에 태우는
요원들.
시동 켜고 차 출발시키면, 부아앙! 굉음 내며
급발진 하는 차. 고담의 차, 그대로 바로 앞
벽을 강하게 들이받는다.
김 부장이 품에서 선글라스 꺼내서 쓰며 한
걸음 뒤로 간다.

김 부장 머리털 타요

나제희, 이게 무슨 말인가 싶어서 김 부장
보는데 펑! 소리와 함께 터지는 고담의 차.
일그러지는 제희의 얼굴 위로 불꽃이
일렁인다.

44. 도로 / 낮

달리는 건욱의 오토바이. 건욱의 뒤에 타 있는
케이의 얼굴.

(F.O)

45. 뉴스 화면

고담의 영상자료, 뉴스 화면과 함께 앵커
목소리 흘러간다.
'인권 변호사 KD PEACE LAB 대표 고담(46),
자동차 급발진으로 사망'

앵커 인권 변호사로 피해자 지원활동에
앞장서 온 고담 KD PEACE LAB 대표가
차량 급발진 사고로 사망했습니다.
경찰은 자동차의 안전 점검이 미흡했던
것으로 보고 수사를 이어 나가고
있습니다.

피스히어로2 시연행사 현수막과 난리가 난
행사장 곳곳의 모습이 보인다.

앵커 한편, 피스히어로2 시연행사
중 발생한 화재로 인해 행사장을

빠져나가던 인파가 급격히 한곳으로
쏠리며 한 명이 숨지고, 열 두 명이
다쳤다고 경찰은 밝혔습니다. 사망자의
사망원인은 밝혀지지 않은 가운데…

뉴스 화면 자막, '피스히어로2 시연행사 화재
발생, 1명 사망, 12명 부상…'
자막의 '1명 사망'이란 글씨가 크게 보인다.

46. 나제희의 집 / 저녁

뉴스를 보고 있는 나제희. 걱정스러운
표정으로 나제희를 쳐다보는 종준.
나나가 다가와 나제희에게 안기려고 하지만,
뉴스에서 시선을 떼지 못하는 나제희.

(F.O)

47. 행사장 내부 / 밤

(F.I)

모든 게 정리된 행사장. 구경이 혼자 서 있다.

48. 어딘가 / 언젠가

케이의 얼굴이 클로즈업으로 보인다.
어디에 있는 건지 배경은 보이지 않는다.
케이는 무표정이었다가 잠깐 웃기도 했다가
슬픈 표정도 지었다가 무서운 표정이 되기도
한다. 움직이고 있는 것 같기도 하고, 뒤로

무언가가 지나가고 있는 것 같기도 하다.
볼 수 있는 건 케이의 뭔지 모르겠는
얼굴뿐이다.

———————— ⟨7화 끝⟩ ————————

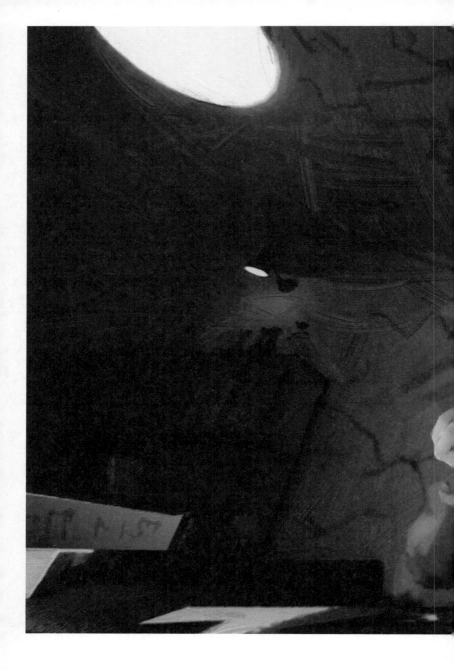

케이와 검은 괴물 컨셉아트 중 일부

8화

"나도 죽을 거다.
 그러고 나면

니한테 진짜 아무도 안 남는 거
내가 안다."

1. 과거. 성당 / 아침

정연, 마리아상을 두고 혼자서 기도를 드리고 있다.

정연 (…) 언니, 부탁할게

빰--- 하는 파이프 오르간 소리가 산통을 깬다.
쳐다보면, 그걸 막 눌러보고 있는 케이(18세).
히- 하고 웃는다.

2. 과거. 아이스크림 가게 / 낮

정연 내가 우리 언니한테 할 말 좀
한다는데 그게 그렇게 질투가 나?
케이 흐 말하면 뭐해. 엄마가 들어?
죽었는데 어떻게 듣냐

정연이 먹던 손을 내려놓고

정연 이경아, 엄마 듣고 있어.
케이 …
정연 너희 엄마 어렸을 때 엄청
공부벌레였던 거 알지? 나는 수다쟁이고.
공부하는 언니 등 보면서, 혼자 한참
얘기하다가 삐져서 자고 그랬어.
근데 어느 날은 나한테 머리핀을 주더라.
내가 갖고 싶다고 했었나 봐.
난 말한 것도 까먹었는데.

정연, 말하는 동안 눈가가 젖어든다.

정연 너네 엄마는 내가 아는 사람 중에
제일 잘 들어주는 사람이야.

케이는 그런 정연을 물끄러미 본다.

케이 이모는 좋겠다, 다 들어주는 사람
있어서.
정연 어쭈. 너도 나 있잖아! 나한테 못할
이야기는 너네 엄마한테 해라 뭐!
나는 질투 안 할 테니까!

정연이 먼저 나가 있는 동안 케이가 정연이
들고 다니는 엄마의 사진을 물끄러미 본다.
뭐라고 말해보려는 듯한 표정.

웅--------…
그러나 케이의 귀에 들리는 것은 기분 나쁜
노이즈뿐. 아무것도 들리지 않는다.
웅------- 불쾌한 노이즈가 귓가에 울린다.

케이 아무것도 안 들리잖아

3. 화장터 / 낮

웅- 소리 이어지는 가운데 화장터 전광판에
'정정연'의 이름.
납골함을 들고 나오는 손 닥터와 정연의 직장
동료들. 뒤에서 참석자들을 감시하고 있는 김
부장과 용 국장 쪽 인원 몇이 보인다.
CCTV 사각에서 이 모습을 보고 있는 건욱.
정연의 영정 보고 침통한 표정.

4. 구경이의 집 / 낮

방은 밤처럼 어둡다. 방바닥에 덩그러니 놓인
핸드폰에서 나제희 목소리 흘러나온다.

나제희(E) 오토바이 번호판 조회 안 되고,
화장터에도 안 나타났대.
선배, 이 정도면 우리 할 만큼 한 거 같아.
…듣고 있어?

구경이는 핸드폰 집을 생각도 안 하고 구석에
자빠져 있다.
비가 내리는데 창문이 열려 있어서, 비가
방으로 다 들이치고 있다.
젖고 있는 사건 자료들… 은 괜찮은데,
컴퓨터… 까지 젖으려고 하네…

구경이 산…트… (너무 오래 목을 안 써서 성대가
잠긴)

꾸구궁! 천둥까지 치고 점점 세지는 비바람.
기어가보려고 하는데, 아무 기력도 없는 구경이.

구경이 비가… (오는데… 창문을 닫아야 되는데…)

산타 어디 있나 둘러보던 구경이,
구석에 옷가지 무덤 사이로 삐죽 나온 새하얀
얼굴 보인다.
구경이 비척비척 기어가서 흔들어보는데,
산타는 가는 신음 소리만 낼 뿐.
이마에 손을 대보면, 펄펄 끓고 있다.

구경이, 잠시 보다가 산타의 바지 주머니로
손을 가져간다.

꾸구궁- 천둥소리가 둥, 둥, 둥, 하는 북소리로
바뀌고 -

5. 연습실 / 낮

리드미컬한 북소리 서서히 빨라지고 - 정면
향해 고개 쳐드는 케이.
화면 빠지면, 케이가 힘차게 머리를 흔들어
대면서 아프리칸 댄스를 추고 있다.
십 수 명의 사람들이 함께 땀방울을 흩날리고.
동작을 따라 하며 즐거워하는 케이의 얼굴.
*8화의 케이는 전체적으로 눈에 띄지 않는
무채색 옷을 입고 있다.

6. 아이스크림 가게 / 낮

상기된 얼굴로 아이스크림 고르고 있는 케이.

케이 원래 스트로베리 좋아하는데, 지금
너무 더워가지고 레몬 셔벗도 좀 당기는데
근데 쌀이랑 초코를 안 먹을 수가 없잖아!
아! 이모는 피스타치오 좋아하지?
어떡하지~?

쇼케이스에 거의 얼굴을 처박고 갈등하는 케이.
누구와 이야기하는 것처럼 보이지만, 점원이
보면 - 케이는 혼자서 중얼거리고 있을 뿐.

점원 고르셨어요?

케이 잠깐만요! 아이모가 골라주면 좋은데, 어떡하지?
(애처럼 꿍꿍 앓다가) 그냥 다 주세요! 여기부터 여기까지 다!

Cut to.
하프 갤런 여러 개 테이블에 쌓아 놓고 아이스크림 퍼먹는 케이. 전화 온다.

- 건욱, 버스 타고 오면서

건욱 납골당에 잘 모시는 거까지 봤다
케이 (건성) 어엉- (쩝쩝쩝)
건욱 사람들 그래도 몇 명 있더라.
케이 그으래..
건욱 한 번 와야지 니도
케이 (건성건성) 어어엉- (아이스크림 입에 있어서 흐물어지는 발음) 가서 뭐해
건욱 뭐? 니 지금 뭐하고 있는데?

- 아이스크림 가게의 케이, 후루룹 아이스크림 먹으며

케이 아히크림 먹는데헤- 야 녹는다 끊어

케이, 전화 끊고 다시 아이스크림 퍼먹기에 열중한다.
색색깔의 아이스크림이 녹아내리며 색이 섞인다. 색 탁해지다 점점 검게 변한다.
아이스크림 통 속의 검은 괴물을 퍼먹는 케이.

입에서 흘러내리는 검은 액체.

7. 피스히어로 공장 앞 / 낮

고담의 추도식. 진심으로 슬퍼하는 것처럼 보이는 성태. 밝게 웃는 고담의 영정.
허성태가 눈물 흘릴 때마다 셔터 소리 찰칵 찰칵 찰칵!

허성태 우리 사회에 너무 소중하고 고귀한 분을, 잃었습니다. 다시는 이런 인재가 발생하지 않도록 안전 점검을 의무화하는 규제를 신설하도록 하겠습니다…

조금 떨어진 곳에서 육개장 먹으며 한마디 하는 용 국장.

용 국장 (손수건으로 눈물 찍어내며) 안 됐다. 저렇게 젊은 사람이… 아깝네. 그렇지?
김 부장 (입 합죽, 고개 끄덕)
나제희 좋은 사람은 아니었잖아요.

용 국장, 잠시 정색.

나제희 그렇게 생각하지 않으세요?
용 국장 사람들 귀 있는 데서 말 함부로 하는 거 아니야, 눈 많은 데서 굳이 내 옆자리 앉는 것도 지금 주제넘은 거고.
나제희 …
용 국장 (한 입 먹고) 짜다. (김 부장 그릇에 마음대로 생수 붓고 휘휘 저어준다.) 김 부장님이

고생이 많으시겠네, 간 맞죠?

김 부장 (끄응 하고 먹어본다.) 그래야죠

용 국장 내가 너무 내 맘대로 하나 싶어도, 그게 다 결국에는 맞다니까. (김 부장에게 반찬 밀어주며) 미국에 딸내미 집 좁아서 고생이랬지?

김 부장 (고개 들고, 감동) 국장님. 제 여식은 제가 알아서 할 텐데…

용 국장 이번에 고생 많이 했는데 내가 그 정돈 챙겨야지.
이번에 느꼈는데 내 말 안 듣는 사람이랑은 속만 썩고 같이 일 못 하겠어 (나제희 보지 않고) 그쪽은 나 팀장이 정리 제대로 해요?

나제희 네. 지금쯤이면 혼자서는 자기 집 문턱도 못 넘을 겁니다… 옛날처럼.

김 부장 그 다른 쪽은요?

용 국장 뭘 물어요, 잡아야지. (고담 영정을 보면서) 이번에도 걔 아니었음 우리 맘대로 됐겠어요? 여러모로 말이 잘 통할 거 같은 그른 예감이 드네에? 언제까지 될까?

김 부장 최대한 빨리 데려와야죠 그럼.

김 부장, 용 국장의 의중을 알고 눈빛 피하고 국물을 후루룹 마신다.

용 국장 아직 갈 길이 구만리예요. (추도사 끝낸 성태 보고 눈짓한다.)

8. 구경이의 집 안 / 낮

산타가 눈을 뜨면, 이마 위에 올라가 있는

커다란 물수건.
산타가 수건 내려보면 '걸레'라고 적혀 있다.
생라면 부숴서 찬물에 말아 놓은 구경이.

구경이 (산타 이마에 손 대보고) 열은 내렸네.
먹어.

불은 라면을 숟가락으로 휘휘 저어보는 산타.

구경이 니가 그 트롤리 밀었어.
니가 케이랑 관계가 없다는 걸 내가 어떻게 확신할 수 있지?

말없이 구경이를 쳐다보는 산타. 구경이, 그걸 물끄러미 본다.

구경이 너에 대해서 알 수 있는 건
(운전면허증 보이면서) 본명이랑 나이뿐인데.

산타가 살짝 당황하여 그제서야 자기 주머니를 뒤져본다. 텅 비었다.
구경이가 진즉 뒤져본 것.

구경이 그마저도 개명한 이름이라 예전엔 뭐했는지 찾을 수도 없고,
(산타 핸드폰 보이며) 핸드폰에 저장되어 있는 거라곤 우리 팀 번호뿐이고,
가족들 친구 번호도 하나 없어.

산타 (AI 보이스) 그리고요?

구경이 여기서 이러고 있는 것도 의심스러워. 어차피 다 끝났는데, 왜

여기 있어? 너 집 있잖아?

산타 (AI보이스) 가요

의외의 반응에 살짝 놀라는 구경이. 무표정하게 구경이를 쳐다보는 산타.

산타 (AI보이스) 전부 보여 드릴게요

9. 산타의 집 안 / 낮

문 앞에서 주변을 살피는 구경이. 산타가 잠금을 열고, 구경이부터 들어가라고 한다. 산타 얼굴을 한 번 보고, 구경이가 집 안으로 들어간다.
아앗, 눈부셔! 드럽게 깔끔한 집안.
구경이, 한 발 한 발 산타의 집안으로 발을 들이는데…
벽 한 켠 장식장 안에 정리된 물건들이 보인다.
언뜻 평범해 보이는데
보면, (구경이가 마신) 빈 고량주병, (경수가 연탄불고기집에서 챙겨준) 물수건,
나제희가 차 키와 함께 줬던 키링 등…

구경이 이게 다 뭐니?

산타 (AI보이스) 따뜻한 마음이 들 때마다 가져왔어요.

구경이 나 혼자 마신 고량주가?

산타 (AI보이스) 저한테 한 잔 주셨잖아요.

구경이, 기가 차 하며 계속 둘러보는데 바늘이 꽂혀 있는 '괴물인형'이 보인다!

구경이 이건 어떻게 설명할래. 이것도 가져왔다고 할 거야?

산타 (AI보이스) 케이가 어떤 마음으로 이걸 만들었는지 이해해보려고요.

구경이가 만들다 만 괴물인형을 만지작거린다. 자세히 보니 케이의 것과는 눈알이 다르다.

구경이 이해가 되든?

산타 (AI보이스) 차분해지더라고요. 누굴 죽이겠다는 날카로운 마음보다…
머릿속에 지도가 그려지는 느낌이었어요. 인형들이 원래는 전부 연결되어 있었던 거 같아요.

구경이 (혼잣말) 전부 연결되어 있다… 왜 진작 말 안 했지?

산타 (AI보이스) 조사관님은 확실한 걸 좋아하시니까요.

구경이 여기에도 너에 대한 건 하나도 없어. 안 그래?
그러니까 자신 있게 데리고 온 거지.

구경이가 집을 한 바퀴 돌아보고 (화분… 냉장고…) 소파에 앉는다.

구경이 니가 어떻게 살아왔는지, 뭔지는 하나도 없고…

소파 옆에 꽂혀 있던 앨범을 펼친다. 안에는 구경이, 경수, 나제희의 사진들.

구경이 있는 거라고는 (앨범 뒤적) 다 우리에 대한 거뿐이야… 너한테 중요한 건 우리 밖에 없는 것처럼…

산타 (끄덕)

구경이 나는 그게 의심스러운데.

사진을 넘겨보는 구경이.

산타 (AI보이스) 조사관님은 이 집이 어떤 모습이었든 의심하셨을 거예요. 평범하면 평범한 대로, 특이하면 특이한 대로.

구경이, 앨범 사이에 끼워져 있던 작은 사진 하나를 내려놓는다. 장성우의 증명사진.

구경이 니 말이 맞아. 의심이 사라지지 않네. 앞으로 다시 볼 일 없을 거다.

일어서서 나가버리는 구경이.

10. 조사B팀 사무실 / 낮

경수가 사무실로 들어오는데, 청소업체 직원들이 자루에 자료를 마구 담고 있다.

경수 뭡니까?

한 쪽에 앉아있던 나제희의 모습이 보인다. 말릴 생각도 안 하고 우두커니 앉아있는 나제희.

경수 팀장님 이거 뭐예요?

청소업체 직원이 송이경 관련 자료들을 마대자루에 쑤셔 넣는다.

경수, 돌아가는 꼴 보니 이건 용 국장 쪽에서 송이경 관련 자료를 모두 처분하는 것이다.

눈치껏 몰래 자료 몇 개 품에 쑤셔 넣는 경수.

철가방에 자료 챙긴 직원들이 썰물처럼 빠져나간다.

나제희 그동안 고생 많았어, 경수 씨. B팀은 이제 공식적으로 해산이야.

경수 케이는 어떻게 하고요, 이제 누가 잡아요!

나제희 그게 누가 됐든 우리는 아니지. 우리 팀은 실패했으니까.

경수 아무리 생각해도 왜 고담이랑 정정연, 두 사람 다 죽었는지 이해가 안 되는ㄷ…

나제희(O.L) 경수 씨. 실패한 걸 인정하는 것도 능력이야.

경수 …

나제희 우리한테는 해야 할 일이 있었고, 실패했어. 나는 팀장으로 책임을 다 할 거고

경수 …그렇다고 이렇게 포기하는 건…

원식(O.S) 이야~ 어떻게 이렇게 빛도 안 들어오는 데서 몇 달을 버텼대~?

원식이 머그컵 들고 소란스럽게 사무실로 들어온다. 입을 합 다무는 경수.

원식 반겨주는 사람이 없냐, 우리 팀으로

데려가라 그래서 왔더니.

나제희가 원식에게 웃는 낯을 보인다.

나제희 경수 씨 잘 부탁해
원식 오브콜스. 우리 브론데. 그나저나 나 팀장… 아이구 옛날 버릇.
뭐라고 불러야 되나. 곤란하네… 제가 직급이 높아져서 나 선배님 우리 팀 들어오시면 호칭이 리를 빗 고민이 되네…
나제희 그렇게 고민할 일 없을 거야.
원식 아이고! 잘렸구나! 어떡해! 요새 직장 구하기 어려울 텐데, 애도 있으시잖아!
친구 놈이 경리 구한다는데 그 자리라도 어떻게…
나제희(O.L) 걱정해줘서 고마운데 나 취업했어. (명함 내민다.)

명함 받아보면, '미래희망당 허성태 후보캠프 여성특보 나 제 희'

원식 (명함 보고 놀란다.) 잉?! 이이잉?!
경수 …팀장님.
나제희 (경수에게) 미리 말 못해서 미안하게 됐어.

나제희가 경수의 시선을 피한다.

11. 국밥집 / 낮

예전에 정연과 함께 왔던 국밥집. 뉴스 보면서 국밥 먹는 케이.
케이는 먹지 않는 내장이며 선지를 다 빼놨다.
대신 먹어주는 정연은 없다.
허성태가 당내 경선에 나온다는 내용.
여성특보 나제희가 발언 중이다.

나제희 (화면 속) 여성이 안전한 도시를 만드는데, 앞장서겠다는…

케이가 뉴스로 시선 고정하는데, 옆에서 나는 큰 소리.

중년 여성 먹기 싫으면 치워!

중년 여성, 맞은편에는 초등학교 저학년 남자애가 앉아있다.
남자애의 더러운 옷차림. 중년 여자가 벌써 비운 소주병들.

중년 여성 (숟가락을 집어 던지며) 안 처먹을 거면 나가 있어!
남자애 ㅆ.. ㅂ..
중년 여성 뭐라 했어? 너 엄마한테 방금 뭐라 했어?

남자애 머리채를 잡으려는데, 잽싸게 튀어 나가는 남자애.
중년 여성이 벗고 있던 신발을 집어 던지는데 손에서 미끄러져서,
신발이 케이의 국밥에 빠진다.

식당 주인 아이고! 손님 있는 데서! 나가라 나가!

중년 여성 나 돈 낼 거야! 다 먹고 나갈 거니까 건드리지 마!

식당 주인 (신발을 건져내며) 미안해요 저 여자가 술 취하면 저래. 어떻게 해. 다시 해줘?

비틀거리면서 쫓겨나는 중년 여성.

케이 아뇨, 다 먹었어요.

중년 여성 따라나가는 케이.

12. 건물 옥상 / 낮

입에 신발 문 채로 난간에서 상체가 다 빠져 버둥거리고 있는 중년 여성.
케이가 몸을 누르고 있다.

중년 여성 으어어버버!..

케이 아줌마 생각에는 어때요? 내가 보기에는… 아줌마가 살 가치가 없는 거 같은데.

버둥거리던 여자가 안간힘으로 케이를 밀어낸다. 뒤로 밀려서 엉덩방아 찧는 케이.

케이 아야!

케이의 손아귀에서 벗어난 중년 여성이 입에서

신발 빼내고, 일어서려는데

케이 엣취!

중년 여성이 밟고 있던 땅이 끈적한 검은 괴물로 바뀐다.
케이의 기침 소리에 맞춰 여성의 발이 미끄러지며 몸이 그대로 뒤로 넘어가 버린다.
털푸덕!
달려가서 난간에서 아래를 내려다보는 케이.

케이 (누군가가 자기를 부른 듯 돌아보며) 어?

케이가 돌아본 곳에는 아무것도 없다.

케이 알았어. (다시 아래를 내려다보는) 이모 말대로 내가 다 죽여줄게.

케이의 등 뒤로 검은 기운이 다가와 케이와 하나가 된다.
아래에서 사람들 비명과 사이렌 소리.
옴맘마! 하며 장난스러운 얼굴로 유유히 옥상을 빠져나가는 케이.

13. 조사A팀 사무실 / 낮

짐을 챙겨 들고 올라온 경수가 굳은 얼굴로 서 있다.

원식 우리 팀 자리 다 차 있는데, 갑자기 돌아온다 그래 갖고 아늑하고 좋지?

(음흉한 표정 하며) 보고 싶은 막 그런 것도 다 볼 수 있고, 응?

청소용품 몰아넣은 작은 창고가 경수의 자리.
책상 겨우 치우고 박스 내려놓기 무섭게
원식이 서류들을 잔뜩 올려놓는다.
문을 쾅 닫자 거의 앉을 수도 없이 좁은 창고에
혼자 남은 경수.

경수 정신 차리자 오경수 할 수 있다 하면 된다!

삐걱거리는 의자에 겨우 비집고 앉는데,
이번에는 어디선가 찍찍거리는 소리 들린다.
책상 밑에서 쥐구멍 발견하는 경수.

경수 쥐구멍…

엎드린 채로 무슨 생각이 난다.

경수 조사관님이 쥐구멍 하나 없어야 된다고 했는데… 흡… (생각이 나는)

- 플래시백. 7화 S#35. 복도에서 분장한 건욱과 마주쳤던 경수, 자신을 뿌리치던 건욱.
소매가 부욱 찢어지고… 팔에 뭐가 있었던 것 같은데…
문신? 정확한 문신은 보이지 않고 뿌연 이미지로만 남아있다.

선명해질 듯 선명해지지 않는 흐릿한 이미지.

경수 아! (퍼뜩 생각나 고개 들다 책상에 머리 박고) 아야!!!

머리 싸매고 일어서서 서류 빈 곳에 생각나는 대로 문신을 떠올려 그려보는 경수.

14. 구경이의 집 안 / 저녁

위스키 한 병 든 채 현관문 열고 들어오는 경수.
불 꺼진 어두운 방에 불빛이라곤 컴퓨터
모니터 불빛. 헤드셋 끼고 게임 중인 구경이.

경수 조사관님… 위스키 사왔습니다
구경이 (모니터에서 눈 떼지 않은 채) 야야야야, 좋아 좋아
경수 예? (위스키가 효과가 있었구나!) 아? 이거! 드릴까요? 괜찮으시죠?
구경이 아니 죽어 죽으라고 죽어
경수 예에에??
구경이 좀만 더하면 죽겠다! 좋아! 쏘고 쏘고~ 죽여! 보내 버려!!!

경과.
경수, 꾸벅꾸벅 졸고 있는데… 경수의 품에서
위스키가 휙 빼앗긴다.
화들짝 깨는 경수.

구경이 저기 씨가 왜 내 집에 있지?
경수 산타는 어디 갔어요?
구경이 걔가 이제 우리 집에 있을 필요가 없지. 너도 마찬가지고.

경수 (컵을 가져와) 일단 한잔하시죠

경수가 위스키 가져와 잔에 가득 따른다.
구경이, 그걸 쳐다만 보고 있다.

경수 제가 정정연 씨를 못 챙겼어요.
사과드리러 왔습니다.

위스키 잔 냄새 맡는 구경이. 한참 냄새 맡은
뒤에, 한 모금도 마시지 않고 내려놓는다.

경수 이상한 거 아니에요 되게 좋은
술인데…
구경이 술 끊었어.
경수 (잠깐 놀랐다.) 아 예~ 예~
구경이 (진지) 알코올이 뇌세포를 얼마나
죽인다고.
경수 어디 아프세요? 죽을 병 걸리신 거
아니죠?!
구경이 시끄럽고. 용건 다 봤으면 가. 나는
누가 우리 집에 있고 그런 거 싫어.
경수 산타는 괜찮으시면서…
구경이 안 괜찮아. 나가
경수 제가 결정적인 단서를 찾아냈어요.
케이 조력자였던 남자,
그 사람 팔에 문신이 있었어요.
구경이 (솔깃)

경수가 고이고이 싸 놓은 그림을 꺼낸다.
구경이가 발가락으로 그림을 당겨와서 본다.
구불거리는 몇 개의 선.

구경이 뭐 쏟았니…가 아니구나.
그림이구나. 그래애…

유심히 보던 구경이가 벌떡 일어나서 자신의
종이 뭉치 내민다. 펼쳐보면,
건욱의 몽타주랍시고… 그려 놓은 그림들은
미묘하게 순정만화 풍.

경수 이야… 완전 잘 그리셨다아…
미남이다…
구경이 쓥
경수 맞아요, 이 사람.

경수가 다음 자료 넘겨보면 고담 행사장
주변의 지도.
오토바이 진행 가능 동선이 나온다.

구경이 (표시한곳 가리키면서) 여기, 여기
CCTV 확인하면 동선 추적 될 거야.
방법이 있을까?
경수 제가 한 번 알아볼게요

경수가 고담의 사망지점으로 표시된 장소를
물끄러미 본다.
(구경이가 혼자서 현장조사도 했는지 사진도
찍혀 있다! 부지런했다 구경이는!!!)

구경이 경수 씨 능력을 믿는 건 아닌데…
궁여지책이지
경수 (한번 참고) 근데 아무리 해도 이해가
안 가긴 해요. 왜 행사장 안에 있던 고담이

자기 차에서 급발진으로 죽었는지, 왜
같이 대피하던 이모님은… 그렇게 발견이
되신 건지… 조사관님도 찝찝하시죠?
구경이 나 때문이야

자책성의 말투에 경수가 살짝 짠한 마음이 든다.

구경이 내가 손대서 그렇게 된 거라고. 나
때문에 무고한 사람이 죽었다.

경수, 구경이에게 따라 준 위스키 제가
벌컥벌컥 마시다…
고대로 주루룩 컵에 다시 쏟아낸다.

경수 (입 닦고) 그래서 이렇게 끝내실 거예요?
구경이 …
경수 행사장 정문 쪽은 대피시키면서
제가 다 봤거든요, 두 사람 다 거기로 안
나왔어요.
구경이 다른 통로가 있었을 거야. 혼자만
알고 있는.
경수 케이가 정말 자기 이모도 죽게 한
걸까요?
구경이 의도한 건 아니었겠지.
경수 의심스러운 게 한두 개가 아니에요!
저 원래 이렇게 의심 많은 사람 아닌데…
구경이 더 의심했어야 됐는데…
경수 예?
구경이(O.L) 정문 쪽 다 확인했다 그랬지,
나오는 사람들.
경수 네.

구경이 나제희도 봤어?
경수 나 팀장님 통제실 계셨으니까
당연히…

경수가 말을 하려다 말고 기억을 더듬는다.
나제희가 거기 있었던가?

구경이 CCTV 다 지워져서 단서는
우리 기억밖에 없어. 행사장 안에 있다
정문으로 안 나온 게 정정연이랑 고담인데
둘 다 죽었어. 잘 생각해봐. 행사장 안에
있다가, 정문으로 나오지 않은 사람이 또
누군지.

경수가 갑자기 물구나무를 선다.

구경이 뭐하니?
경수 이러면, 기억이, 돌아온대요, 뇌에
혈류가, 돌아서

얼굴이 시뻘게지는 경수. 그걸 물끄러미 보는
구경이. 사뭇 웃긴 풍경.

- INS. 7화 S#37. 정문으로 대피하는 사람들.
산타를 부축한 채 고담과 정정연을 찾는
경수의 모습.

경수 생각난다. (얼굴이 벌게지고 눈에 눈물이
고이면서) 없었어요.
나 팀장님, 정문으로 안 나왔어요.

씁쓸한 표정의 구경이.

구경이 (물구나무선 경수 보고) 그거 효과 있나
보다. 나도 머리 한 번 굴려보자

구경이가 물구나무를 설 듯 거꾸로 몸을
세워보는데 - 그대로 앞구르기.
경수, 구경이 모습 보고 울다가 웃는다.

15. 한강 공원 / 새벽

같이 러닝하고 있는 건욱과 대호. 다섯 걸음쯤
앞서 가고 있는 건욱, 심하게 헉헉댄다.
대호가 건욱을 따라잡아 건욱의 등을
밀어준다.

대호 오늘따라 왜 이렇게 무리해? 그러다
10분도 못 뛴다.
건욱 (헉헉대며) 너가, 나 좀, 잡아주라.
대호 (건욱의 앞에서며) 내 페이스에 맞춰.

건욱, 대호의 넓은 등을 보며 마음 좀
가라앉는데…
누군가 쌩 하고 건욱을 지나쳐 간다. 킥보드
타고 있는 케이다.
대호 옆에서 속도를 맞추는 케이.

케이 오빠야들 잘 뛰네
대호 아. 안녕?
건욱 (케이와 대호의 사이로 끼어들며) 너 왜…
케이(O.L) 울 오빠야가 거기랑 논다꼬 내랑

안 놀아줘서 혼자 놀러 나왔는데,
여서 딱 만나뿌네 대박!
대호 어? 다쳤어? 이거 피 아니야?

케이, 옷자락에 핏자국 묻어 있다.

건욱 (핏자국 보고 놀래서) 야!!!
케이 아고! 깜짝아! 애 떨굴라! (대호에게)
아까 잠깐 코피 나 갖고 이래 됐어요
건욱 내리라

건욱이 케이의 킥보드 잡고 흔든다.

건욱 이거 위험하다고 타지 말랬다 아이가
케이 오빠야, 내한테 이게 위험하겠나?

소매 말고, 대호의 눈에 케이의 몸 여기 저기
묻은 핏방울이 보인다.

대호 이경아 거기 말고 여기도…
건욱 (핏자국을 보고 기겁하며) 안되겠다, 집에
가자 당장
케이 오바 하지 마라~ 안 타께. 같이
밥이나 무러 가자!
내가 좀 전에 (강조하며) "운 동"을 많이 해
갖고 허기가 팍 지뿟는데

안되겠다, 싶은 건욱.

건욱 (대호에게) 그… 우리 점심 먹기로 한 데
먼저 가 있을래?

나 얘 좀 집에 데려다 주고, 바로 거기로
갈게.

대호 (떨떠름) 그래.

케이 뭐 먹을 건데요? 내도 먹을래! 내도
먹을래!!

건욱이 케이 뒷덜미 잡고 간다. 그런 두 사람을
보던 대호.

- 플래시백. *4화 S#23. 휠체어 타고 대호와
부딪히는 케이.*
건욱이 대호를 부축하고, 그걸 보던 케이.

대호, 케이가 기억났다.

16. 한강 공원 화장실 앞 / 이른 아침

침으로 핏자국 닦아내려고 하는 케이. 대호의
모습이 시야에서 사라지자 입을 여는 건욱.

건욱 대낮에 얼굴 쳐들고 싸돌아 다녀도
돼?

케이 누구든 나 잡겠다고 하면… 집에
있으나 밖에 돌아다니나 똑같아.

건욱 그래서 이 짓을 하고 돌아다닌다고?
계획도 뭣도 없나?

케이 계획 그런 게 이제 나는 귀찮던뎅-?

건욱 처리는 제대로 했제

케이 (천하태평) 생각이 안 난다. 어떻게
했더라?

건욱 이게 진짜…!

한강공원변의 간이 화장실에 다다른 두 사람.
남자 화장실에 붙어있는 '출입 금지 수리 중'
테이프. 쑥 넘어 들어가는 케이.

케이 아~ 여긴가아?

건욱, 재빨리 주변 CCTV를 살피고 얼굴 가린
채 화장실 안으로 들어간다.

17. 한강 공원 화장실 안 / 아침

변기에 머리를 박고 있는 남자시체. (다리만
보인다.)
변기에서 물이 콸콸 넘치고 있다. 오만상 쓰고
일단 밸브 잠그는 건욱.

건욱 미친 살인마 다 됐네

케이 이 사람은 진짜 나쁜 사람이야!

건욱 누가 그러디?

케이 울 이모가. 지이이인짜 나쁜 놈이라고
딱!

건욱, 재빨리 청소 공구함을 뒤진다. 끈을
발견하는 건욱.

건욱 (끈으로 재빨리 올가미 모양 만들면서) 자살?
자살로 될까?

케이, 분주한 건욱과는 전혀 상관없다는 듯
세면대 앞에서 핏자국 닦아내고 있다.

케이 굳이 한강까지 와서 목매고 자살했으려나?

건욱 (씨! 그럼 어쩌라고!) 심장병, 심근 경색, 뭐 그런 거 없었나? (시체 주머니 뒤지는데 약병이 잡힌다.) 뭐 있다! 이걸로 되겠나? (케이에게 보여주면)

케이 (귀엽게 웃으면서) 등신아 무좀약이잖아

건욱 어쩌라고 그럼!

케이 몰라~ 원래 네가 하는 일이잖아~ 나는 죽일 놈 죽이고 너는 그거 잘 치우고,

건욱 그건 우리가 계획 세워서 그대로 했을 때 얘기고!

건욱, 약병 포기하고 다시 올가미 줄을 드는데 - 가까워지는 발소리 들린다.

대호 (밖에서) 욱아? 여깄어?

눈 마주치는 케이와 건욱. 케이가 금방이라도 튀어 나가 대호를 죽일 듯 -

케이 줄 그거 줘봐

건욱 (목소리 낮추며) 가만히 있어라 (케이 붙잡고) 내가 보낼 테니까, 가만히 있으라고.

케이 1분 줄게. 쟤 내 눈에 한 번만 더 보이면---

건욱 장난치지 마

케이 육십! 오십 구! 오십 팔…

건욱이 화장실 밖으로 뛰쳐나간다.

18. 한강 공원 화장실 앞 / 아침

건욱 (화장실 근처의 대호 보고) 먼저 가 있으라니까!

대호 (살짝 화가 나서) 걔도 저기 있어? 너네 둘이 뭔데?

건욱 뭐긴 뭐야. 일단 가. 나중에 내가 설명할게

대호 (진지) 아니, 건욱아. 지금 말해 줘. 나 무슨 말이든 다 들어줄 수 있어.

케이가 화장실 안에서 소리친다. "사십 일! 사십! 삼십 구!"

대호 (건욱이 그 소리에 불안해하자) 쟤 니 사촌 동생도 뭐도 아니지.

건욱 야!!!! 좀 가라고! 꺼지라고! 사람이 한 번 말을 하면 좀 알아들어라!!!

대호 욱아… 그냥 솔직하게만 말해 주면 내가 다 이해해준다고!

건욱 솔직!!? 그래 이 새끼야 솔직하게 말해준다. 눈치도 하루 이틀 없어야지, 좋아하는 척 좀 해 줬더만 헬렐레 해 갖고 내가 씨발 니 갖고 노는 거 모르겠나?

케이, 문 빼꼼 열며 -

케이 일! 영! 땡땡땡!

건욱 (대호 밀치며) 너 이제 싫다고! 원래도 별로였다고… 그러니까 그냥 좀 가 시끄럽게 하지 말고. (돌아서서 - 대호에게

걸어가는 케이 껴안으며) 됐어! 야! 방해꾼
보냈어! 이 정도 되면 알아듣겠지? 어?

케이 (깔깔 웃으며) 눈물 난다 눈물 나

우두커니 서 있던 대호.

대호 내일까지 짐 빼. 집에 안 들어갈
테니까.

대호, 돌아서서 간다. 케이가 따라가 보려
하는데 건욱이 강하게 붙잡는다.

건욱 쟤 건드리면 나 가만 안 있어.
케이 가만 있으면?
건욱 나도 죽을 거다. 그러고 나면 니한테
진짜 아무도 안 남는 거 내가 안다.
케이 …

건욱, 대호가 멀어져가는 모습 본다.

19. 한강 / 낮

케이와 건욱이 탄 모터보트가 한강 한가운데
떠 있다.
건욱이 검은 형체를 물속으로 빠뜨린다.

건욱 이렇게 계속 해야겠으면 다시
예전처럼 하자. 누가 죽인 줄도 모르게.
완벽하게.
케이 신나는 느낌이 아니네. 오빠 표정
완전 도살장 끌려가는 소 같아.

건욱 너도 그렇잖아. 너희 이모 그렇게
되고… (눈치 보는) 너도 전 같지 않잖아.
케이 막 죽이니까 재밌는데? 앞날 걱정 안
해도 되고.
건욱 이경아, 내가 도와줄게. 진짜 죽이고
싶은 사람을 죽여.
케이 누군데 그게?
건욱 너네 이모 그렇게 만든 사람들.
케이 거기에는 나랑 오빠도 포함인데.
그것도 도와줄 거야?
건욱 …
케이 능력도 없는 게. 너 이제 필요 없어.

건욱이 다시 배의 방향을 돌린다. 모터 소리가
시끄럽다.

케이 나 궁금한 거 있었는데
건욱 뭐
케이 아까 뭐 먹으러 가려고 했던 거야?
건욱 비빔국수
케이 어 맛있겠다
건욱 먹으러 갈래?
케이 아니 나 혼자 갈 건데.

Cut to.
보트 선착장에 끌어 놓는 건욱.
배를 묶어 놓고 보는데 어디에도 케이 모습이
보이지 않는다.

20. 허성태 선거캠프 / 낮

상황 실장 여론 조사 결과, 허성태 후보님 지지율이 34퍼센트로 노혜지 후보 21퍼센트에 비해 월등히 앞서가고 계십니다.

캠프 일동 박수와 환호.

상황 실장 안전 점검 의무화 법안에 대한 반응으로 보입니다.
허성태 (온화하게 웃으며) 여러분이 고생하신 덕이지요. 이 은혜 나중에 꼭 저한테 받아 내십시오. 단, 제가 당선됐을 경우만입니다.

한바탕 웃음으로. 옆에서 흐뭇하게 함께 하고 있는 나제희.

캠프 직원 (핸드폰 확인하다가) 뉴스 보셔야겠는데요?

캠프 직원이 뉴스를 켜자, 화면 속.
딱 붙는 수트를 입은 젊은 남자의 기자회견.
곱상한 얼굴, 겁에 질린 표정.

남자 (화면 속) 저는 무소속 서울시장 후보인 노혜지의… 비리를 밝히기 위해 이 자리에 섰습니다.. 저는 노혜지 후보의… 노예였습니다…

화면에 노혜지 후보의 사진이 뜬다. 긴급 속보로 뜨기 시작하는 자막.
'노혜지 후보, 강남 주점에서 변태적 성행위 강요'
'최근까지도 호스트바 출입'

나제희 저 사람 저렇게 안 봤는데…

나제희, 허성태 쪽 보는데…
허성태, 이미 뉴스를 알고 있었던 것 같다. 동요하지 않는다.

용 국장 (소리소문 없이 들어와서) 그렇게 생긴 사람 안 생긴 사람 따로 있나 뭐

선거캠프 일원들이 용 국장을 반갑게 맞는다.

용 국장 (손사래 치며) 갑자기 인사하고 할 게 뭐가 있어요.
그냥 지나가다가 고생들 하시니까 힘내라고 잠깐 들렀어요

김 부장이 간식 나눠주자 신나서 받는 사람들.

용 국장 (뉴스 가리키면서) 저거는 어떻게 생각해요?
허성태 고담 후보 그렇게 된 이후로 무소속에서 젊은 사람들 지지 많이 받던 사람인데 뭐 상황이야 지켜봐야 되겠지만 결과적으로는 득 아니겠습니까
나제희 득이 되려면, 노혜지 후보 표를

저희가 가져올 수 있어야죠

용 국장 (마음에 든다.) 그렇구나! 그러면, 그걸
갖고 오려면 어떻게 해야 되지?

나제희 노 후보가 특히 2030 여성들한테
지지가 높았던 상황이니까,
저희 캠프에서 젊은 여성들 위한 정책을
강화해서 발표하면 어떨까 싶은데요

용 국장 (심드렁) 정책 정책… 나는 누가 그런
거 말을 하면은 어려워서 잘 모르겠더라
(캠프 일원에게) 누가 정책 보고 지지율
올랐다는 사람 있어요?
내가 또 잘 모르는 소리 하는 건가?

상황 실장 우리 캠프 쪽에서도 뭔가
독립적인 여성, 이런 캐릭터 하나
잡아가지고 허 후보님 지지 발언이나
후원하면 그림이 나올 거 같은데…

용 국장 그러네! 후원까지 갈 게 뭐 있어!
여기 있잖아!

자기가 원하던 이야기가 나오자 화색이
도는 용 국장.

용 국장 우리 캠프에도 있네에!
싱글 맘이고 자주 병치레하는 어린 딸
키우면서 당당하고 멋있고!
(나제희를 붙들면서) 우리 새로 오신 여성
특보가 딱 그런 여성이시거든

나제희, 예기치 않는 상황에 처해서 살짝
당황하는 기색. 사람들의 시선 주목.

상황 실장 특보님 그러셨어요? 아이 진작
말씀하시지! 멀리서 찾을 뻔했네!

나제희 아… 저는…

상황 실장 아기 한 번 데리고 나와서
보여주시면 되겠다!

허성태 (농담조) 우리 나 특님은 따로
(새끼손가락 들며) 이거 있으신 건 아니죠?
노 후보처럼 되면 안 되니까.

깔깔 한바탕 웃음.
'애기가 율동 하면서 선거 송 부르면 어때요?'
'귀엽지, 애기랑 엄마랑~'
캠프 직원들과 허성태의 아이디어 이어지는
와중에

용 국장 (작게) 나 특, 이게 시작이 될 수도
있어요. 그러려면 어떻게?

나제희 (따라 웃으면서) 웃어야죠

21. 전집 / 낮

시뻘건 비빔국수 면치기 하고 있는 케이.
양념이 옷에 튀지만 개의치 않는다.

식당주인 아가씨 옷에 다 튄다! 앞치마
주까?

케이 괜찮아요. (얼굴에 튄 양념 손으로 슥 닦으며)
옷 다 버릴 거거든요-

옆에 놓인 모둠 전에 있는 산적 꼬치 들어 앙
입에 무는 케이.

식당주인 (궁시렁) 요즘 친구들은 물건 아까운 줄을 모르더라…

케이, 산적 두 번 정도 씹다가 입 벌려 꼬치 그대로 빼낸 후 당근 빼고 다시 먹는다.

케이 다 낡아빠진 건 버려야죠. 새 마음 새 시작!

산적 먹고 남은 이쑤시개를 호박전에 푹! 꽂는 케이.

22. 구경이의 집 / 낮

구경이, 모니터 한 편에 띄워 놓은 게임 대기 창 멍하니 보다가.
경수가 보내온 CCTV 화면에 잡힌 빠르게 지나가는 오토바이 탄 건욱의 이미지.
구경이가 자신의 몽타주와 비교해본다.

구경이 비슷한데…

그 때, 구경이에게 게임 1:1 대화 요청이 들어온다.
[산타 님이 1:1 보이스챗을 요청합니다]
구경이, 고민 하나 없이 [거절] 버튼 누른다.

다시 오토바이 동선을 보는 구경이. 오토바이 동선이 아주 짧게만 그려진다.

구경이 (지도 전체를 조망하다가) 피해 가기도 어려운 구간을…

CCTV가 어디 있는지 꿰고 있네…

[산타 님이 1:1 보이스챗을 요청합니다]

구경이 바빠 죽겠는데.

구경이의 계속되는 거절에도 계속 보이스챗 요청이 들어온다.
구경이, 거절 버튼으로 마우스 가져가는데 에취- 재채기 나오며 [수락] 버튼 눌러진다.

구경이 볼 일 없다는 건 게임에서도 마찬가지야 (챗 끄려는데)
케이 (목소리) 되게 태평하시다.

구경이, 헤드셋 너머 들려오는 케이 목소리에 놀란다.

케이 (목소리) 내가 언제 죽이러 갈지 모르는데.
구경이 …그러기에는 니가 궁금한 게 많을 거야. 나도 그렇거든.

구경이, 케이와 대화하는 동시에 산타에게 문자를 보낸다. 떨리는 손.
[ㅇㄷ?]
메시지 창에 뜨는 [입력 중 …] 긴장하는 구경이.

케이 어어. 내가 궁금한 거… 그거는 하나 밖에 없는데에?

구경이 이모님이 돌아가신 건, 우리 계획엔
없는 거였어.

케이 이모를 데려온 거까지는 계획에 있던
거였고?

구경이 그러면 널 막을 수 있을 줄 알았어

산타에게서 문자 들어온다.
[잠깐 들를게요]

케이 아! 의심스러워! 쌤 얼굴이라도
보이면 모르겠는데,
얼굴이 안 보이니까 믿을 수가 없네?

구경이 보여 줄게. 대신 네가 알고 있는 걸
알려줘. 나도 내가 알고 있는 걸 알려줄
테니까. 이모님이 어떻게 돌아가시게 된
건지, 너도 의심스럽잖아?

뚝. 끊기는 보이스챗.
구경이, 식은땀이 떨어진다. 갑자기 열리는
현관문.
긴장한 구경이가 잡히는 대로 무기를 들고
공격자세로 돌아서는데,
문 열리면 보이는 것은 산타다.

구경이 (공격자세 풀지 않고) 왜 왔어?

산타, 김 모락모락 올라오는 치킨 버킷을
테이블에 내려놓는다.

산타 (AI보이스) 아무것도 안 먹고 게임만
하고 계실 거 같아서. 이것만 두고 갈게요.

그 때, 구경이에게 들어오는 문자 메시지. '알
수 없는 발신자'
[치킨 맛있겠다?]

산타가 식탁에 버킷 올리는데, 불안해진
구경이가 그걸 바로 쓰레기통에 버린다.
산타의 놀라고 서운한 표정.
구경이, 산타를 붙잡고 몸 이리저리를 살핀다.

구경이 다친 덴 없어 보이네. 그럼 됐다.
이제 가라.

문자 메시지 들어온다. '알 수 없는 발신자'
[하이라이트 호텔. 7시]

23. 호텔 로비 / 저녁

고급 호텔 로비 한 쪽에 앉아있는 구경이.
주변에 앉아있는 사람들의 동태를 살핀다.
한참 기다린 듯, 소파에 몸을 파묻고 잔뜩
긴장상태로 있는데 다가오는 호텔 직원.

직원 구, 경, 이 고객님 되십니까?

구경이 (잔뜩 긴장했다 깜짝 놀라서) 어! 왜요?

직원 만나기로 하신 분께서 조금
늦으신다고, 따로 안내 도와드리겠습니다
(핸드폰 내밀면서) 이거 고객님 물건
맞으시죠? 전달 부탁하셨습니다

구경이 아, …예.

새로운 핸드폰 받아 든 구경이, 직원 따라

일어선다.

구경이가 앞에 술을 놓고도 그걸 안 마시고 있다. 안주에도 손을 못 대는 구경이.
전화기가 울린다.

케이(E) 먹어도 안 죽어요. 내가 이렇게 말하는 게 더 의심스럽나?
구경이 어디니?

- 케이, 바가 잘 보이는 호텔 건너편 건물 로비에서 몸을 숨기고 앉아서 전화 걸고 있다.

케이 쌤 얼굴 잘 보이는 곳. 이제 내가 질문한다.

구경이, 주변 공간을 파악하고 호텔 로비 쪽을 등지고 앉는다.

케이 왜 이모가 그 날 거기에 갔어요?
구경이 네가 거짓말한 걸 이모가 알았으니까. 너 설득하겠다고, 그 자리 나간 거야.
네가 그 행사에 나타날 거라고 생각하셨거든.
케이 이모가 내가 살인자라는 걸 믿었어?
구경이 살인자가 아니란 걸 확인하고 싶어했지.

케이 …이모 보고 한국으로 가자고 한 건 누군데?
구경이 나

케이, 멀리서 구경이의 무심한 대답하는 표정 보며 속으로 화를 참는다.
구경이, 슬쩍 몸을 돌려서 이번에는 바 쪽으로 몸을 향한다.
그 때, 바텐더가 구경이의 물 잔에 물을 채워준다. 따라지는 물이 마치 독극물인 냥 쳐다보는 구경이.

케이 아무것도 없다니까. 그렇게 의심스러워서 아무것도 안 먹고, 안 마시면은 내가 안 죽여도 죽겠네 쌤.
구경이 이번엔 내 차례야.

구경이가 몸을 돌려서 이번에는 로비 쪽을 향한다.
케이에게 이제 구경이는 등만 보이는 상황.
구경이가 옆에 있던 잔을 들어 몸 앞으로 가져간다.

구경이 내가 궁금한 것도 같아. 왜 너희 이모가 거기에 있었냐는 거야.
건물의 정식 출구가 아닌, 공장이랑 이백오십 미터 떨어진 공터에.

구경이가 내려놓는 잔이 눈에 보이는 케이.
반이 비워졌다.

케이 술 참기가 그렇게 힘드셔서 어떻게
해요? 내가 독이라도 탔으면 어쩌려고?
구경이 묻는 이야기에 대답할래?

구경이의 앞을 보면, 젖어 있는 바닥.
구경이, 술을 마시지 않고 아래로 쏟았다.
케이가 이걸 못 본 것.
여전히 창 쪽으로 등을 진 채, 보이지 않게
티슈에 뭐라고 적어 바텐더 앞에 밀어 놓는다.

케이 고담이요, 아무도 못 믿었어요.
그런 사람은 꼭 자기만 도망갈 구멍을 파
놓거든.
자기 집, 사무실, 거기에 설계부터 다
관리한 공장? 말할 것도 없지

구경이에게 티슈를 받은 바텐더가 문을 열고
뒤쪽 주방으로 간다.

25. 호텔 바 주방 / 저녁

구경이(V.O) 역시 비밀 통로가 있었구나.
너는 그걸 알고 있었고.

거기서 기다리고 있던 경수에게 티슈 전달하는
바텐더.

케이(V.O) 거기로는 고담만 가야 됐다고.

경수, 펼쳐보면 케이가 있을 만한 곳을
볼펜으로 표시해 놓은 간이 도면이다.

경수가 주방을 빠져나간다.

26. (교차) 호텔 바 - 호텔 건너편 건물 로비~1층 레스토랑 / 저녁

구경이 너희 이모가 나온 게, 그 통로의
끝이었던 거고… 고담은 네 덫에 걸린 게
아니네.
케이 고담 쪽에 손쓴 게 누군지, 쌤도
모르는구나.

경수가 달려서 맞은편 건물 안으로 들어간다.
거기서는 구경이의 등이 잘 보인다.
구경이, 자세를 돌려서 창 쪽으로 얼굴을
보인다.
구경이의 눈에도 경수가 잘 보인다.

케이 공항에서부터 왜 이렇게 나를 찾는
사람이 많나 했거든요?
처음에는 당연히 경찰인 줄 알았지,
근데… 뉴스 나오는 거 보니까
고담을 그냥 사고사로 묻어 버리데요?

경수가 건물 로비에서 케이를 찾는다.
구경이가 보이는 면에 앉은 사람들을 가운데
케이 정도의 체구를 가진 사람….
1층의 레스토랑 안. 마침내 케이로 보이는
사람을 발견하는 경수. 천천히 다가가며,

케이(E) 애초에 경찰도 아닌 쌤이 나
찾아다닐 때부터 알아봤어야 됐는데,

경수가 케이 뒤로 거의 근접하는데, 순간
케이가 벌떡 일어난다.
놀라서 곧바로 뒤도는 경수, 케이가 바로 등
뒤로 따라붙는다.

케이 위가 있을 거라고 생각은 했어. 계속
그렇게 있었으면 그 위가 어딘지 몰랐을
텐데 자리 하나 잡아보겠다고 티를
내가지고, 다 들켰지.
구경이 너 잡으려고 뭐 대단한 지시가
내려온 줄 아는데, 너 그렇게 대단한 사람
아니야. 망상이 너무 심한 거 아니니?
케이 쌤만 할까

경수가 얼굴을 보이지 않으려고 잰걸음으로
걷다가, 앞에 있는 테이블에 주저앉아버린다.
졸지에 모르는 사람들과 합석하게 된 경수.

경수 아이구 이게 떨어졌네

경수, 테이블 위의 포크를 떨어뜨려 줍는
척하며 바로 상체를 테이블 아래로 숙인다.
케이가 경수가 앉은 테이블을 스쳐서 지나간다.
잠깐 안도하는 경수. 케이가 지나간 줄 알고
포크를 줍는데 -
테이블 밑으로 쑥 들어오는 케이의 얼굴.

케이 (여전히 전화기에 댄 채로) 나제희? 화면빨
잘 받던데요? 왜 그 여자한테만
동아줄이 내려왔어요?

케이, 경수를 눈 똥그랗게 뜨고 쳐다보면서
경수가 주우려던 포크 먼저 낚아채고
경수 목을 겨눈다.

구경이 동아줄은 다 내려왔어. 귀찮아서 안
잡은 거야

멀쩡하게 밥 먹던 자기 테이블 밑에서 벌어진
일에 놀란 손님들이 뭐야 뭐야
하면서 일어나고 어수선해진 가운데 케이가
포크로 경수 목을 더 누르며

케이 이 친구도 귀찮아서 안 잡았나?

걸렸구나, 구경이 바에서 벌떡 일어난다.

구경이 너네 이모 죽은 게 정말 우리
때문만이라고 생각해?

포크 끝이 경수 목을 파고들고, 핏방울이
떨어진다.

케이 좀만 움직여 봐, 그대로 경동맥 빵꾸
난다

얼어붙은 경수. 케이가 손에 힘을 더 주는데,
와장창! 뒤집어지는 테이블.
케이가 놀라서 휙, 돌아보면 - 그대로 테이블을
엎어버린 산타.
숨 토해내며 나가떨어지는 경수.

직원 저 사람 잡아!!!

직원들이 난동부린 산타를 제지하고, 경수는
케이를 붙잡으려는데
케이가 포크 들고 도끼눈 하고 돌아보자 흐억!
하고 주춤…

케이 (혼잣말) 안 들리네…

경수가 에라이, 하고 케이 팔목 잡는데 케이가
포크로 그대로 경수 팔을 좌악 긁어버린다.

경수 아야!

산타가 직원들 뿌리치고 케이 잡으려는데, 펑!
펑! 소리가 나더니 사람들 비명 소리.
레스토랑 구석구석에서 무지개 연막탄
터지면서 순식간에 색색깔 연기가 가득 찬다.
산타가 기침하면서 방금 케이 있던 자리로
뛰어가는데, 연기만 잡힐 뿐 - 없다.

경수 (연기 속에서) 산타! 산타 괜찮아?
산타 켁켁

산타, 멈춰서 기침하는데 순간 귓가에 와 닿는
케이의 달싹이는 입술.

케이 이모한테 고마워해라.

몸이 얼어붙은 채 우뚝 서는 산타.

막 로비로 향하는 구경이. 건너편
레스토랑에서 사람들 쏟아져 나온다.
와중에 켁켁거리면서 뛰쳐나온 경수와 산타
보인다.

두 사람의 모습 확인한 구경이의 걸음이
느려진다. 일말의 안도.
그때 멀지 않은 곳에서 들리는 익숙한 목소리.
봉 기자와 악수하고 있는 나제희의 뒷모습이
보인다. 뚫어져라 쳐다보는 구경이.
봉 기자가 먼저 구경이를 보고 눈에 두려움이
서린다.

나제희 왜 그러세요?
봉 기자 이상한 사람이 있어서…

계속 빤히 눈 마주치는 봉 기자와 구경이.
퀭하고 무서운 눈.
나제희가 돌아본다.

나제희 아, 아는 사람이에요.
봉 기자 (작게) 눈빛이 누구 하나 죽일 거
같은데… 조심하세요…
나제희 감사합니다. 다음에 연락 드리죠.

기자는 호텔 밖으로 나가고, 나제희는 빙글
돌아서 구경이에게 다가온다.

나제희 집 밖에서 볼 줄은 몰랐네. 나

스토킹 해?

구경이 나 말고, 케이가.

나제희 ?

구경이 굳이 이 시간에, 여기로 나를
불렀네. 너랑 마주치라고.

나제희 뒤로 경수 - 산타가 들어온다.

28. 건물 옥상 / 밤

팔목 지혈하는 경수, 산타가 휴지 둘둘 말아서
전해준다.
구경이가 산타 등 뒤로 지나가다가, 산타
뒷목덜미에 꽂혀 있는 감자튀김 꺼낸다.

구경이 (산타가 돌아보면) 이건 보관 안 해도
되지? (먹는다.)

나제희 옆에 가 서는 구경이. 옥상에서
보이는 야경.

나제희 할 말 없으면 나는 갈게.

경수 많이 바쁘신가 보네요.

나제희 A팀에 적응은 잘 하고 있어? 원식
씨가 잘해주지? 둘이 친했으니까…

경수(O.L) 안 친해요. 저 정 과장님
싫어해요.

나제희 …

구경이 고담은 안 죽었대.

나제희 뭐?

구경이 케이가 고담은 안 죽었다고 사람들

다 뛰쳐나올 때 안 나온 사람이 딱 셋이야.

경수 고담, 정정연 씨, 그리고 나 팀장님.

나제희 하고 싶은 말이 뭐야?

구경이 없어. 네 말 들으러 온 거야.

나제희 …이미 결론 내린 거 같은데…내
확인이 필요해?

말없이 나제희를 쳐다보는 구경이.

나제희 빼돌려 주기만 한 거야. 진짜로
죽일 줄은 몰랐어.

경수 진짜 팀장님이 그런 거예요?

나제희 (오랫동안 자기 합리화를 거쳐 되레 당당해진
태도로) 고담 진짜 나쁜 놈이잖아.
가식 떨지 말고 솔직해져 봐. 그런 인간은
살아있을 가치가 없다고 다들 생각했
었잖아. 아니야? 그 인간이 살아서 나쁜 짓
계속하고 있는 세상보다 그딴 인간
하나 죽어 없어진 지금이 훨씬 나은 세상
같은데, 나는.

경수 정정연 씨가 죽었어요!

나제희 내가 일부러 그랬겠어? 내가
고담 잡아서 정정연 씨가 대신 죽을 줄
알았으면 나도 안 그랬어. 아무도 모르는
통로를 케이가 알고 있고, 거기에 그런
장치를 했을 거라고는 상상도 못했다고.
정정연 씨가 죽은 건 케이 때문이야.

누구와도 눈을 마주치지 않고 말을 이어
나가는 나제희. 경수가 물끄러미 보다가,

경수 팀장님이 어떤 거 좋아하시는지 항상 궁금했는데, (나제희의 새 구두 보며) 잘 어울리시네요.

구경이 나쁜 놈이라고 죽이라는 법은 없지. 고담 죽인 진짜 이유가 따로 있을 거야. 근데 넌 모르거나, 알아도 대답을 못할 거 같네.

나제희 그럼 왜 물어본 거야?

구경이 확인하려고. 네 태도가 이미 답을 했어.

산타 (AI보이스) 정정연 씨 덕분이래요.

나제희 ?

산타 (AI보이스) 케이가, 우리 안 죽이고 살려 두는 이유가 이모 때문이라고, 이모한테 고마워하라고 했어요.

구경이 정정연 씨는 우리가 죽어 마땅한 사람이라고 생각하지 않았나 보네. 그 생각이 맞는지… 모르겠다, 이젠.

나제희 …

29. 나제희의 집 / 밤

나나 안아서 재우고 있는 도우미. 한 쪽에서는 방관자처럼 앉아서 무심한 얼굴로 텔레비전 보고 있는 종준. 나제희가 집으로 들어온다.

나제희 나나야-
도우미 (문 닫으며) 방금 잠들었어요
나제희 (살짝 당황) 아… 예.
도우미 저는 가 볼게요 (나간다.)

나제희 (손짓하며 종준에게) 저분 오실 때는 아빠 안 와도 된다니까
종준 애를 모르는 사람이랑 하루 종일 두면 되겠나
나제희 (언짢) 하루 종일 피곤한데 아빠까지 왜 그래?

나제희, 손 닦으며 거실로 나오면 종준이 나제희 앞에다가 나나가 그린 그림 하나를 내민다.

종준 나나가 유치원에서 그린 거란다. 선생님이 오죽하면 나한테 연락이 왔더라

보면, 가족을 그린 그림인데 이목구비가 있는 것은 나나, 할아버지, 도우미 아줌마뿐. 엄마와 아빠 자리에 있는 사람은 눈코입이 없다.

종준 내가 생각을 딱 해봤어. 그거 일 그거 너 지금 하는 거 그거, 내일 당장 그만 둬.
나제희 나 그만두면 우리 가족 뭐 먹고 사는데?
종준 (수줍게 번호 가득 적힌 수첩을 내민다.) 점점 가까워지고 있어

보면, 숫자 여섯 개가 다섯 줄 적혀 있고, 그 중 몇 개에 동그라미가 쳐져 있다. 로또 번호가 분명.

나제희 (웃기지만 짜증도 난다.) 아 아빠!

종준 너가 할 일은 나나 옆에 있는 거야. 제대로 사회생활도 못 하는 선배 뒤치다꺼리 하는 것도 아니고! 어디 잘나신 분들 옆에서 짤랑거리는 것도 아니야

나제희 내가 하는 일이 그런 걸로만 보여?

종준 (버럭) 너 처음 나나 가졌을 때 그랬지! 혼자서 잘 키울 테니까 아무것도 묻지 말라고. 아빠 없어도 혼자 잘 키울 테니까 믿어 달라고 해서 지금까지 믿었더니 (그림 펼럭이며) 애가 이렇게 된 거도 내 잘못이다!

나제희 아빠가 없으면 애가 불완전한 거야?

종준 그런 말 한 적 없다!

나제희 그렇게 말하고 있는 거야. 아빠가 없어서, 엄마 혼자 키워서 애가 불완전하다고. 어떻게 손주한테 그런 소릴 할 수가 있어?

종준 나중에 나나가 물어보면, 뭐라고 할 거니?

나제희 (종준의 수첩 속 로또 번호들을 북북 찢으며) 나나는 엄마 딸이고 다른 거 아무것도 안 중요하다고! 엄마 혼자서 키운 게 부족하거나 모자라지 않다는 거 증명하려고 엄마가 너무 바빴던 거라고.

종준, 찢는 걸 말리지도 못하고 황망한 눈빛 되는…

나제희 아빠, 솔직해져. 나나 걱정하는 척하고 있지만, 아빠는 그냥 나를

비난하고 싶은 거야.

종준 …그래. 너 똑똑해서 좋겠다.

종준, 주섬주섬 찢어진 종이들을 소중히 그러모아 들고 일어난다.

나제희 (한숨 쉬며 따라 일어난다.) 그냥 그렇게 가시면 내가 어떻게 해요?

종준 너는 항상 너 마음대로 뭐가 다 굴러가야 되지.

나제희 아빠가 물려준 거 아니야?

종준 (신발 신으며) 그게 뭐 건 내 껀 아니다

문 닫히고, 허탈한 나제희 얼굴.

30. 나제희의 집 나나 방 / 밤

잠든 나나를 들여다보는데, 어느샌가 눈을 뜬 나나.

나제희 더 자, 더 자.

나나 엄마 회사 가?

나제희 지금은 안 가. 지금은 자는 시간.

나나 엄마 회사 가지마. 나나랑 놀아. 포파포파풍!

나제희 (안으며) 감사합니다 사랑합니다

나나가 장난을 치며 나제희 목에 그때까지 감겨 있던 스카프를 들춰 본다. 나제희의 목의 상처를 보는 나나. 그걸 손끝으로 만져보다가 호- 하는 나나.

나제희 (잠깐 말을 하지 못하다가) 우리 나나
엄마랑 텔레비전 나갈까?

나나 (눈 커지면서) 텔레비? 왜애?

나제희 엄마랑 나나랑 같이 텔레비전
나가서 우리 나나가 이렇게 예쁘고
똑똑합니다 하고 사람들한테 자랑하게

나나 좋아!

나제희 그러면 지금 빨리 코 자야 돼. 빨리
코 자야지 이뻐져. 텔레비전 나오려면
코 자야 돼.

나나, 눈을 꼭 감는다. 하지만 흥분된 마음에
잠이 오지 않아서 콧구멍이 벌름벌름.
나제희가 그걸 보고 배를 간지르는 장난을
친다. 까르르 넘어가는 모녀.

31. (경과) 나제희의 집 / 밤

조용한 집 안. 나나는 잠들었고, 나제희는 혼자
식탁에 앉아서 노트북 펴 놓고 있다.
화면 속, 나제희가 몰래 찍은 사진.
쓰러진 고담을 붙잡고 있는 용 국장의
요원들과 그걸 지켜보고 있는 김 부장의 얼굴.
긴장한 나제희의 얼굴. 그 때, 초인종 소리
들린다. 현관 쪽 보는 나제희.

현관 앞.

나제희 누구세요?

목소리 (어린아이의 목소리) 옆집인데요…
엄마랑 아빠가… 안 와서…

나제희, 문구멍으로 보는데 키가 작은
아이(국밥집 그 남자애)의 머리통 끝 부분만
보일 뿐.

목소리 (어린아이의 목소리) 무서워서…

복도를 달려가는 소리. 나제희가 현관문을
연다.

32. 나제희의 집 - 현관 / 밤

문 열고 복도 보는 나제희. 누가 복도 끝으로
내달린 듯, 복도를 따라 켜져 있던 불이
나제희의 문 앞에서부터 다시 차례로 꺼진다.

나제희 거기 누구 있니?

불 꺼지는 복도 끝을 쳐다보는 나제희 뒤로,
양 손에 끈을 팽팽하게 든 케이가 불쑥
나타난다.
그대로 나제희의 목이 감긴다.

33. 북한산 / 새벽

가파른 산길을, 늘 입던 트렌치코트 차림으로
오르고 있는 구경이.
쓰러질 듯 숨을 거칠게 몰아쉬며 거의
기어가고 있다.

34. 북한산 보리밥집 / 새벽

누군가의 시점으로 보이는 보리밥집에
들어서는 구경이.
휘청휘청, 여기 부딪히고 저기 부딪히고.

구경이 아우아 아어리 아이 안우 아이…
(아줌마 막걸리 아니 찬물 빨리…)

보리밥집 사장 아이구! 산에 오면서 폼은
있는 대로 내고 오셨네! 기다리세요!

그런 구경이를 보던 시선, 용 국장이 말을 한다.

용 국장 집에만 틀어박혀 있을 줄
알았더니, 나 웃기려고 왔나 봐?
안 그래도 웃을 일 많은데~?

구경이, 용 국장에게 잠깐 기다리란 표시하고.
찬물 병째로 꿀꺽꿀꺽 마신다.

구경이 크아ー! (머리 아파서 움켜쥔다.)
용 국장 웃기긴 하다. 보는 재미가 있어.
사장님~ 여기 보리밥 하나 더.

구경이, 이제 좀 정신이 드는지 용 국장 앞에 가
앉는다.

구경이 고담, 왜 죽였어요?
용 국장 무슨 말이에요?
구경이 다리 아파 죽겠으니까 쉽게 갑시다.
용 국장 케이가 죽었잖아. 구경이 씨가 못

막아서 꼴까닥. 그걸 왜 나한테 그러실까~
잡지도 못해 놓고.

구경이 아무리 아드님 경선 경쟁자였어도,
보통 죽이기까지 하진 않잖아요? 노혜지,
그 후보한테 한 것처럼 이상한 걸로
엮어서 보내 버리지.

용 국장 오늘따라 하는 말이 다 외국말 같아.
구경이 고담을 그렇게 만든 다른 동기가
있을 텐데, 그게 뭐냐고요.

용 국장 그니까. 내가 무슨 동기가 있다고
일개 회사 사장을 그 난리를 쳐서 죽여.
할 일 되게 없으신가 봐. 상상력이 너무
풍부하시거나.

보리밥 주인이 보리밥 한 상을 바로
구경이한테 앞에 펼쳐준다.
잠시 멈췄던 대화가 이어진다.

용 국장 말이라도 똑바로 해요, 구경이 씨.
그거 잡을 수 있다고 호언장담을 해서
음으로 양으로 지원해 줬지. 근데?
실패해서 리스크 올려놓고 여기 와서
애먼 다리를 긁어요 왜? 아~ 구경이 씨는
원래 그게 특기지. 자기 실패에
집착해서 굴 파고 들어가는 거.

구경이 괜히 여기까지 올라왔네요, 직접
물어본다고 답이 나오는 것도 아니었는데.
(일어나려고 하다가 다리, 허리 다 아파서) 아우…

용 국장 그르게 평소에 운동 좀 하구 햇빛
좀 쐬고 그르지!
(입 닦으며) 천천히 들고 가요~

구경이 좀 더 숨겼으면 좋았을 텐데요.

용 국장 ? 뭘.

구경이 나 팀장을 너무 잘 보이게 두셔서,
케이가 금방 알아낼 거예요.
뒤에 있는 게 누군지.

용 국장 구경이 씨 너무 다른 세상으로 간
거 같다⋯ 안타깝네. (일어나는)

구경이 (일부러 더 또박또박) 케이가, 당신,
죽이러 올 거라고요. 몸, 조심하시라고요.

용 국장의 표정이 굳어진다.

구경이 이 정도로 쫄 분 아닌 거 같은데 왜⋯

구경이, 용 국장의 시선이 자신을 빗겨나가
자기 뒤를 보고 있다는 걸 알아차린다.

케이(O.S) 누가 누굴 죽인다고?

구경이, 깜짝 놀라 뒤돌아보면,
케이가 숭늉 그릇 들고 두 사람 앞에 서 있다.

케이 이거 나한테 어울려요?

케이의 목에 익숙한 스카프가 둘러져 있다.
구경이가 나제희에게 준 스카프다.
구경이, 표정.

──────── 〈8화 끝〉 ────────

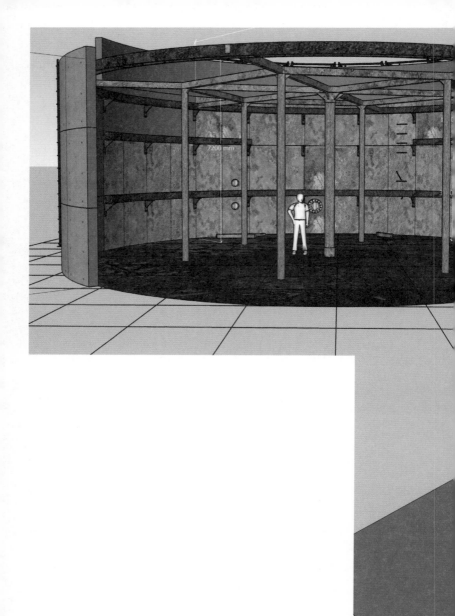

저유조 세트 디자인

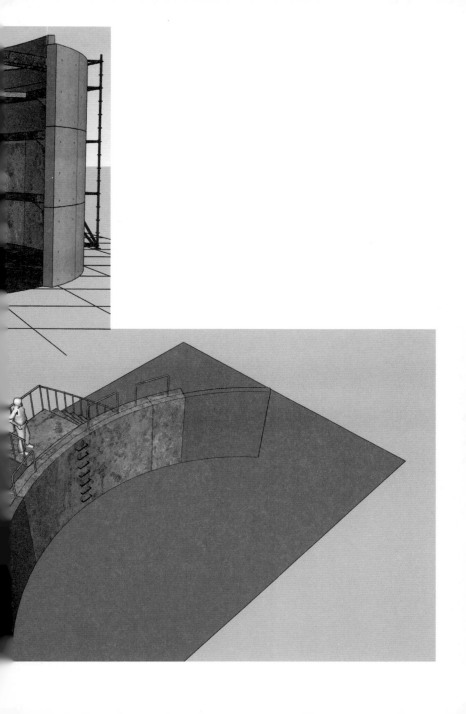

9화

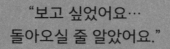

"보고 싶었어요…
돌아오실 줄 알았어요."

1. 산속 / 아침

케이 이거 나한테 어울려요?

케이의 목에 익숙한 스카프가 둘러져 있다.
나제희의 스카프다.
혼란스러워 아무 반응도 하지 못하는 구경이.

케이 쌤? 어울리냐니깐요? (스카프 풀어
머리에 둘러쓰며) 이러면 좀 낫나?
구경이 (케이에게 다가가 스카프 붙잡으며)
제희한테 무슨 짓 했어
케이 무슨 소린지 모르겠는데요
구경이 (케이의 멱살 잡고 밥풀 묻은 숟가락을
위협적으로 든다.) 똑바로 말해.
케이 숟가락으로?
구경이 뭐까지 할 수 있는지 보여줘?
케이 (구경이의 멱살 잡은 손 가볍게 쳐내며) 나를
뭘로 보고.

구경이, 케이의 진위를 파악하려
케이의 눈을 본다.
내색하지 않지만 표정 굳은 채 이 상황을
보는 용 국장, 몰래 핸드폰 만져 연락한다.

케이 나 경찰 쌤 보러 온 거 아니고 저~기
지금 사람 부르고 있는 용 언니 보러 온
건데.
용 국장 용 언니…? (뜨끔, 폰 만지던 손 일시정지)
어? 나? 왜애~?
(짐짓 여유 있는 척 자리에 앉으며) 두 분이 볼일

있으신 거 아니야?

케이가 몸을 돌려 용 국장을 본다. 용 국장이
미소 잃지 않고 시선 받아친다.

케이 용 언니 능력 있잖아요. 근데 나도
능력자거든. 그래서 같이 일을 해 보면
어떤가~ 모 그런 생각이 들어서요?

구경이, 이건 또 무슨 소리인가 싶어 케이와 용
국장 쳐다본다.

구경이 무슨 소리 하는 거야?
용 국장 (실룩, 입꼬리 올라가는 거 감추고)
어린이재단에서 일하고 싶어요?
케이 아니요. 내가 하고 싶은 일이
있는데~ 빽 빵빵한 사람이 뒤에서
봐주면 좋겠다 싶어서요. 언니 빽 든든-
하잖아. 맞죠?
용 국장 하고 싶은 일이 뭔데?
케이 (일부러 구경이를 보고 해맑게 웃으며) 사람
죽이는 일이요! (다시 용 국장에게) 혼자 죽일
사람 찾고 뒷정리 하려니까 피곤해서요.
언닌 나쁜 사람 많이 아실 거 같은데,
고담처럼?
용 국장 (깔깔 웃는다.) 어쩜 고 예쁜 입으로
겁나는 소리만 하네.
근데 내가 무서워서 뭘 믿고 일을 같이
해요.
케이 어, 첫째로 지금 제가 잘 하는 일을
안 하고 조신하게 가만-히 있다는 거.

둘째로… 지금 용 언니가 부탁을 하시면 내가 그걸 들어 드릴 거라는 거.

케이가 빙글빙글 웃으면서 구경이 곁을 맴돈다. 구경이, 다시 숟가락 꽉 쥔다.

구경이 헛짓거리 하지 마
케이 (용 국장에게) 해요?
용 국장 (그 모습을 재미나게 보면서) 어디 보자아ー
케이 (구경이에게) 아! 아! 어제 누가 그러던데요. (구경이 흉내) '나제희 니가 죽어 마땅한 사람이 아닌지, 이젠 잘 모르겠다' 어떻게 됐을까?

- INS. 8화 S#23. 호텔에서 직원이 건넨 핸드폰. 그 속에 있는 도청기.
- 옥상에서 대화하던 구경이와 나제희.

구경이 !
케이 (용 국장 돌아보면서) 뒤처리 잘해 주실 수 있는 거ㅈ…?

구경이, 케이에게 달려들어 케이를 보리밥상 위로 밀어붙인다.
반찬 그릇 와르르 엎어지며 케이가 구경이 아래에 깔린다.

구경이 …죽였어?
케이 아니… (사이) 라고 하면… 믿으실 거예요?

구경이 …
케이 어차피 직접 보기 전까지 뭣도 못 믿잖아.

케이, 얼굴 위에 올라간 콩나물 입으로 당겨와서 우물우물 씹는다.
우다다 하는 발소리, 보면 - 알록달록 등산객 복장을 한 - 용 국장 인원들 들이닥친다.

김 부장 저기! 저 두 사람 잡아!

인원들, 케이와 구경이 쪽으로 달려가는데 -

용 국장 그만 가만! (음식 튄 거 탈탈 털어내며) 너무 행동들이 빠르셔서 두 번도 죽었겠네. 거기는 나랑 일하기로 했으니까 놔두고.
김 부장 …누가 거기야…
케이 (구경이 보며 몸 꿈지락) 김치 국물 옷에 배면 안 지는데! 이러고 있을 시간에 확인하러 가겠다.

구경이, 분하지만 케이 말이 맞다.

구경이 죽었음 너도 죽는 거야.

벌떡 일어나는 구경이. 둘을 노려보며 재빨리 보리밥집 빠져나간다.
김 부장과 요원들이 어쩔까, 용 국장을 보면 -

용 국장 너무 쉽잖아? 하루아침에

사라져도 아무도 관심 없을 사람 치우는
거는 자기도 김빠질 거 아니야 (김 부장
보면서) 잡으러 안 가요?

요원 둘 남기고 나머지 요원 둘과 재빨리
보리밥집 빠져나가는 김 부장.

케이 오 능력자~ 우리 쫌 통하는데
용 국장 (머리 붙은 밥풀 떼 주며) 요 밥상은
이렇게 내버리긴 아깝지.
여기 보리밥 한 상 더 차려줘요! 진작
이렇게 만났으면 좋았을걸.
앞으로가 기대가 되네~

싱긋 웃어 보이는 케이.

2. 산 내려가는 길 / 아침

정신없이 내려가는 구경이. 뒤에서 따라오는
요원들의 발소리.
마침내 (차가 다닐 수 있는) 산길로 빠져나온
구경이. 주머니에서 부랴부랴 핸드폰을
꺼내는데, 손에서 미끌- 핸드폰 놓친다.
데굴 데굴 데굴 아래로 굴러가는 핸드폰.

구경이 이씨

구경이가 내리막길로 내려가며 허리 굽히는데,
뒤에서 다가오는 검은 기운.
돌아보면 김 부장이 운전하는 차! 구경이를 칠
듯이 돌진한다.

구경이 줄행랑. 달려가다 한 쪽 신발 벗겨지고
난리다.
무표정한 얼굴로 액셀을 밟는 김 부장.
돌부리에 걸려 넘어지는 구경이.
김 부장 차가 부아앙 달려서, 넘어진 구경이
앞에 끽 선다. 구경이의 코앞에서 멈추는 숫자
없는 번호판. 김 부장이 내린다.
구경이, 도망치려 하지만 코트 아래 자락이
앞바퀴에 끼어있다.
버둥거리는 구경이에게 손을 내미는 김 부장.

김 부장 어차피 도망 못 가.

김 부장 올려다보던 구경이, 손 내치고 코트
홀렁 벗으며 일어난다.
덜커덩- 열리는 트렁크 문. 구경이, 보면 -

김 부장 (자켓 안주머니 - 가스총 - 보이면서) 그냥
타요
구경이 여기서 끝내지 왜? (산쪽보면서) 아
저분이 뒤탈 없는 거 좋아하시지
김 부장 잘 아시면서 그래

구경이가 순순히 트렁크 쪽으로 걸어간다.
구경이 신발 주워 트렁크에 던져 넣는 김 부장.

구경이 (트렁크 들어가려다 차 뚜껑 잡고) 제희…
괜찮은지만 알려줘
김 부장 죽었지

구경이의 얼굴에 경악과 분노! 그러나 이내

의심이 든다. 게슴츠레하게 눈을 뜨자 -

김 부장 안 믿을 거면서 왜 자꾸 물어봐?

탁! 트렁크 문 닫아버리는 김 부장. 전화
걸려온다.

김 부장 (전화 받으면서) 여보세요? 예,
제가 맛사나이 맞습니다. 파워 블로거
선정이요? (아이처럼 기뻐한다.)

트렁크 안에서 취--- 하는 가스 주입되는 소리
들리고,

구경이 (Off sound) (탕탕!) 너무 뻔하잖아
(탕탕탕!) 언제 적 까스를 써~

김 부장 통화 끝나면, 어느새 쥐 죽은 듯
조용해진 트렁크 속 구경이.

3. 구경이의 집 / 아침

아침거리 사 들고 구경이 집에 들어오는 산타.
한눈에 봐도 구경이가 없다.
옷장을 열어보는 산타. 없다. 세탁기를
열어보는 산타. 없다.

산타 (걱정된 목소리) 조사관님?

4. 높은 곳 어딘가 / 낮

김 부장이 부적을 태우고 있다.

김 부장 나는 이런 거 싫어하는데,
용숙이가 하라고 하니까 해줍니다
아무튼 원한 갖지 마시고… 그래도 술
좋아하시니까 이건 좋지요?

김 부장이 보면, 아슬아슬하게 낭떠러지에 서
있는 와인 오크통.
낭떠러지 아래를 보면 거대한 폐기물 처리단지.
골프채로 오크통 옆에 있던 구경이 신발
날려보는 김 부장. 날아간 신발이 뒤섞이는
폐기물에 쑤욱 빨려 들어간다.

김 부장 (신발 폐기물들과 뒤섞이는 거 확인하고-)
그동안 고생했어요~

오크통을 발로 차서 굴려버린다. 아래로 퉁-
퉁- 퉁 굴러가는 오크통.

5. 폐기물 처리 단지 / 낮

아래로 데굴데굴 굴러가는 오크통. 이대로라면
폐기물 섞이는 곳에 골인인데 -
맹렬한 기세로 굴러가다 돌부리에 걸려 일부가
부서지며 경로가 바뀐다.
움푹 팬 곳에서 멈추는 오크통, 벌 한 마리가
날아와 새어 나온 와인을 맛본다.
벌 한 마리의 무게 때문에 - 오른쪽으로

기울어지는 오크통.
부서진 구멍으로 구경이 머리카락 튀어나온다.

구경이 (오크통 안에서) *끄어어···*

기우뚱-- 하다가, 중심 바뀌며 다시 쿠당탕탕
굴러가는 오크통.

구경이 (멀어지는) *으어어어*--

6. 경비실 / 낮

평소답지 않게 추리닝 입고 허덕허덕 달려온
경수. 산타는 불안해하며 CCTV 확인 중.

경비원 전에도 그러더니 어데 산책이라도
나갔겠지 뭘 그걸 찾겠다구 이렇게···
산타 (AI보이스) 이렇게 아침부터 나가는
사람이 아니니까 그렇죠!
경수 어 나가신다! ···(구경이 모습 보고) 그냥
혼자서 멀쩡히 나가시는데···?
산타 (AI보이스) 혼자서 이렇게 멀리 갈
사람도 절대 아니에요!
그것도 새벽 다섯 시 십 분에!

경수, 뭔가 생각이 난 듯 나제희에게 전화를
건다. 소리샘으로 넘어가는 통화.

경수 (메시지 남긴다.) 팀장님? 혹시
괜찮으세요? 조사관님도 갑자기
사라지시고··· 무슨 일 있는 게 아닌가

걱정이 되는데··· 확인하면 바로
연락주세요.. 바로요···

산타에게 문자 메시지 들어온다.
발신자: 구경이 님. 확인하고 기겁하는 산타.

산타 (문자! 문자!)
경비원 (저도 고개를 들이밀고) 뭐여, 연락 온 겨?

경수, 문자를 읽는다.

경수 생각 정리하러 간다 당분간 찾지 마
경비원 것 봐 잘 있네
산타 (고개를 휘저으며, AI보이스) 아니라고요!

경수가 그동안 구경이가 보낸 문자 쭉 본다.
[ㅇㅇ] [ㄴㄴ] [ㄱ?] [ㅅㅌ?] [ㅇㄷ?]

경수 이렇게 길게 문자 쓰는 사람도 절대
아니거든요··· 어디 가신 거지?

산타, 불안한 얼굴로 핸드폰 열어서 '우리
어르신 위치추적 앱' 화면 본다.
현재 위치에서 꽤 떨어진 곳에서 뱅뱅 돌고
있는 GPS 포인트.

7. 저유조 안 / 낮

구경이 허업!

깨어나는 구경이. 만신창이. 입에서 침 투-

뱉어내는데 침이 아니라 피다.
부은 눈 억지로 뜨고 몸을 움직여보려는데

구경이 어어…?

재빨리 둘러보면, 이곳은 거대한 - 텅 빈
저유조의 내부. 발 아래는 완전 낭떠러지.
원통의 가장자리에 조금 튀어나온 돌출부에
간신히 서 있는 형국이다.
게다가 한 쪽은 맨발. 초록색 공사장 그물이
엉켜 겨우 구경이 몸을 지지해주고 있다.
추락하면 그대로 끝이다.
찌이익--- 소리에 휙 보면 오른손에 감겨 있던
그물이 찢어지며 중심 잃을 상황!
찌- 이- 익, 전부 찢어지기 직전 구경이가
오른손을 뻗어서 윗부분 그물을 낚아챈다.
몸이 크게 휘청하면서 발이 공중에 붕- 떴다가
벽으로 다시 찰싹 붙는다.

구경이 허억허억허억허억.

구경이 아래를 보자 신발 덜걱거려서 오히려
거슬리는 상황.
간신히 신발을 벗어 아래로 떨어뜨리자, 한참
뒤에야 신발 떨어지는 소리 들린다.
맨발 앞꿈치로 돌출부에 올라서는 구경이.
오른손으로 그물을 살짝 당겨보는데,
지지가 되는가 싶더니… 이내 텐션을 잃고
스르르 따라 내려오는 그물.
구경이, 아래로 떨어지려는 그물을
붙잡아보는데, 괜히 당겼다! 점점 내려오는

그물.
따라 떨어지기 전에 그물을 놓아버리는
구경이. 아래로 추락하는 그물.
왼손을 더듬어보면 볼트 튀어나온 게 잡힌다.
그걸 꼭 붙잡는 구경이.

구경이 (힘이 없어 소리가 크게 안나온다.) 누구
없…나?

구경이, 위를 올려다보는데 - 구름 낀 뿌연
하늘만 보일 뿐.

구경이 (젖 먹던 힘 다해) 거기 누구 없니?

없니-- 니--- 니--- 소리만 맴맴 저유조 안을
맴돈다.

구경이 (심호흡 하고) 정신한테 물려가도
호랑이만 차리면 된댔어…

다시 오른손을 더듬어보자 거기에 작은 틈이
있다. 손 끝을 쑤셔 넣어서 지탱하고
발뒤꿈치로 내려선다. 다리에 쥐가 나면서
살짝 휘청, 위기!
간신히 바로 다시 중심 찾는 구경이.

구경이 허억…허억…

8. 폐기물 처리 단지 근처 / 낮

'우리 어르신 안심위치추적' GPS 신호 화면.

멈춤 상태인 추적기. 주변을 보는 경수.
높은 산등성이가 있는 폐기물 처리 단지.

경수 생각 정리하러 올 데는 아니네…
(산타에게) 여기 어디 계신다고?

쓰레기를 실은 대형 화물차들이 쉴 새 없이
오간다. 경수, 콜록거리면서 물러선다.
화물차 지나가자, 산타가 도로에 떨어진
뭔가를 발견한다. 도로 한가운데로 가는 산타.

경수 산타!! 위험해!!

저 쪽에서 화물차가 속도를 줄이지 않고
달려오고, 아찔한 상황에서 산타가 몸을 날린다.
흙먼지 일었다가 가라앉고 경수가 보면, 길
건너에서 방금 주운 물건을 들여다보는 산타.
구경이 신발이다.

경수 그게 조사관님 거야? 어떻게 알아???

산타, 신발 밑창 들어 심어 두었던 추적기 본다.
방금 이걸 떨어뜨린 화물차가 온 곳을 쳐다보는
산타. 폐기물 처리 단지.
그 곳을 향해 뛰기 시작하는 산타. 경수도 따라
뛴다.

9. 저유조 안 / 낮

아슬아슬 간신히 서 있는 구경이. 한 발을 조금
옆으로 움직여보려는데…

위이잉- 벌 소리 들린다. 구경이 머리카락에
아직 남아있는 와인 빨아먹으러 온 벌.
구경이가 머리를 절레절레 흔들고, 입으로 후-
후 불어본다.
잠깐 멀어지나 싶다가, 다시 머리에 와서
달라붙는 벌.

구경이 이러기야?

구경이 이번에는 무게 중심 안 흔들릴 정도로
머리를 살짝 박아본다. 쿵- 쿵-
머리만 아프고 벌은 이제 귓구멍 근처로.

구경이 가! 가라고! 아니야! 이거
아니야!!!

절레절레, 구경이 머리를 강하게 흔들다가 땡!
하고 머리를 크게 박는다.

구경이 어구구…

저유조 내부를 울리는 웅------ 소리.
때문에 휘청- 했던 구경이, 다시 손끝에 힘
단단히 줘서 겨우 버틴다.
벌은 와인 냠냠 하고 8자를 그리면서 날아
가버린다. 눈물 찔끔 난 구경이.
다시 옆으로 몸을 움직여 사방을 훑어보는데,
눈이 어리어리 해서 뭐가 보이지 않는다.
오히려 떨어져 볼까… 아래를 보면서 그물
떨어진 자리를 보는데, 너무 멀다.
입이 마르는 구경이. 다시 배에 힘을 주고…

구경이 누구 없어요…?

요-- 요-- 요---- 울리는데…

나제희 (위에서 목소리) 선배?
구경이 (화들짝) 어?! 제희? 제희야?? 너
괜찮아???

구경이가 목 빠져라 위로 올려다보는데, 아무
모습도 안 보인다.

구경이 나 여기!! 여깄어!!
나제희 어디?

어디? 하는 목소리가 위쪽이 아니라
아래쪽에서 났다는 사실을 깨달은 구경이.
아래를 내려다본다. 아무것도 보이지 않는데…

구경이 (다시 정면으로 고개 들고, 혼잣말조)
가지가지 하네 진짜…
나제희 (목소리만) 근데 왜 이렇게 열심히 해?

구경이가 왼쪽을 보면, 자기처럼 벽에 딱 붙어
서 있는 나제희.

나제희 (구경이 보며) 선배 더 이상 살 가치가
없다며. 형부 죽었을 때 나한테 그랬잖아.
구경이 (이게 환상인 걸 알아서 나제희 쪽을 보지
않으려고 애쓰며) 그랬지.
나제희 근데 왜 이렇게 열심히 살려고 해?

귓가까지 온 목소리에 구경이가 반사적으로
고개를 돌려 나제희 쪽을 보는데,
나제희 뒤로 녹슨 철제 계단(쇠막대를 디귿자
형태로 박아 놓은 것)이 보인다.
저기까지만 가면 답이 나올 거 같은 기분.

구경이 내가 의심이 많아서…

구경이, 몸을 옆으로 살짝 움직여 본다.

구경이 니가 괜찮은지 아닌지, 내 눈으로
직접 봐야 되니까.

구경이가 몸을 조금 더 움직인다. 발 아래
돌출부가 삭아서 허물어지며 발이 삐끗.
발가락에 힘을 줘서 다시 당겨온다.

구경이 (발 봤다가 고개 나제희 쪽으로 들며)
그러니까 좀 비켜 줄래?

보면, 나제희의 형체는 이미 없다.
잡고 있던 볼트를 놓고 손끝으로 표면을
천천히 밀면서 이동하는 구경이.
다음 간격에 있던 볼트를 그러쥐고 다시 쓰윽
몸을 밀어낸다.
틈에 끼어 있던 손을 빼서 틈 사이에 끼어 있는
나무판자(오크통 잔해)를 잡는 구경이.
아래를 보면, 돌출부가 완전히 삭아 없어진
구간. 그러니까 발을 크게 성큼 뛰어야
다음 스텝으로 갈 수가 있다. 나무판자 잡은
손에 힘을 줘보는 구경이. 제법 단단하다.

구경이 한 번에 해야 돼 한 번에…

구경이, 심호흡 하고 하아안버어언! 에 해보려다가 포기.

구경이 천천히 차금차금하자…

나무판자 잡은 손에 힘주고, 볼트 잡은 손 놓는다. 놓은 손을 천천히 벽 쓸면서 당겨와서, 몸을 뒤집는다.
벽에 찰싹 달라붙은 모양이 된 구경이. 이제 빈손을 나무판자 쪽으로 슬슬 올려본다.
마침내 양손으로 나무판자 붙잡는 데 성공한 구경이. 저 쪽 돌출부로 넘어가면 된다.

구경이 하나,.. 두울… 세엣…!

발을 띄워서 다음 돌출부로 안착! 됐…다! 한 쪽 발이 미처 따라오지 못해 어정쩡한 자세.
구경이가 오른손을 판자에서 떼고 옆에 있던 볼트 꽉 잡으면서 왼발 따라오려고 하는데, 볼트 뚜껑이 훌러덩 벗겨지면서 손이 쑤욱 빠진다.

구경이 으억?

구경이 몸이 뒤로 기우뚱- 빠지고, 끼어 있던 나무판자도 앞으로 쑥 딸려 나온다.

구경이 으어어어?

구경이, 중심을 잃고 뒤로 나자빠진다.
저유조의 바닥으로 추락하는 구경이.

10. 동남아 호텔 / 낮

아래에서 수면 위로 솟구치는 케이.
호젓한 호텔 수영장.
물가로 헤엄쳐 오자 케이에게 은쟁반 내려놓는 호텔 직원. 주스 쪽쪽 빨며 쟁반 위의 봉투 열어보는 케이. 한국행 티켓과 붉은색 여권.
여권 펴 보면 케이의 사진에 이름은 'Kassandra Alonso', 국적 스페인.

케이 (티켓보고) 말도 안 돼! 여기까지 왔는데 하루 만에 들어오라고? 으!

케이, 다시 물속으로 잠수.

11. 공항 출구 / 낮

산뜻, 화려하게 꾸민 케이가 공항 밖으로 나온다. 쨍한 원피스에 거대한 모자.
뒤에서 면세점 쇼핑백 한가득에 빵빵한 캐리어 밀면서 따라나오는 김 부장.
정차되어 있는 쌔끈한 밴.

케이 오 오 우! 무이 비엔! 무차스 그라씨아쓰! 스파시바! 당케! 쌩큐!

신나서 문 열린 밴으로 깡총깡총 뛰어가는 케이. 김 부장이 힘겹게 뒤를 따라가며 불평.

김 부장 하나만 해라 하나만…

12. 케이의 새 은신처 (7화 정연 갇힌 안전가옥 같은 장소) / 낮

- INS. 갈매기 날아다니고 파도치는 풍광 좋은 해변. 소나무 늘어서 있는 산책로.
뱅글뱅글 돌아 올라가는 나무 계단 위에 우뚝 지어진 별장 간지의 집.

멈추는 밴. 고급스러운 옷 입고 내리는 케이.
명품 풀 세팅.

케이 (주변 풍경 보며 감탄~) 역시 능력자~

도도한 발걸음으로 저택 안으로 들어간다.

Cut to.
한껏 들뜬 얼굴로 근사해 보이는 은신처의
문을 여는 케이.
문을 열면 보이는 건 80년대 한국영화에나
나올 법한 나무 재질의 고풍스러운 가구들…

케이 올~ 힙하다 힙해

케이, 소파에 털썩 몸을 파묻어보는데, 묵은
먼지가 풀풀 올라온다.
콜록콜록 기침하는 케이. 빈티지인 줄
알았는데 진짜 오래된 물건들인 듯.
둘러보면 박제된 동물, 분재, 흔들의자,
알람시계, 다이얼 전화기…

책장을 훑어보면 종결어미가 '읍니다' 일 것
같은 소설, 시집, 희곡들.
'바리데기', '홍길동전', '베니스의 상인'…
손으로 톡 치기만 해도 삐걱이는 흔들의자,
장식장 문은 빽빽해서 열리지도 않고.
파도 치는 바다가 보이는 통유리창을 열어
보는데 끼기기긱- 불쾌한 소리와 함께
5cm 딱 열리더니 더 열리지 않는다.

케이 뭐야

계속 밀어 보는데 꿈쩍도 안 하는 창.

케이 낡은 거야, 일부러 이런 거야

곳곳의 창을 열어보는데, 모든 창문이,
화장실에 달린 창까지도 5cm 밖에 안 열린다.

케이 이야~ 이것도 정성이다

닫혀 있는 방문들을 열어보는 케이. 대부분
손잡이가 없거나, 열리지 않는다.
벌컥 열리는 방은 - 소파 하나 덜렁. 사방이
커튼으로 막혔다.
케이가, 커튼을 확 젖혀보면 커튼 뒤는 벽이다.
정연이 있었던 곳.

케이 감옥이네

Cut to.
현관문 열고 나가는 케이. 나가자마자 문 앞에

있던 정원사와 마주친다.

케이 (헉!) …산책 좀 할게요

눈치 보면서 걸어나가는 케이, 슬쩍
뒤돌아보는데 그 자리에서 쳐다보고 있는
정원사.

케이 어우 눈빛 뭐야

잰걸음으로 걷다가 달리기 시작하는 케이.

13. 은신처 외부 / 낮

저택 부지를 둘러싸고 있는 높은 담.
무지막지하게 높다.
이미 몇 번 타고 올라가려다 자빠진 케이가
씩씩거리고 있다.

케이 (쐬익쐬익) 장난해?

벽을 따라 가보니, 옆에 쇠창살로 된 대문
보인다. 그걸 붙잡고 타 넘으려 손으로 쥐는데 -
전기가 통해서 고대로 뒤로 나가 떨어지는
케이. 대자로 뻗어 터지는 헛웃음.
지이잉-- 담에 달려있던 CCTV 다섯 개가
동시에 돌아가 모두 케이를 향한다.

케이 (실소) 이런 데를 제 발로 들어왔다
이거네

14. 저유조 바닥 / 밤

바닥에 대자로 누워있는 구경이.
아래에 (먼저 떨어졌던) 녹색 그물이 깔려 있어
기적적으로 살았다.
손가락을 꼼지락… 발가락을 꼼지락…
해본다. 위를 보면 달이 떠 있다.

구경이 저것이 해냐 달이냐

손발 움직이는 걸 확인하고 일어나는 구경이.
몸 여기저기가 삐거덕거린다.
구경이가 벽을 짚으려 더듬어 가보는데, 발에
뭐가 걸려 보면 쓰레기들이다.
눈알 빠진 커다란 곰 인형, 과자 봉지, 페트병,
신발, 라이터…
구경이, 신발을 털어서 신고 페트병 흔들어
본다. 한 모금 정도 남은 이온음료.

구경이 럭키

뚜껑 열어서 간신히 혓바닥 적신다.
마침내 손이 벽면에 닿고, 뭔가 타고 올라갈 수
있는 게 있는지 만져본다.
삭은 볼트뿐. 구경이가 손가락에 힘을 주지만
미끄러워서 금방 나가떨어진다.
손에 묻은 끈적한 무엇. 킁킁 냄새 맡아본다.

구경이 기름…

삐---유웅--- 하는 소리에 고개 들어보면, 이내

몇 개의 불꽃이 보인다.
불꽃놀이 폭죽이 터지고 있는 것.

구경이 (손을 위로 흔들며) 저기요! 여기!!!
여기요!!!

- INS. 보드 타고 폭죽 터뜨리며 노는 한 무리의
청소년들.
그들에게 구경이의 목소리는 들리지도 않는다.

구경이 여기!! 야!!

삐유웅-- 마지막 폭죽 터지고, 불꽃이 저유조
안으로 떨어진다.
사람들 소리 멀어진다.

나제희(V.O) 선배 후회할 때는 옆에
아무도 없을 거야

기운 빠지는 구경이. 팔이 축 늘어진다.

구경이 니 말이 맞았네

불꽃이 아래까지 천천히 내려오는 걸 보는
구경이, 퍼뜩 정신이 든다.
여기는… 오일 탱크… 저것은… 불꽃!!!

구경이 으악!!

구경이, 불꽃이 내려오는 방향으로 후다닥
달려간다.

천-- 천--- 히 내려오는 불꽃이 바닥에 닿지
않게 하기 위해서 노심초사,
고개 꺾어 불꽃 내려오는 쪽으로 으어어,
으어어 하면서 왔다리갔다리 한다.
받아낼 것을 찾다가 아까 마신 페트병으로
불꽃을 낚아채 보려는데,
사방이 어둡고 모든 것이 미끄덩거려 잡히지
않는다. 코앞까지 내려온 불꽃.
구경이, 에라이 모르겠다 하고 입을 쩍 벌린다.
입 안으로 들어가자마자 사그라드는 불꽃.
입을 합죽 다문 구경이가 콧김을 내뿜는다.
이내 쿨럭이기 시작하는 구경이. OTL로
엎어져서 한참을 쿨럭인다.

구경이 쿨럭…으…으윽…

한차례 소동이 지나가자 적막에 휩싸이는 주변.
맥이 탁 풀린 구경이가 벽에 기대어 주저앉는다.
통증이 느껴져서 발바닥을 당겨와 보면,
상처투성이에 기름 범벅이다.

구경이 하아…

너무 지쳐버린 구경이, 손가락 까딱할
기운도 없다.
조금 떨어진 곳에 눈알 빠진 커다란 곰 인형이
구경이처럼 널브러져 있다.

구경이 …미안해

간신히 한마디를 내뱉고, 고개 떨군 채 눈을

감아버린다.

15. 폐기물 처리장 / 밤

멈춰 있는 폐기물 처리 컨베이어 벨트를
살피고 있는 산타. 꾀죄죄한 몰골.
멀리서 경수의 '조사관님~ 조사관님~' 하는
목소리가 들린다.
컨베이어 벨트를 따라 갈려 나온 가연성
폐기물에까지 시선이 가는 산타. (!)
가연성 폐기물 더미로 빠르게 달려 내려간다.
폐기물 더미 사이에서 갈리다 남은
트렌치코트의 벨트와 버클을 발견한다.
절망적인 얼굴 되는 산타. 산타가 눈을 감고
버클 쥔 채 두 손을 모은다.

산타 도깨비님 도깨비님 경이 씨 좀
찾아주세요.
이번에는 진짜 안 잃어버리려고 했는데
어딨는지 모르겠어요. 도와주세요

산타의 감은 눈 사이로 눈물방울이 또르르
흘러나온다. 달빛에 반사되는 산타의 눈물.
그 때 산타의 뒤로 작게 펑, 펑, 하는 소리가
들린다.
번쩍 눈을 뜨는 산타. 멀리에 불꽃놀이 불꽃
올라오는 게 보인다.

16. 어린이집 마당 - 김장행사 / 낮

성태, 현태 형제와 용 국장이 모여서 김장

담고 있다.
김 부장도 옆에서 묵묵히 양념 묻히는 중.

용 국장 (성태에게) 속 팍팍 넣어야 맛있어요
사진기자 (이 모습 찍다가) 정말
화목하십니다. 기자들 좀 더 부르시지
그랬어요!
용 국장 아유! 우리 아이들 건강하고
맛있는 김치 먹으려고 하는 일인데
생색내면 흉해.

어린이집 관계자가 호들갑을 떨면서 다가온다.
현태에게 유난스러운 시선을 보내는 어린이집
관계자와 눈인사하는 현태.
두 사람의 오가는 시선을 눈치챈 용 국장.

허성태 맛 한 번 보시겠어요?
관계자 (수줍게 웃으며) 저 이왕이면 (현태
가리키며) 이쪽이 주시는 거로…
허성태 (머쓱) 잘생긴 사람이 주는 게 맛도
좋지.
허현태 토깽이표 김치 갑니다 아— (배추 한
쪽 뜯어 입에 넣어주며) 어떠세요?
관계자 (말없이 따봉 따봉하며 현태에게 눈빛 보내는)
사진기자 얼굴만 잘생기신 게 아니라
요리실력도 최고신가 보네!

모두들 하하호호한 가운데, 용 국장만 현태와
관계자의 기류를 느낀다.

허성태 자, 한 통 완성입니다. 양념이 다

떨어졌네!
용 국장 내가 갖고 올게! (현태에게) 와서 같이 들어요, 응.

현태, 고무장갑 벗고 용 국장을 따라간다.

17. 어린이집 부엌 - 김장행사 / 낮

넓은 급식실 부엌. 씻어 놓은 배추들, 양념 다라이…

허현태 (양념통 보며) 이거 들고 가면 되나요?

대답 없이 물끄러미 현태 보는 용 국장.

허현태 (얼굴 매만지며) 양념 묻었어요?
용 국장 너 나 몰래 풀었니?
허현태 뭘? 뭘 풀어? 뭘…?

현태 아랫도리를 보고 있는 용 국장.

허현태 엄마 아니, 민망하게… 뭘 그런…
용 국장 풀었냐고
허현태 푼 게 아니라! 그게… 풀렸어요. 자연스럽게 풀렸는데… 그거를 다시 묶는 게…
용 국장 사정사정해서 꽉꽉 묶어 놨더니 어느 병원 어느 놈이야?! 어떤 놈이 감히 내 허락도 없이 함부로 풀어줘??!!
허현태 아 왜 그러세요 진짜! 누가 들어요!!!

용 국장 허현태.
허현태 …진짜 이번에는 제가 억울해요… 절대 제가 임신시킨 거 아니구요, 애가 나온 것도 아니고 산부인과 기록 가지고 이러는 거예요. 지금 돈 달라고 협박하는 놈… 그 여자 친오빠도 아니고 기둥서방인데 질이 아주 안 좋은 놈이라고 소문났어… 큰 소리 안 나게 제가 잘 수습할게요
용 국장 애는?
허현태 진즉 지우고 여자는 미국인가 어디 갔어요
용 국장 얼마 달래?
허현태 (말없이 손가락 두 개를 펼쳐서… 손가락으로 머리 쓸어 넘긴다.)
용 국장 (차분하게) 엄마가 도와줄게.
허현태 (감격) 엄마!
용 국장 사람들 기다리겠다, 양념부터 들고 가자.

현태가 양념통 가까이 가는데, 현태 뒤통수 보자 울화 치미는 용 국장.
현태 뒤통수를 눌러서 김치 양념에 처박는다.
말 그대로 현태 얼굴로 김치 무친다.

용 국장 (목소리 낮게 깔고) 형님 앞길에 티끌이라도 튀겨봐. 내가 너 죽여버릴 거야.

어퍼퍼, 하고 양념 된 채 고개 드는 현태.
고무장갑 끼고 헤어캡 낀 분홍 앞치마의 김

부장이 무심한 표정으로 들어와 있다.
김 부장 뒤로 들어온 요원들이 현태를
양옆에서 붙잡는다.

용 국장 허현태는 다음 스케줄이 있다고
먼저 갔네. 아쉽다, 그죠?

김 부장이 현태 메이크업 묻어 있는 김치 양념
대충 뒤섞는다.
양념통 양쪽에서 같이 들고 수레에 싣는 김
부장과 용 국장.

용 국장 고담이 갖고 있던 건 찾았어요?
김 부장 거의 찾았습니다
용 국장 거-의? 김 부장님 김치는
무슨 맛일지 궁금하네? (웃으며) 빨리
찾아주세요

김 부장이 끙 소리를 내며 수레를 밀고 가고,
용 국장이 뒤를 따른다.

18. 케이의 새 은신처 / 낮

용 국장 올 때마다 느끼는 거지만 여기가
참 터가 좋아. 이렇게 기운 좋은 데가
없어요~

전통 다기 일체를 고풍스러운 원목 쟁반에
받쳐서 가져오는 중인 케이.
팔에 붕대, 머리에 반창고, 다리는 절뚝절뚝.
부러 다친 티를 내고 있다.

쟁반 처음 들어보는 사람처럼 아슬아슬,
불안한 케이.

용 국장 뭘 챙겨
케이 아녜요, 그래도 손님이 오셨는데
제가 대접해야죠
용 국장 안주인 다 되셨네

케이가 테이블에 내려놓는데, 이미 쏟아지고
넘치고 난리 났다.
케이가 찻주전자 들어서 찻잔에 따르는데…
액체의 색깔이 검고 노랗고 파랗다?
중간에 덩어리들도 울컥울컥 떨어진다.

케이 부엌 뒤져보니까 오래된 차 같은 게
많더라고요. 이런 건 오래 묵을수록
좋다 그래서 제가 섞어봤어요. 드셔
보세요^^
용 국장 그으래

용 국장, 잠깐 찻잔 쥐고 케이 눈 보며 정지
상태 있다가 -

용 국장 자기는?

케이, 콜라 따서 한 컵 가득 콸콸콸 따른다.

용 국장 (지지않고) 그래요 치얼스

용 국장이 눈을 부릅뜨고 차를 원샷한다.
케이도 경쟁하듯 콜라 원샷. 트림 꺽.

케이 옴쓰. 쏴리. (사이) 아 구경이 쌤은 어떻게 됐어요?

용 국장 이제 너 귀찮게 안 하실 거야

케이 편해지셨나?

용 국장 ? 너가 편해진 거지.

케이, 반창고 덕지덕지 붙은 제 몸 이리저리 보며.

케이 와~ 편하다~

용 국장 (요것 봐라) 집 좋다고 여기만 붙어 있는 거 아니야? 바깥바람도 쐬고 그래야지.

케이 (열 받지만 참고 눈 똥글) 나갈 수 있어요?

용 국장 음… 이름은 박두목이고 쌍봉구 산대. 이 정도면 되나아?

케이 뭐가… 돼요?

용 국장 능력자는 이 정도면 되는 거 아니야? 차 준비시켜?

대책 없는 용 국장의 의뢰에 케이 헛웃음이 살짝 터지지만 참고,

케이 그렇게 간단한 일이 아니라. 차근차근 준비할 것도 많고… 우리 서로에 대해 알아갈 게 많은 거 같네요.

용 국장 필요한 건 김 부장님한테 말하면 다 사다 주실 거야. 뭐 필요하니?

케이 그 사람 뭐하는 사람인데요? 죽을 만큼 나쁜 사람이야?

용 국장 (이게 필요한 거구나, 싶어서 - 케이를 보며 겁에 질린 표정으로) 어쩜 그런 사람이 있나 싶어. (케이 머리 넘겨주면서) 갈 곳 없는 꼭 너 같은 여자애들 사고파는 아주 나-아쁜 놈이야

19. 오피스텔 건물 / 낮

불량한 인상의 박두목이 침 튀기며 전화 중. 오피스텔 건물 로비로 들어온다.

박두목 두 장 불렀는데, 답이 없다? 그러면 바로 기자한테 갈 거야. 아는 기자 있어?

엘리베이터 앞에 서는데, 앞에 고장 수리 중 표시 붙어있다.
뒤의 엘리베이터가 도착하고 박두목, 돌아서서 다른 엘리베이터를 탄다.

박두목 리얼트루스… 오케이 번호 보내놔. 이참에 왜 별명이 토깽이인지도 확 푼다 내가~ (경박하게 웃으며) 걔가 귀여워서 토깽이겠냐?

박두목이 층수버튼을 누른다. 문 닫히기 전에 헬륨 풍선 (열 개 정도)를 들고 타는 케이.

박두목 돈을 그 년이랑 왜 나눠. 똥줄은 나 혼자 빼고 있고 지는 다리 뻗고 누워 잔 거 말고 뭐가 있는데?

박두목 뒤에 서는 케이. 풍선 하나가 둥실
떠올라서 CCTV를 가린다.
박두목 통화 마무리하고 끊는데, 뒤에서 풍선
하나가 터진다. 빵!
풍선에서 터져 나오는 캡사이신 분말.

박두목 아이씨! 깜짝이야! 이런 건
계단으로 가야지… 엣취…!
케이 죄송함다

박두목, 올라가는 숫자만 보는데 - 계속
기침이 난다.

케이 (풍선들 사이에서 얼굴 안 보인 채) 근데
토깽이가 누구예요?
박두목 (목소리 나는 쪽을 보면서) 뭐?
케이 10초 안에 말하면 살려준다.

또 빵! 터지는 풍선. 박두목이 끊임없이
쿨럭거린다.
빵 빵 빵 빵 빵! 풍선이 터져 케이의 얼굴이
드러나면 어느새 방독면 쓰고 있다.
박두목, 허우적거리며 비상호출 버튼을
누르는데 -
손가락 끝이 호출 버튼에 닿자 전기가 통해
손가락이 버튼에 달라붙는다.
케이가 고무장갑 낀 손으로 박두목이 버튼에서
손을 못 떼도록 붙잡는다.
감전돼서 지져지는 박두목.
띵- 열리는 엘리베이터 문으로 보이는
정원사의 얼굴.

바로 보이는 케이, 방독면 벗으며 머리
흩날린다.
마치 아이돌 엔딩 포즈처럼 숨을 하아하아
몰아 쉬면서 -

케이 임무, 완료

정원사, 무심한 얼굴로 CCTV 가리고 있는
풍선 끝을 당겨온다.
널브러져 있는 박두목 시체. 돌아서는 정원사.

케이 (포즈 풀면서) 칭찬 한마디가 없네.
가요 가!

20. 저유조 안 / 낮

구경이, 눈알 빠진 커다란 곰 인형의 품에 안긴
채 눈을 뜬다. 찝찝하다.
곰 인형이 머리를 쓰다듬어 준 듯 곰 인형 손이
구경이의 머리에 올라가 있다.

구경이 (손 쳐내며) 뭐야 기분 나빠

다시 맨바닥에 웅크리고 눈 꾹 감아보는
구경이. 날이 밝아져 눈을 감고 있기도 힘들다.

구경이 내가 여기서 나가야 되는 이유
하나만 말해봐

슬며시 눈을 떠보는 구경이.

구경이 없지?

슈웅- 터엉!
하늘에서 날아와 바닥으로 떨어지는 위스키
플라스크. 터엉 터엉 튀어서 굴러 온다.

구경이 이제 안 마신다고

슈우우웅--- 터엉!!!
이번에는 바닥으로 떨어지며 박살이
나는 컴퓨터.

구경이 내가 재밌어서 게임만 하고 산 줄
알아?

슈웅- 털푸덕 털푸덕 털푸덕.
떨어지는 짜장면, 야키소바, 닭꼬치…
등등의 음식.

구경이 …땡기긴 하네.

그러나 구경이는 움직일 힘도 없어서 멀뚱히
그걸 보고만 있을 뿐.

구경이 진짜 이게 다야?

구경이의 손가락 끝으로 굴러 오는 초콜릿.
장성우가 입에 물려주던 것.

구경이 나간다고 당신이 있는 게
아니잖아. 차라리 여기 있으면,

당신 만날 가능성이 더 높아질 거
같은데.

구경이, 정신이 아득해진다.
슈웅- 통. 산타가 만들던 검은 괴물인형
떨어진다.

구경이 …

괴물인형 보던 구경이의 시야가 흐려진다.
구경이 얼굴로 스카프가 나풀나풀 내려와
떨어진 것. 당연히 나제희의 스카프다.

구경이 후---

후 불어서 스카프 날려버리는 구경이.
저유조 내부에 바람이 인다.
스카프가 바람에 밀려 올라간다.
구경이가 잡으려고 했던 간이 계단에 가서
걸리는 스카프.
어느 사이 주변에 모든 음식이니 물건들이니
사라지고 다시 텅 빈 더러운 저유조.
손이 닿을 높이는 아니라 물끄러미 올려다만
보는 구경이.

구경이 매번 나를 끄집어내는 건 왜 너니.

Cut to.
초록색 그물을 이빨로 뜯어내는 구경이.
찢어낸 그물을 묶어서 기다란 밧줄을 만든다.
사이사이에도 힘이 빠져서 숨을 헉헉거린다.

입이 바짝 말라 있다.

Cut to.

구경이 이런 게 한 번에 될 리가 없는데…

구경이, 밧줄 끝 부분을 매듭지어 무겁게 만든
뒤 빙빙 돌려서 던진다.
끝 부분이 탁! 계단에 걸린다.

구경이 오!? 오오!?

구경이 조심스럽게 그물 밧줄을 당겨본다.
제법 단단. 심호흡을 하고 올라가보는 구경이.
젖 먹던 힘을 다한다. 끙끙.
좌우로 휘청거리는 밧줄. 구경이가 발끝으로
튀어나온 볼트를 딛고 다음 손을 뻗는다.
그물 당기며 올라가는 구경이, 마침내 손끝에
계단 아랫단에 겨우 닿는다.
그물에서 손을 떼고 계단을 양손으로 붙잡는
구경이. 무심결에 아래를 보는데 이미 높이
올라와서 어질.

구경이 어우 보지 마, 보지 마

발을 버둥거려서 계단 한 칸을 올라간다.
구경이 흥분하여서 다음 칸, 다음 칸을 (제
딴에는 빠르게, 그러나 기력이 없어서
누구보다 느리게) 올라간다. 가다가… 계단
하나가 부식되어 쑥 빠지면서 휘청,

구경이 으어!

재빨리 아래 칸을 다시 잡는 구경이. 애매하게
다음 칸이 너무 높다.
다소 안정된 상태에서 계단에 걸 수 있는 게
없는지 주머니를 한쪽씩 뒤져보는 구경이.
당연히 아무것도 없다. 한숨 쉬고 옷을 더듬어
보다가… 입고 있는 옷에 시선이 간다.
옷의 밑단을 쭈욱 뜯어내는 구경이. 긴 고리
형태가 된 옷을 던져 겨우 계단 끝에 건다.

구경이 1초만 버텨줘라, 1초만.

옷을 잡아당기며 한 손을 쭉 올려보는 구경이.
옷이 뜨드득- 뜯어질 것 같이 팽팽-!
구경이 한 손으로는 당기고 한 손은 뻗어
계단을 잡는다.
동시에 쫘작! 경쾌한 소리 내며 뜯어지는
아랫단.
한 손으로 매달린 구경이, 양발로 벽을 더듬어
튀어나온 곳 찾아 지지하고 다른 손도 계단에
매달린다. 한 칸만 올라가면 가능성이 있다.

산타 경이 씨!!!!!!!

구경이, 어디선가 들려오는 맑은 목소리에
돌아보면 저유조 반대편에 산타가 보인다.

구경이 이 세상에선 산타 씨도 말을 하네.
(다시 마음 다잡고) 정신 차려.

구경이, 발을 버둥버둥거리면서 겨우 몸을 끌어 올린다.

구경이 ㅇㅇㅇ… ㅇㅇㅇ…!

구경이가 한 칸 한 칸 올라가기 시작한다.

Cut to.
드디어 저유조 위에 손이 닿을 위치까지
오른 구경이.

구경이 아무나 박수 좀 쳐 줘라.

구경이, 저유조 위를 턱 잡는데… 발을 받치고
있던 계단이 부서지며 확 미끄러진다.
또 또! 추락하는 구경이…의 손목을 낚아채는
누군가의 손.

나제희 선배…!

구경이, 올려다보면 나제희다. 진짜 나제희…!

구경이 진짜야?

나제희 옆으로 등장하는 산타와 경수.

경수 조사관님!

세 사람이 함께 구경이를 잡고 끌어올린다.

---

21. 저유조 밖 / 해 질 녘

- INS. 저유조 밖은 멀지 않은 곳에 도로도
있고… 차도 다니고… 가게도 있고…
아이들 웃음소리도 들리는 평화로운 곳.
무리를 이루어 노는 스케이트 보더들.

저유조 앞 잔디밭에 나자빠진 구경이는 사지가
너덜너덜한 와중에도 나제희에게서 눈을 떼지
않는다. 나제희가 진짜인지 볼을 꾹 눌러 보는
구경이.

나제희 괜찮아? 꼴이 이게 뭐야…

산타와 나제희가 구경이를 일으킨다.

구경이 (나제희의 목에 멀쩡히 있는 스카프 보며)
괜히 흔해 빠진 걸 줘가지고…

구경이, 팔을 뻗어 대신 나제희의 어깨를 꽉
잡고 살짝 흔든다.
그런 구경이를 와락 끌어안는 나제희. 구경이,
가만히 나제희의 온기를 느낀다.

구경이 됐어. 됐어… 다 괜찮아.

스르륵 정신 잃는 구경이. 산타가 얼른
쓰러지는 구경이를 잡는다.

22. 케이의 은신처 외부 / 밤

달빛 비치는 은신처 외부. 소각로에 방독면
고무장갑 등 케이가 쓴 물건들이 타고 있다.
혼자 있기 외로운 케이, '바리데기' 대본 들고
소각로 옆으로 온다.

케이 경찰 쌤도 이렇게 했어요?
정원사 … (자리 뜬다.)
케이 내 말 안 들려?

혼자 적막 가운데 남은 케이. 타는 불빛 보다가,
옆에 있던 꽃을 보고 하나씩 꺾는다.
불빛 어른거리는 앞에 혼자 쓰러지며,

케이 (꽃 하나씩 들며) 이것이 숨살이 꽃,
뼈살이 꽃, 살살이 꽃이어요.
북망산천 건너려는 우리 어머니, 아버지
제 곁으로 돌아오셔요…!
(대본 다시 눈으로 읽고) 그러면 이제 펑! 하고
구름이 일어나서 꽃비가 우수수 내리고
두 사람이 살아나는데에…

발연기스럽던 연기가 점점 자연스럽고
진지해지면서, 호소력이 생긴다.

케이 (눈물 흘리며) 살아오셨군요…! 보고
싶었어요… 돌아오실 줄 알았어요… 엉엉

그러나 아무도 보는 사람 없다.

23. 나제희의 집 / 밤

나제희 병원으로 가자니까.

소파에 드러누워 있는 구경이. 옆에는 경수가
잠들어 있다.
산타가 (아마도 나나가 쓰는) 어린이용 포크로
피자를 썰고 있다.
입 아- 벌리는 구경이, 피자 한 조각 입에 쏙
넣어 주는 산타.

구경이 (만족스러워하며) 다음에는 저거 뭐니
하얀 거 저거 찍어줘.
산타 (세심하게 다음 조각 랜치 소스 찍는다.)
구경이 (우물우물) 그 인간들은 내가 죽은 줄
알 테니까. 당분간은 그렇게 알게 둬. 컥!
나제희 그래도…

구경이가 피자 목에 걸려 켁켁 거리자
나제희가 재빨리 물을 떠 오는데,
산타가 물컵을 확 낚아채 구경이에게 먹인다.
산타는 아직 나제희에게 화난 눈치.

구경이 (겨우 진정하고) 왜? 나 멀쩡히 살아
돌아왔다고 꼰지르고 싶어?
나제희 (산타의 찌릿하는 시선 느끼고) 나 그렇게
인간 말종 아니야.
경수 (눈 감은 채) 조사관님 없어지신 거
알고 같이 엄청 고생하셨어요.
나제희 선배한테 이렇게까지 할 줄
알았음 그쪽에 안 붙었지

구경이 진짜? 안 붙었을까?

세 사람 모두 진짜? 하는 표정으로 나제희 보고 있다.

나제희 …진짜 너무들 하네
구경이 그래서 케이가 너 살려둔 이유는 뭐라는데? (나제희 보면서) 여기 왔었잖아.

경수와 산타가 크게 놀란다. 오로지 구경이와 나제희만 눈을 맞춘다. 흔들리는 나제희.

나제희 뭔 소리야?
구경이 케이가 용 국장을 어떻게 찾았을까, 생각을 해봤는데 너가 멀쩡하길래 알았지.
경수 그것만 가지고 어떻게 알아요?

구경이, 성큼성큼 나제희에게 다가가서 목을 가린 폴라티 앞부분을 휙 내린다.
새로 생긴 듯한 멍 자국. 몸을 급하게 떼어내는 나제희.

구경이 그리고 아까 나나가 그러더라. 예쁜 언니 왔다 갔다고.

구경이 보는 나제희. 구경이에겐 뭘 숨길 수가 없다.
나제희, 뒷목에 오소소 소름이 돋으며 - 곧바로 그 밤의 기억.

24. 과거. 나제희의 집 앞 (8화 S#32 이후 상황) / 밤

아파트 복도에서 케이에게 목이 졸린 나제희.
케이, 바로 집 안으로 나제희를 밀고 들어간다.
닫히는 현관문.
케이, 목을 조른 채로 앞으로 돌려 나제희를 쓰러트린다.

케이 (나제희 덮친 자세로) 아이씨… 죽일 생각 없었는데 보니까 또 못 참겠네…

윽, 나제희 손 끝으로 바닥을 막 더듬어본다.
목이 완전히 졸려온다.

케이 쪼끔만 더 땡기면 끝인데…

케이가 내려다보면, 경동맥 막힌 나제희 기절했다.

케이 아씨… 뭘 이거 했다고 기절해…
(목줄 풀고, 나제희 빰을 친다.) 저기요 저-기-요

케이가 경동맥 체크하고 나제희 호흡 가늠해보는데 - 무반응.

케이 아!!! 진짜!!! 이야기 좀 하러 왔다고!!!

나제희, 그래도 무반응.

케이 어휴 진짜!

케이, 나제희 가슴 압박해 심폐 소생한다.
나제희 코 잡고 입 맞대서 숨 불어넣는 케이.
한 두어 번 하고 나자,

나제희 히이익----!! 켁켁! (깨어나 숨을
몰아쉬는)

케이, 부엌으로 가서 가글한다. 정신 차린
나제희가 간신히 몸을 일으켜 소파에 기댄다.

나제희 허억허억. (침 닦으며) 말… 말해
줄게.
케이 뭘?
나제희 너 잡으려는 사람. 일을 이
지경으로 만들어서 다 망친 사람.
케이 (헤롱거리는 나제희를 흥미롭게 보는) 당신
말고? 말해봐 어디.
나제희 용숙이야. 허성태 엄마고…
사실상 뒤에서 다 조종해 그 여자가.
너 잡고 싶다고 먼저 연락해왔어. 고담
일도, 너네 이모 일도 전부 그 여자…
케이(O.L) 잠깐만, 왜?
나제희 어?
케이 왜 그 여자가 나 잡고 싶어하는데?
이유가 있을 거 아니야
나제희 그건 나도 몰라
케이 모올라아?

케이가 마법봉으로 나제희 겨누고, 한 손으로

쉿! 한 다음에 나나 방으로 들어간다.
나제희 놀라서 벌떡 일어나는데, 이내 나나
안고 나오는 케이.

케이 얘는 누가 잘 때 업어가도 모르겠네
나제희 (다급, 당황) 진짜야. 내가
알아볼게. 그 여자가 왜 그러는지…
그러니까아아…!

케이가 나나를 안고 식탁 의자에 앉는다.

케이 오바는

케이, 나나의 머리카락을 쓸어준다.

케이 내가 왜 나 팀장님 지금 안 죽이는
줄 알아요? 죽으면 편해진다고 구경이
쌤이 그랬거든. 나는 당신이 편해지는 게
싫어. 대신에… 지옥에서 살게 할 수도
있는 거니까…

케이, 쓸던 손을 멈추고 나제희를 본다.

케이 알아보겠다는 거, 빨리 알아봐. 내가
나나 안고 문민빌라 삼백이호 나종준
씨 댁 찾아가기 전에. 오늘 우리 만난 거
당연히 우리만의 소중한 비밀, 맞죠?

윙크, 해보려고 하는데 잘 안 돼서 눈
꿈뻑꿈뻑하는 케이. 안겨 있던 나나가 눈을
뜬다.

나나의 시점으로 보이는 케이. 정면을 보고
있다가, 천천히 눈을 내리깐다.
나나, 케이와 눈이 마주치고 만다.

25. 나제희의 집 / 밤

나제희 나나가 자기 얼굴 본 걸, 케이가
알아.
경수 (불안감을 감추며) 그래도 케이가
어린애는 안 건드리잖아요. 죽어 마땅한
놈만 죽인다는 기준이 있으니까…
팀장님은 괜찮으신 거죠?
구경이 살인자한테 기준은 무슨. 다 지
합리화하자고 만든 거지. 그래서 넌
그 살인자가 원하는 걸 해주겠다고
약속하고 목숨을 구했다는 거네?
경수 말씀이 너무 심하시잖아요
나제희 (울먹거리며 살짝 격앙) 내가 뭘 어떻게
했어야 하는 건데 그럼! 나 땜에 팀은
해체됐고, 그래도 먹고 살긴 해야겠고.
그 와중에 살인마는 집까지 찾아오지,
선밴 없어졌다 그러지. 그 상황에서 내가
뭘 할 수 있는데! 선배라면 어떻게
했을 건데?
구경이 나라면 애초에 용 국장 같은 인간
밑으로는 안 들어갔겠지만…

그 때, 나나가 방문을 열고 나와서 구경이를
마법봉으로 퍽퍽 친다.

나나 우리 엄마 괴롭히지 마!

미묘하게 구경이가 다친 부위들만 때리는 나나.

구경이 아야…

구경이, 스르르 소파에서 굴러 떨어지고
산타가 부드럽게 나나를 안아 올려 어른다.
산타에게 안긴 채 방으로 들어가며 구경이
노려보는 나나.

나제희 나도 알아. 애초에 내가 그랬으면
안 됐다는 거…
구경이 (들어가는 나나 눈빛 보고) 너는 지켜야
될 게 많은 사람이고,
난 그런 게 하나도 없는 사람인데, 그런
가정을 해서 뭐해. 안 그러니?

구경이가 일어선다.

구경이 케이가 원하는 걸 찾자. 동의 안
하는 사람은 나가.
나제희 …여기 내 집인데?

팀원들의 눈빛 교환. 모두 한마음 한뜻이다.

산타 (AI보이스) 애초에 용 국장은 왜
케이를 잡으려고 했던 거예요?
나제희 통영 사건 있고 나서 갑자기
연락이 왔지… 케이 잡아 달라고.

그 말에 뭔가 생각난 경수가 번뜩!

경수 아! 저! 김민규 사건! (엄청난 걸 알고 있다는 제스처, 모두 주목!) 조사관님 그렇게 되는 바람에 완전 까먹고 있었는데! 제가 엄청난 발견을 했거든요! 그게 뭐냐면… (뜸 들이는)

나제희 (기다리다 지쳐) …빨리 말해!

경수 그 문신 있잖아요, 고담 행사장에 왔던 케이 오른팔.

구경이 오른팔인지 아닌지는 아직…

경수 (헛, 입 막고) 그 오른팔의 오른팔에 있었던 문신이요. 그게 뭔지 알아냈어요.

산타 (AI보이스) 뭔데요?

경수 (의미심장) 이준현이 했던 문신이랑 똑같아요.

경수, 엄청난 반응을 기대하는데…, 산타의 심드렁한 반응.

산타 (AI보이스) 이준현이 누구더라요?

나제희 효창바이오 회식 때 요트에서 죽은 남자애.

- INS. 2화 S#13. 핸드폰 속 이준현 사진에 건욱과 같은 모양의 문신이 보인다.

산타 !!

구경이 케이 오른팔이 이준현이랑 아는 사람이라고.

경수 그 이상이요. 그게 소년원 애들이 안에서 마피아 흉내 내면서 하는 문신이에요.

나가서도 잊지 말자는 뜻이래요. 그러니까 케이 오른팔은 이준현이랑 같은 시기에 소년원에서 어울렸던 사람이란 거죠.

구경이 (버럭) 오경수!!!!

경수 (쫄아서) 예?

구경이 삼 년 개 서당이면 풍월 월월이라더니 엄청난 발견! 인정!

경수, 헤헤 신나서 폰 꺼내 들며 리스트 보여준다.

경수 여기여기 이준현 연락처에 있는 사람들 신상도 따로 저장해 왔어용.

경수의 뿌듯한 얼굴 지나 - 리스트 속 보이는 '안건욱 25세 봉백고등학교 졸업, MEK 보안회사 재직 중'

26. MEK 보안회사 / 낮

로비에서 건욱과 함께 일했던 보안회사 직원 만나고 있는 경수.

보안 직원 (턱을 쓸면서) 그냥 말도 없이 휙 퇴사했어요

경수 그럼 혹시 (달력 짚으며) 이 날짜에 출근하셨는지 알 수 있을까요?

보안 직원 보험회사에서 그런 것도 알아야 돼요?

경수 출근 일수가 노동 가용연한이랑 관련이 있어서 그렇습니다.

마침 지나가는 대호 붙잡는 보안회사 직원.

보안 직원 어! 건욱이 이 날짜에 출근했던가? 기억나?

대호 ?! (의아하게 경수 보면서) 왜요?

보안 직원 보험사에서 나왔대. 자기는 건욱이랑 안 친해서 잘 모르지?

대호 (경수가 내미는 명함 유심히 보고 걱정) 건욱 씨 무슨 일 생겼나요?

경수 아뇨! 보험 때문에 기본적인 절차입니다.

대호 이날은 안 나왔어요. 그 친구가 몸이 약해서… 기관지 쪽이 약하거든요…

경수 그럼 이 날 (다른 날짜)은 나오셨습니까?

대호 이 날은, 오전 근무였어요 (갑자기 눈물이 글썽 나서) 다 됐나요?

경수 (눈치 보고 대호가 건욱과 친한 사이였던 걸 알고서) 저, 하나만 더.

대호 팔을 잡고 잠깐 당기는 경수. (이준현에게 있던) 문신 사진을 보여준다.

경수 혹시 건욱 씨 이런 문신이 있었나요?

대호 (무섭게) 그 자식이 뭔지 모르겠는데 더 얽히기 싫으니까 사람 귀찮게 하지 마요

대호가 잡은 손을 탁 내치자, 경수가 휘청한다. 냉랭하게 가버리는 대호 보며 그래도 뭔가 알았다는 경수 표정.

27. 건욱의 집 / 낮

건욱의 집 앞. 대호가 놔두고 간 건욱의 짐 박스가 덩그러니 놓여있다.
동네 주민이 슬쩍 다가와서 박스를 열어본다.
안에는 각종 운동 기구와… 커플티… 등…

주민 쓸 만한 걸 내놨…

벌컥! 문 열리면서 술에 취한 건욱이 소리를 버럭.

건욱 건들지 마요! 내 거야!

주민 아 알았어요;;

건욱이 박스를 끌고 집 안으로 들어간다.

Cut to.

건욱 메리 미… 내 손 잡아줄래요~ 메리 미 나와 평생 함께…

옆에는 빈 술병들 널려 있고, 건욱이 노래 부르면서 상자 물건들 하나씩 꺼낸다. 아령… 커플팬티… 그러다가 칫솔까지 나오자 부아가 치민다. 칫솔 아무 데나 던지는 건욱.

건욱 장난하나

커플 운동화. 러쉬 더티 바디 스프레이. 하나씩 모두 던지는 건욱.

마지막으로 남은 것은 프로틴 파우더통. 위에 노트가 붙어있다. '아프지 마라' 건욱이 차마 그건 못 던진다. 통 붙잡고 다시 노래 부르는 건욱.

건욱 남은 나의 모든 삶~ 흑흑 오직 그대 남자로 흑흑 살고 싶어요~

28. 건욱의 집 앞 골목 / 낮

구경이가 탄 차가 건욱의 집 앞 골목에 슬슬 도착한다.

구경이 (집을 올려다보면서) 다시 만나 안녕하세요다 이 자식아

Cut to.

구경이 (문을 두드리며) 가스 검침이요

안에서 답이 없다. 구경이 문을 당겨보면 슥 당겨지는 문. 긴장한 산타.

구경이 (자연스럽게 들어가며) 어우 사람 사는 집이 어떻게 이래?

구경이의 옛날 집과 크게 다르지 않은 풍경인데… 뻔뻔히도 그런 말을 하는 구경이를 잠시 보는 산타. 사방으로 흩어져 있는 집기들. 가운데에 프로틴 파우더를 퍼먹다

잠들었는지 가루를 뒤집어쓴 채 눈물 흘리며 잠든 건욱이 있다.

인기척에 눈을 슬며시 뜨는 건욱.

건욱 퍼…탱신틀머파햐ㅏ .. (가루가 뿜어져 나오며, 대략 '당신들 뭐야' 라는 뜻)
구경이 응 더 자

산타가 건욱에게 그물을 던져 씌워버린다.

29. 스튜디오 / 낮

나제희 싱글 맘이라고, 아무도 도와주지 않고, 오직 저 혼자 버텨야만 했을 때… 제 손을 잡아준 것이 바로, 허성태 후보님이십니다.

인터뷰 형식의 홍보영상 찍고 있는 나제희. 토끼 귀 머리띠 낀 나나는 종준 무릎에 앉아있고, 종준이 모니터를 보며 투덜거린다.

종준 애는 저 혼자 키운 줄 알어. (음악 바뀌자) 나나야, 지금이다!

나나, 카메라 앞으로 뛰어가서 나제희에게 안긴다.

나제희 어머! 갑자기 저희 애가!
나나 (엄마에게 안긴 채 카메라 보면서) 엄마한테 좋아! 아이한테 좋아! 허성태 아저씨가 좋아요!

나제희가 나나 안고 함께 노래 부른다.
어느새인가 뒤에 우르르 머리띠를 쓴 허성태를
필두로 나오는 출연진들. 합창.
나나를 자연스럽게 받아 안는 허성태.

다같이 허성태와 함께라면 더 이상
외롭지 않아! 따뜻하고 희망찬~
용 국장 어르신도 같이 하는 게 어때요?
그림이 그게 좋을 거 같은데

종준의 난감한 표정.
Cut to.
토끼 귀 머리띠 쓰고 출연진들 사이에서
열심히 노래 부르는 종준.
컷입니다~ 소리에 흩어지는 출연진들.
허성태가 기다렸다는 듯 나나 내려놓고,
나제희는 금세 용 국장에게 달려간다.

종준 (투덜투덜) 이게 뭐하는 거냐. (나나
손잡고) 우리는 간식 먹으러 가자…
용 국장 고생들 했어요.
허성태 나 특보 아이디어가 좋았어요.
화면도 잘 받네. 어디서 모델 데려온 줄
알겠다
나제희 (수줍게웃으며) 아유, 아닙니다
후보님.
용 국장 (그걸보고) 역시 젊은 머리가
있어야 돼. 시대 흐름이라는 게
있으니까.
나제희 경청해주신 덕분이죠. 둘째
아드님도 계셨으면 좋았을 텐데

아쉽네요.
어머님들한텐 이런 것보다 허현태
대표님 얼굴이 먹힐 거 같은데.
허성태 제 얼굴로는 특보님이
아쉬우신가 보네.
나제희 그런 뜻은 아닌데! 근데 동생분은
정말 바쁘신가 봐요, 요새 통 못 뵈…
허성태 (OL, 용국장에게) 저는 다음
스케줄이..
용 국장 홍삼이랑 잘 챙겨 먹고 있죠?
어서 가보셔.

허성태가 90도 인사하고 떠난다.

용 국장 나나 새아빠 구해요? 내가 인물
좀 찾아봐 줘?
나제희 예? 아… 아닙니다..
용 국장 혹시 최근에 구경이 씨랑 언제
연락했어요?
나제희 좀 된 거 같은데… 무슨 용건
있으세요?
용 국장 아니. 나도 연락한 지가 오래
돼서. 궁금하잖아.
나제희 뭐, 조용하니까 오히려 안심이
되는 게 있어요.

나제희와 용 국장, 서로의 꿍꿍이를 파악하려
촉을 세우고 있다.

나제희 케이 쪽도 조용하니까…
평화로운 기분이 드네요. (사이) 그래도

살아는 있겠죠?
용 국장 (옷 챙기며) 그거 오래 가네!
나제희 (무슨 말이냐는 얼굴로 돌아보면)
용 국장 (스카프 한쪽 가리키는) 그 상처. 무슨
일 있으면 바로 말해요.
혼자 끙끙대지 말고. 알았지?

30. 한강변 컨테이너 / 낮

케이와 있던 컨테이너. 모든 집기가 빠지고 텅
빈 와중에 덩그러니 묶여 있는 건욱.
오리 튜브가 허리에 꽉 끼어 있고 손발이
케이블 타이로 묶였다.
입 근처로 오리 빨대가 슬금슬금 다가온다.
건욱, 갈급하여 쪽쪽 빨아먹는다.
산타가 물병에 빨대를 대주고 있다.

구경이 이렇게 넙죽넙죽 잘
받아먹어서리… 죽이기 너무 쉽잖아?
건욱 (그 말에 쪽쪽 빨던 입 멈추고, 퉤 뱉는다.)
구경이 나는 너를 죽일 이유가 없지.
이경이가 말이야.

선글라스 내려서 건욱 얼굴 보는 구경이.

구경이 구면이다, 그치? 얼마 전에도
봤고, 옛--날에 봉백에서도 봤고.

구경이 품에 있는 프로틴 파우더통 보고
건욱이 열을 낸다.

건욱 그거는 건드리지 말지?
구경이 이거 먹고 기절했길래 혹시
이경이가 뭔 짓 해놨나 했지.
건욱 (비웃음) 걔가 내를 왜 건드리노
구경이 너무 많은 걸 알고 있어서?
건욱 아줌마는 제대로 아는 게 한 개도
없네.
구경이 너는 제대로 아는 게 많다는
소리로 들리네! 궁금해라.

구경이가 건욱 앞에 편하게 앉는다.

구경이 내가 질문을 할 건데, 네가 대답만
잘해주면 바로 이거 풀어줄 거야.

산타가 옆에서 가위 들고 허공에 싹둑싹둑 시늉.

건욱 내가 그래 순진해 보이요?
구경이 너를 붙잡아 두는 게 더
부담스럽다 야. 일단 냄새도 너무 나고…
굳이 우리가 아니라도 이경이가, 아니면
이경이 새로 생긴 "빽"이 너 정리할
건데 뭐… 뉴 빽이 알다시피 으마으마
하잖니…? 그 사람들 땜에 나도 죽다
살아났는데…

산타, 구경이 말이 맞다는 듯 구경이 소매 끝을
소중하게 쥔다.

구경이 (건욱 눈치 보고) 이경이가 말 안
해줬구나.

건욱 (은근 궁금) 이경이 도와주는 사람들이 있다고?

구경이 (단도직입) 이준현 관련해서 죽은 사람들. 다 너네 작업인 건 아는데… 찝찝한 게 남아서. 그 때 조사했던 게 남아있을 거잖아?

건욱 우리는 완벽하게 증거 안 남기는 거 모르나

구경이 그렇지. 그럼 죽은 사람들이 이준현이랑 관련이 있었던 건 어떻게 알았지?

건욱 (눈치)

구경이 (끄덕)

산타가 구경이 끄덕 받고 건욱의 다리에 묶여 있던 케이블 타이 잘라준다.

건욱 배에 있던 거랑 항구 CCTV 귀신같이 다 지워져서 찾느라 우리도 애 좀 썼는데. 거기도 사람들 입 있고 귀 있는 데라 소문이 돌대. 원래 배 하나 빌리면 그 안에서 별짓 다 한다고, 사람 하나 죽어 나가는 거 일도 아니라 하니까. 효창바이오에서 소문난 인간들 중에 그 날 집에 안 들어온 놈들 찾았지

구경이 열심히 했네

산타가 건욱의 팔에 있는 케이블 타이도 잘라낸다.

구경이 멍청한 방향으로 열심히 한 게 문제지만.

건욱 멍처엉?

구경이 아무리 생각해도 이준현 사건에는 더 큰 뭔가가 있거든? 보아하니 너네도 그거까진 못 본 거 같고. CCTV 백업이 있을 가능성은?

건욱 내가 못 찾았으면 세상에 없는 거지

구경이 어이구, 잘나셨어, 지가 퍼먹은 프로틴에 수면제 들어있던 건 모르면서

건욱 (살짝 의심) 뻥이지?

구경이 목숨 부지하려면, (건욱 붙잡고) 앞으로는 하나하나 다 의심해야 될 거야.

건욱 본인 걱정이나 하시지

구경이 혹시 알아? 자는데 누가 너네 집에 불을 지를지, 아님 폭탄이 배달될지.

건욱 …

구경이 가봐 인제.

건욱이 경계하며 (여전히 오리 튜브 낀 채로) 컨테이너 문 쪽으로 간다.
구경이, 진짜로 안 붙잡는다고 양손 들어 보인다. 산타도 손 든다.
삐긱-- 삐긱—튜브 때문에 문에 끼인 건욱.
산타가 뾰족한 가위 들고 다가온다.

건욱 어어어? 어어어?

산타가 튜브에 구멍 푹 뚫어준다.

Cut to.

바람 빠진 오리 튜브 집어 던지고 한강변
허덕허덕 달리는 건욱.

31. 케이의 새 은신처 / 밤

케이가 김 부장이 방금 사다 놓은 장바구니
신나서 뒤지고 있다. 주로 파티용품.
손에 잡히는 대로 머리에 고깔 쓰고, 망토
두르면서 짐을 뒤지다가 폭죽을 발견.

김 부장 누구 생일이냐?
케이 어! 잠깐만 기다려 보실래요?
(고개 들고) 제가 보여 드릴 거 있는데.

Cut to.
정원으로 조심조심 뭔가 들고 나오는 케이의
모습. 요강이다.

케이 다음번에 죽일 방법 테스트
중이에요~
김 부장 (하품) 그걸로도 사람 죽이나?
케이 왜요. 못 죽일 거 같아요?

케이가 요강을 조심조심 내려놓고 후다닥
뒤로 가서 숨는다.
김 부장, 피식 하는데 동시에 퍼엉!!! 하면서
폭발하는 요강.
김 부장 쪽으로 날아오는 날카로운 조각!
반사적으로 옆에 있던 삽으로 조각을 날려
치는 김 부장. 깡-

케이 와 아깝다. (뒤로 돌며) 폭발 실험은
성공이고~

킥킥 웃으며 들어가는 케이와 그런 케이를
고깝게 보는 김 부장.

32. 건욱의 집 앞 / 밤

헐떡거리며 집 앞에 도착하는 건욱.
아까보다 더 큰 상자가 문 앞에 놓여 있고, 그걸
누가 보고 있다.

건욱 아 쫌! 남의 꺼 좀 건드리지
마시라고요…

뒤돌아보면, 경수다. 건욱 흘긋 보고 다시
통화하는 경수.

경수 네, 이 집엔 진짜 쓰레기밖에
없어요. 근데 뭐가 배달돼 왔는데요?
건욱 넌 또 왜 여깄어! 이것들이 진짜!
경수 (건욱 무시하고 상자 보면서)
의심스러운데… 폭탄인가?

건욱이 경수를 경계하면서 상자를 본다.
빽빽하게 테이프가 둘러진 커다란 택배상자.
그 때, 덜커덩! 하면서 택배상자가 움찔거린다.

경수, 건욱 (서로 붙들고) 엄마야!

계단에서 올라오는 구경이와 산타.

구경이 겁들이 그렇게 많아서 험한 세상
어떻게 살아?

경수 진짜 폭탄이면 어떡해요

구경이가 주머니에서 주머니칼 꺼내서 박스에
갖다 대는데

경건타 으어어어!

그 소리에 정신 사나워진 구경이가 칼 멀리
떨어뜨리면

경건타 하아아아…

구경이가 그때 바로 박스를 찢어버린다.

경건타 흐아아아!

저들끼리 엉키면서 숨는 3인방.
구경이가 천천히 상자 열어 보는데, 리본
묶인 남자 머리통이 보인다.
비명도 못 지르고 동공 커진 네 명.

─────── 〈9화 끝〉 ───────

오크통 컨셉아트

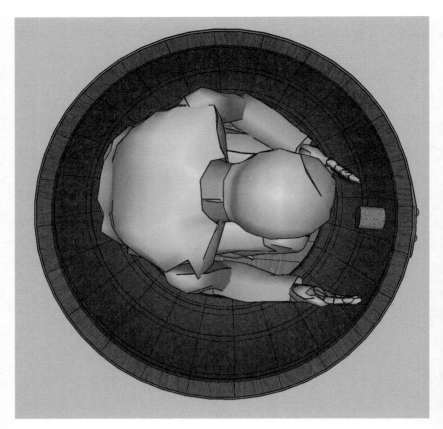

1. 건욱의 집 앞 / 저

박스 안. 머리에 리본을 묶고 있는 곽 기자의 두상.
산타, 경수, 건욱 얼려 있는데… 갑자기
구경이가 웃기 시작한다!

구경이 하하하하! 하하하하하하!

기겁하는 산타와 경수.

산타 헤엑?!
경수 조사관님?!
주민 (갑자기 튀어나와서) 뭐예요?
구경이 (냅다 박스 덮고 양팔 벌리며) 서프라이즈

산타와 경수가 눈빛 주고받고 박스 들어
올리는데 - 힘 달린다.

구경이 (건욱 보고) 뭐해, 안 들어?

건욱 역시 구경이의 웃는 얼굴에 기가 눌려서
번쩍 박스를 같이 든다.
먼저 총총 집으로 들어가는 구경이.

경수 (집으로 들어가면서) …이게…
누군데요오…

2. 카페 / 낮

자막 "몇 시간 전"
강남의 테라스 카페. 시시덕거리는 젊은 남자들.

남자1 드래곤이 김치 담그다가 이번에는
토깽이 죽여버린다고 난리를, 난리를…
남자2 그래서, 토깽이 하와이 간 게
아니라고?
남자1 하와이는 무슨. 김칫독에
파묻었다는데.
남자2 대박이다 진짜

남자들 대화 이어지는 중에 카메라는 천천히
뒤에 있는 화분 놓인 벽 쪽으로 향한다.
잠시 뒤, 벽이 꾸물꾸물 움직이기 시작한다.
자세히 보면 풀 바디 페인팅 하여 벽으로
위장하고 있던 왜소한 남자가 움직이는 것.
곽 기자(남/30대), 눈이 빛난다.

곽 기자(V.O) 왔어! 왔어!

3. 코인 노래방 / 낮

얼굴에 분장 남은 채 코인 노래방으로
들어가는 곽 기자.
복도 끝에 있는 특실로 들어간다. 문 닫기 전,
복도를 한 번 살피는 신중함.
문에 달린 팻말 - '리얼트루스저널'.

경과.
코인 노래방 방 한 칸에 대충 테이블과 캐비닛을
넣어 만든 사무실.
옆방 노랫소리가 벽 너머로 요란하게 들린다.
귀마개 꽂고 거북목 상태로 기사 쓰기에
열중인 곽 기자. 화면 속 보이는 기사 제목.

〈"아들로 김치 무쳤다!!" 해외 유학 중이라던 허현태, 그 진실은?〉

정신없이 기사 쓰는 곽 기자의 눈앞으로 가늘고 긴 것이 반짝이며 내려온다.

곽 기자 (뒤늦게 발견하고) 사람님 계시는데 거미줄은 좀 아니지 않나?

말 끝나기가 무섭게 컥! 천장에서 내려온 낚싯줄로 만든 올가미에 목이 졸리는 곽 기자.

곽 기자 으…으…ㅇ…

버둥거리면서 문 쪽으로 가보려 하지만 갈 수가 없다.
그때, 낚싯줄이 내려온 환풍구 구멍으로 케이가 미끄러지듯 내려온다.
곽 기자가 버둥거리는 사이, 케이는 리모컨을 들어 번호를 누른다.
반주시작 빰 빰 빰 빰 - 케이, 마이크를 잡고

케이 아름다운 이 땅에 금수강산에-
곽 기자 …느..머…야…
케이 단군 할아버지가 터 잡으시고오~

열창을 하면서, 한 손으로는 방금 기자가 쓰고 있던 노트북을 뒤지는 케이.
케이 뒤에서 까치발로 서서 버둥거리는 곽 기자.

케이 (마이크 잠깐 떼고) 움직이면 더 들어가요

곽 기자 흐어어?
케이 (귀마개 빼 주며) 움직이지 말라고. (다시 마이크대고) 만주 벌판 달려라-
(마이크 넘겨주면)
곽 기자 (마이크에 대고) …광개토대왕… 신라장군 이..사..부…
케이 (추임새처럼) 옳지↗ 옳지↗

케이, 다시 노트북으로 시선 옮기고 방금 곽 기자가 쓰고 있던 기사 읽는다.

〈당선이 유력한 허성태 후보의 남동생이자, 푸른어린이재단의 홍보대사, 대중들에게는 '토깽이'로 알려진 허현태 씨의 행적이 묘연하다…〉

케이 토깽이가 허현태야?
곽 기자 (눈으로만 깜빡깜빡)
케이 얘가 지금 어디 갔다는 거야 그래서?
곽 기자 그건.. 저도.. 몰라요-.. (백결 선생 떡방아~ 음으로)
케이 무슨 이런 찌라시 쓰는 기자까지 죽여 달래? (마이크에 대고) 뭐 더 없어?
곽 기자 (눈을 깜빡 깜빡 깜빡)
케이 10초 안에 말해야 돼. 여기서 자살 당하느냐 아니냐의 갈림길이야.
곽 기자 (눈짓으로 가방을 가리키며) 저기 이쓰요…
케이 (손가락으로 오케이 싸인)

등을 보이고 가방을 뒤지는 케이.

10화
117

케이가 등진 사이 - 곽 기자, 어떻게든
살아보려고 한 손을 뻗어서 잡히는 걸
더듬어보는데 하필 탬버린. 챠그랑~
그 소리에 휙, 돌아보는 케이. 붉은 미러볼
조명이 스치며 - 살벌한 표정!
곽 기자 보면, 케이의 손에 들린 시한폭탄처럼
생긴 알람시계. (은신처에 있던 것)

케이 (곽 기자에게 얼굴 들이밀며) 역사는
흐른다!
곽 기자 케케켁!!

4. 케이의 은신처 / 낮

바다가 보이는 장소 (정연과 구경이가 나왔던
곳)에 자리 펴 놓고 누워있는 케이.
휴양지 파티처럼 주변을 (9화에 나왔던)
파티용품으로 꾸며 놓고 선글라스까지 꼈다.
그 위로 슥- 들어오는 그림자.

용 국장 (케이를 내려다보며 싸늘) 한 명
죽이겠다고 요란방정을 떨었다. 그치?
노래방을 통째로 날려버렸다매?
케이 …
용 국장 (웃으며) 속은 시원하더라야

케이가 대꾸 없자 용 국장이 쭈그려 앉아서
케이 선글라스를 벗겨본다.
눈꺼풀에 눈이 그려져 있다. 움찔 놀라는 용
국장.

케이 (눈 번쩍 뜨며) 에헤헤! 놀랐다! 놀랐다!
(한 바퀴 데굴 구르면서) 그게 구름이 펑!
꽃비가 우수수~ 그거라서.
용 국장 나는 니가 하는 말이 어떻게
이렇게 어려울까?
케이 그냥 하려니까 심심- 한 느낌이
있어요. 우리 용 언니가 뒤처리
확실하게 해주신다고 했으니까, 그
능력도 볼 겸?
용 국장 걱정을 하덜 말어라. 진작 이렇게
시원시원하게 일 하는 애가 있었는데 (김
부장 의식하면서) 겁쟁이 쫌생이한테만 맡겨
놨으니… (누워서 뒹굴거리는 케이 보고) 편해?
케이 (에어베드를 팡팡 치면서) 누워 보세요
편해요

용 국장, 손을 배 위로 모으고 누워 본다.
에어베드에 나란히 누운 두 사람.

케이 또? 또? 또 있어요? 나쁜 놈 또 있죠?
용 국장 (하늘 보며) 무슨 느낌이니? 그 일 할
때.
케이 어휴, 뭐 그런 걸 궁금해하세요?
용 국장 뭐가 마음대로 다 되는 느낌인가?
너가 하고 싶은 대로 막 다 되는?

케이가 팔을 괴고 몸을 돌려 용 국장 쪽으로
몸을 향한다.

케이 (눈 감은 채) 일이 생각한 대로 착착
진행되면, 그건 기분 죽이죠.

근데 그것보다 저는, 뭐랄까 내가 해야 할 일을 한다는 그런 느낌?

용 국장 (흘깃 보고) 눈 좀 뜨세요. 징그럽다.

멀리서 김 부장 걸어온다.

김 부장 국장니임! 이제 발표합니다아아!

용 국장 벌떡 일어난다. 케이도 덩달아 벌떡 일어난다.
김 부장이 뉴스가 생중계되는 핸드폰을 귀에 대고 다가온다.

뉴스 (소리) 미래희망당 시장 후보 선출을 위한 당내 경선 결과를 발표하겠습니다. 이번 경선은 당원 투표 50%, 일반 시민 투표 50%의 비율로 이루어졌으며…

용 국장 그만 가만! 한 발짝도 움직이지 마!

다가오던 김 부장이 우뚝 제자리에 선다.
케이, 갸우뚱 하면서 용 국장과 김 부장을 번갈아 본다.
뉴스에 귀를 기울이는 김 부장의… 웃을까… 울을까 하는 애매한 표정…

용 국장 잘 봐라. 어떤 거 같니?
케이 똥 마려운가?
용 국장 쉿!

김 부장이 여전히 엉거주춤한 자세로 용 국장을 본다.

찡그리고 보던 용 국장 - 김 부장의 표정만 보고 슬며시 입가에 미소가 감돈다.

용 국장 나도 이럴 때 너무 기분 좋아. 사람들 속이 훤하게 다 보이고- 일이 내 마음대로 착착 진행될 때.

김 부장이 보던 핸드폰 화면 속에 꽃목걸이를 건 허성태가 활짝 웃고 있다.

허성태 (소리) 시민 여러분, 당원 여러분이 제게 보내주신 뜻을 뜨겁게 가슴으로 받아들이겠습니다-

케이 돌아보며 웃는 용 국장, 거의 입이 찢어질 기세.

용 국장 우리 케이 더 바빠지겠다

5. 건욱의 집 안 / 밤

자막 "지금 이 순간…"

경수 (안절부절 좁은 집안 돌아다니며) 사체 유기 은닉죄는 얼마였지? 7년 이하의 징역이지. 아, 이런 걸로 잡혀 들어가면, 울 엄마아빠 기절하시는데…

왔다리갔다리하는 경수와 정반대로 그 자리에 돌처럼 굳어 있는 산타. 정지화면 같다.

건욱 (구경이를 살짝 떠보듯) 이경이가 보낸
거라고
구경이 내가 보기엔 용 국장이랑
송이경이 별로 상성이 안 맞거든. (상자
치며) 어떤 식으로든 너한테 연락이 올
거라고 생각은 했어
경수 이게 누군데요!!!
구경이 본인한테 물어보면 되지

구경이, 박스 쪽으로 성큼성큼 다가가서
박스를 연다. 지금까지도 돌처럼 굳은 산타.

구경이 (박스 안을 보면서) 아저씨, 아저씨-
건욱 (구경이 보면서) 완전 제정신 아니네

경수가 슬금슬금 구경이 옆으로 와서 박스
안을 보는데 - 눈을 똥그랗게 뜨고 있는 곽
기자. 깜빡이지도 않는다.

경수 눈 뜨고 있어!! 뭐야!!

곽 기자의 눈동자가 천천히 움직이다가
구경이에서 멈춘다.

경수 움직였어!!!! 뭐야!!!!

산타, 기겁하며 경수 껴안는다.

구경이 너네는 왜 산 사람 죽은 사람
구별도 못 하니?
산타 (AI목소리) 살아… 있어요?

구경이 사람 죽으면 얼굴색이 이렇게
나오냐. 기본적인 걸 가지고…
곽 기자 (기어들어가는 목소리로) ..살려…
주세욥…

곽 기자의 감지 않는 눈에서 눈물이
흘러내린다.

경수 살아있는 사람은 뒤처리를 어떻게
하라는 건데요?
건욱 (박스로 다가가며) 죽은 사람으로
만들어 달라는 거네

그 말에 건욱의 앞을 가로막는 산타. 구경이,
신경 쓰지 않고 상자 안에 얼굴을 들이민다.

구경이 여자애였지.
곽 기자 (끄덕끄덕)
구경이 (목의 상처 보고) 목도 졸랐네?
곽 기자 (울먹이면서 끄덕끄덕)
구경이 살려 줄게 말해봐요. 걔가
뭐랬는데?

6. (교차) 코인 노래방 - 건욱의 집 / 낮-밤

케이 이게 아저씨가 죽어야 되는 이유야?

노트북 앞에 앉은 케이가 곽 기자의 가방에서
꺼낸 걸 노트북에 연결 중.
곽 기자의 목에 매달린 알람 시계가 째깍째깍

돌아가고 있다.

곽 기자 그거 줬으니까 살려주는 거지?
케이 지~?
곽 기자 요!
케이 뭔지 보고.
곽 기자 용 국장이 찾는 거 그거
맞잖아요!! 고담 대표가 준 거…!
케이 고담?
구경이(V.O) (동시에) 고담?

- 건욱의 집.
구석에 웅크리고 있는 곽 기자. 산타가
슬금슬금 다가와 이불을 덮어준다.

곽 기자 고담이 유력인들 약점을
긁어모은다는 소문이 있었는데…
그중 하나를 저에게 준 것이지요.
경수 고담 같은 유력자가 이런
…기자한테 건수를 쳤다고요?
의심스러운데.
산타 (경수에 동의한다는 뜻으로 끄덕끄덕)
곽 기자 제가 허씨 집안 스나이퍼로
정평이 나 있다 보니 응당 저에게 맡긴
것인데, 거 듣자 하니 기분 나쁩니다…
건욱 쥐새끼처럼 어디서 훔쳤겠지
제보는 무슨…
구경이 니들은 의심이 왜 그렇게 많니?
사람을 좀 믿어라! (병찐 다들을 두고)
과정은 됐고, 출처는 확실히 고담이라는
거지. 그래서 그게 뭐였는데?

곽 기자 10분 정도 되는 선착장 CCTV
영상인데… 날씨 좋-은 날에…
바닷가에…

- 코인 노래방.
케이가 보고 있는 모니터 속에 CCTV 화면이
떠 있다.
평화로워 보이는 선착장 풍경. 케이가 그걸
본다.

곽 기자(V.O) 배가 몇 대 떠 있고… 파도가
철썩… 철썩… 갈매기가 끼룩… 끼룩…
합니다…

무슨 일이 벌어질까, 두근두근하면서 보는
케이. 그러나 곧 영상이 끝난다.

케이 (김빠진 표정으로) 어? 이게 끝이야?

- 건욱의 집.

곽 기자 예, 그게 끝인데요.
경수 아무 일도 안 일어나는 영상이란
거잖아요.
건욱 딱 봐도 엿 먹이려고 헛방
준거구만…
구경이 그 선착장, 혹시 통영이었어?
곽 기자 ? 거기가 유명한 덴가요? 왜 다들
알지? 그 여자도 알더라고요

- 코인 노래방.

케이 (영상을 뚫어져라 계속 보면서) 분명히 여기 뭐가 있는데- 아우- (머리를 벅벅 긁는다.) 시간도 없는데에-

곽 기자의 목소리가 잦아들자 습관적으로 줄을 당기는 케이.

곽 기자 (젖 먹던 힘을 다해서) 역사는 흐른다! 역사는 흐른다!

…끝나는 반주. 곽 기자의 가슴에 달려 있던 알람 시계가 딱 멈추고 -
때르르릉 알람이 울리기 시작.

곽 기자 (기겁) 으어어어! 으어어어어어!!

곽 기자, 요란 댄스를 추는데 케이가 무심하게 알람 끈다.

케이 아저씨! 한숨 자고 일어나면 인상 드러운 남자가 있을 거거든? 걔한테 이거 뭔지 알아 놓으라고 전해줄래?

- 건욱의 집.

곽 기자 라고 했는데… (곽 기자의 눈동자가 건욱에게 멈춘다.)
건욱 (딴청 피우다가) 인상 더럽…? 나…? 돌 빨았네 진짜
구경이 영상 어딨어?

곽 기자가 눈치를 보다가 손을 팬티 안으로 넣어서 한참을 후비적거리더니 뭔가 꺼낸다. 손가락 위에 올라가 있는 손톱만 한 황색 조각. 마이크로 SD. 조금 큰 코딱지 같다. 인상 찌푸리는 산타. 고개 돌리는 경수.

곽 기자 어느 분께 드리면 될지…

곽 기자가 손가락을 들고 이리저리 내미는데 다들 질색팔색. 구경이가 절레절레 하면서 건욱 쪽을 가리키자 곽 기자 손가락이 건욱 코 앞으로 간다.

건욱 뭐? 나? 왜! 아 왜!
경수 케이가 너한테 시킨 거잖아
건욱 아 왜!!

7. 경과. 건욱의 집 / 밤

건욱의 컴퓨터 화면, 선착장 CCTV. 맑은 날.

곽 기자 (건욱에게 완전히 딱 붙어서) 이거면 선거 때 허성태 완전히 무너뜨릴 수 있다고 해서 갖고 있었던 건데… 아무리 봐도 뭐가 없었습니다. 근데 용 국장이 저를 죽이려고 한 거 보면 뭔가 있긴 한 거 같고…
건욱 (곽 기자가 너무 딱 붙어있어 짜증) 제발 좀 아우

산타가 곽 기자를 끌고 화장실로 데리고 간다.

좀 씻으라는 뜻.

곽 기자 아 저 씻어요…?

곽 기자 사라지고 - 화면을 보고 있던 건욱.
암기왕 경수가 옆에서 거든다.

경수 (진지) 4분 2초경에 갈매기 지나가고
5분 35초경에 바람이 한 번 붑니다
구경이 (무심) …그래서?
경수 (머쓱) 그게… 그렇다고요

건욱, 경수와 구경이의 틱택 무시하고
노이즈가 제일 심한 프레임에서 멈춘다.
해당 프레임의 노이즈 부분을 따내는 건욱.
흥미롭게 보는 구경이.

경수 야! 너 뭐하는 거야. 어물쩍 지우는
거 아니지?
건욱 (집중하면서) 멍청한 소리 좀 못하게
하지?
구경이 CCTV는 새 데이터가 옛날
데이터를 덮어씌우는 방식으로 기록이 돼.
그렇게 하다가 덜 지워진 부분이
노이즈로 남는 거고

건욱의 손놀림 빨라지고, 노이즈를 이어
붙이니 온전한 한 프레임이 완성된다.

구경이 미처 못 지운 거네.

효창바이오 사람들과 이준현, 여자들이 보트에
오르는 CCTV 화면이다.
실루엣 정도의 형상만 보인다.

건욱 이게 다 누군데?
경수 (손으로 가리키고) 이준현…
건욱 (경수 얼굴 한 번 보고, 경수가 가리킨 실루엣
본다.)
경수 …그 때 있었던 사람들이 김섭룡…
한만구… (손으로 센다.)
구경이 하나… 둘… 셋… 넷…

사람 머릿수를 세는 경수와 구경이. 경수의
손가락 하나가 빈다.

경수 어!
구경이 …하나가 더 있네
건욱 우리가 덜 죽인 사람이 있었다고?
구경이 (비웃으며) 니들이 그렇게 완벽한 줄
알았니?
건욱 …
구경이 케이한테 꼭 전해. 니들이 못 죽인
사람이 누군지 알고 싶으면,
나한테 직접 연락하라고. 알았어?

화장실 문이 열리더니 물칠하고 나온 곽
기자가 외친다.

곽 기자 그럼 전 이제 집에 가면 됩니까?

8. 남도현의 집 / 밤

다 탄 군만두 접시 맨바닥에 턱. 연기가 뿌연 집 안. 헐렁한 티셔츠를 입어서 맨어깨가 드러난 곽 기자가 만두를 내려다본다.

곽 기자 그럼 저는 이제 15년 동안 여기 갇혀 있어야 됩니까? 나가서 산낙지 먹고?

만두를 구워낸 멜론 머스크 - 남도현, 맞은편에 턱 앉는다.

남도현 뭔 소리 하시는지 모르겠는데 15년은 오바죠. 애플보이캣 님이 부탁하셔서 제 소중한 식량까지 내 드리고 있긴 한 건데, 갓직히 아저씨 잘 때 코 너무 많이 골아서 저도 피곤한 그런 부분이거든요.
곽 기자 (연기 속에서 쿨럭이며) 여기… 안전한 건 맞는 거죠?
남도현 누가 아저씨 죽이러 와요?

9. 코인 노래방 앞 / 낮

폭발에 날아와 부서진 '리얼트루스저널' 팻말 밟고 선 김 부장.
핸드폰 속 CCTV 영상. 폭발이 일어나는 시점. 리와인드. 폭발이 일어나기 전, 노래방 뒷문 쪽에서 상자 하나 싣고 가는 다마스 한 대가 보인다.

다마스에 붙어있는 '아묻따 퀵'. 핸드폰 내리면 눈앞에 서 있는 다마스.

퀵 기사 (운전석 창문 내리고) 아무것도 묻지도 따지지도 않고 보내 드립니다-

김 부장, 사람 좋은 미소 장착하고 -

김 부장 이야 비슷하시다 가요 가!

10. (교차) 건욱의 집 앞 - 어린이집 / 낮

건욱의 집을 올려다보고 있는 김 부장.

김 부장(V.O) 그 여자애 분명히 딴 구멍 팔 거 같다고 하지 않았습니까

- 어린이집에서 어린아이들 둥가둥가 해주고 있는 용 국장. 어깨에 전화기 낀 채.
아이 보며 짓는 표정은 자애로운데, 하는 말은 살벌하다.

용 국장 어디로 빼돌렸는데?
김 부장 그전까지 같이 일했던 친구한테 보냈지 싶은데요?

- 망원경으로 건욱의 집 창문 안을 들여다보는 김 부장.
언뜻 창문 너머로 지나가는 건욱의 그림자.

용 국장 (열 받은) 뭘 빼돌렸는데?

- 우편함을 뒤져보는 김 부장.

김 부장 그건 이제 확인해 봐야죠.
용 국장 야! 김 부장이 너 정신 안 차릴래?
내가 너 확인 기다리는 사람이야?
확인부터 하고 말해, 확인하고!
김 부장 확인하면은.
용 국장 뭐요?
김 부장 확인하고 나면, 그 다음엔
어쩔까요?

용 국장, 안고 있던 아기 기저귀 냄새 킁킁
맡아보다가 아기 들어서 옆 사람에게 준다.

용 국장 똥 쌌다 (김 부장에게) 그럼 조용히
죽여야지. 뭘 물어본대?

아기 건네받던 옆 사람의 얼떨떨한 표정.

- 교차. 골목을 돌아 나오는 김 부장. 경찰
제복을 입고 있다.
한 번도 본 적 없는 무서운 표정의 김 부장.

11. 건욱의 집 / 낮

건욱, 급히 배낭에 짐을 쑤셔 넣고 있다. 문득
떠오르는 구경이의 목소리.

구경이(V.O) 너가 살 수 있는 방법은
하나야. 자수해.
아무리 용 국장이어도 경찰서에 있는

사람을 죽이진 못할 거 아냐

마침 손에 잡힌 것은 대호와 찍은 스티커 사진.
챙기는 건욱.

건욱 왜 쓸데없는 소리를 해서 사람
머리를 복잡하게 만드노…

갑자기 울리는 전화벨. 벨소리 듣던 건욱,
화장실로 가서 변기 뚜껑을 연다.
변기 뚜껑에 붙어있는 전화기 뜯어내서 받는
건욱.

케이 (목소리) 빚을 받으러 왔다!
건욱 니가? 어딘데?
케이 (목소리) 변명은 그만둬! 나는 빌려 간
돈을 받으러 온 거야!

건욱, 분위기 파악하고 -

건욱 …그 날 배에 한 사람 더 있었다.

12. 케이의 은신처 / 낮

케이가 흔들의자에 앉아서 대본 '베니스의
상인'을 소리 내어 읽고 있다.
정원사의 눈치를 보면서, 마치 대본처럼
건욱에게 할 말을 하는 중.

케이 (잠시 대본을 잊고) 어? 우리가 놓친
사람이 있었다고?

건욱 (목소리) 누군지 알고 싶으면 직접
연락하라던데? 느그 선생님이.

입이 헤벌쭉 찢어지는 케이.

케이 (정원사를 의식하고 다시 대본 모드) 그분이
살아 계신다구우? 역시!
그러면 금방 찾을 수 있겠구나!

13. 건욱의 집 / 낮

건욱 뭐를 찾을 수 있다는 건데
케이 (목소리) 너랑 내가 진짜로 죽이고
싶은 사람이지.

멈칫하는 건욱.

케이 두근두근하지?
건욱 (괜히 센 척하며) 도와주세요 오빠야
해봐라

케이 너머 수화기에서 "야!" 하는 남자
목소리가 들린다.

건욱 ?!

14. 케이의 은신처 / 낮

케이에게 돌진하는 정원사. 케이가 읽던 책을
빼앗아 탈탈 털어본다.

케이 아니 책도 못 읽게 해?

머리카락으로 귀를 가리면서, 몸을 뒤로
빼는 케이.
정원사, 케이의 움직임을 의심스럽게 보고 확
다가가서 귀를 본다.
아무것도 없는 귓구멍.

케이 아저씨 이거 볼래요? 저 귀 움직임

케이, 얼굴 근육 꿈틀거리며 용써 보는데 귀는
안 움직인다.
케이와 정원사를 등지고 있는 흔들의자 머리
부분에 - 숨겨져 있는 핸드폰.

15. 건욱의 집 / 낮

건욱 송이경?! (뚝)

그 때 문을 두드리는 소리.
건욱, 집 안에 무기 될 만한 게 없나 뒤지다
식칼을 손에 든다.

김 부장 안건욱 씨 계십니까?

건욱, 긴장 - 된 상태에서 입구 CCTV 화면
보는데 경찰 제복 입은 김 부장이 있다.

김 부장 계시네요-. 잠시 말씀만
여쭙겠습니다
건욱 (혼잣말) 진짜 신고했나? 이 씨…

김 부장을 자세히 보는 건욱. 딱 봐도 힘없어 보이는 중년 남자다.
쉽게 제압 가능할 거 같다. 바지 뒤춤에 식칼을 꽂아 숨기고 문을 여는 건욱.

건욱 에…예?
김 부장 안건욱 씨 되시죠? (신분증 보이며) 개로서에서 나왔습니다.
다른 게 아니고… (안을 흘긋 보면서) 얼마 전에 퀵 하나 배달 받으셨죠.
건욱 퀵이요? (갸웃, 구경이가 신고한 게 아니구나)
김 부장 업체 측에서 신고가 왔는데, 물건이 잘못 배달돼서 연락을 드렸는데 연락이 안 된다고 하셔서…
건욱 아뇨, 받은 적 없는데요
김 부장 없어요?

김 부장이 노골적으로 고개를 빼고 안을 들여다본다.
건욱의 뒤에 있는 거울에, 건욱 뒤춤에 꽂힌 식칼이 보인다. 피식 하는 김 부장.
김 부장, 어지러운 집 안에 있는 커다란 종이박스 발견한다.

건욱 (김 부장 시선 눈치채고) 아무것도 안 받았다니까요

김 부장이 막무가내로 집 안으로 밀고 들어와서 종이박스를 뒤진다.
건욱이 식칼을 꺼내려는데 –

김 부장 이경이가 보낸 게 있을 거 아니야

멈칫하는 건욱. 김 부장이 박스에 냄새를 킁킁 맡아보더니만,

김 부장 어우 이게 무슨 냄새야
건욱 뭔 소리를 하는 건지…

건욱이 칼 들고 다가서는데, 김 부장이 번개처럼 일어나며 가스총으로 건욱을 겨눈다.

김 부장 어디로 빼돌렸어?
건욱 (칼 들고 위협) 니 누군데
김 부장 송이경이 보낸 거, 어디로 빼돌렸냐고.
건욱 이 씨–

건욱이 칼을 던진다. 김 부장, 가뿐하게 피하고 건욱의 배에 고무탄 채운 가스총을 한 방 쏜다. 건욱이 비명을 지르며 배를 감싸 쥔다.

김 부장 (한 호흡으로) 니들은 왜 이렇게 한마음 한뜻으로 주제를 모르고 자빠져서 빌빌 기어 다니면서 사람 속을 뒤집어 놓고 답답하게시리…

다가가며 건욱의 팔에 가스총을 한 방 더 쏘는 김 부장. '아악!'
보면, 옆에 CCTV 화면이 있는 게 보인다.

김 부장 너한테 물어볼 것도 없었구만
건욱 <u>끄</u>어어어! <u>끄</u>어어어!

건욱이 김 부장 발목 붙잡고, 옆에 있던
아령으로 발등 내려친다.

김 부장 (흐읍⋯!)

눈 똥글 입 합죽 되며 고통 참는 김 부장.
곧바로 가스총으로 건욱의 머리 쪽 겨누는데,

주민 꺄아아아악!

문간에 나타난 주민, 이 꼴을 보고 비명 지른다.

주민 총각 괜찮!? 으악! 경찰? 총!!?
엄마야! 피나!!

김 부장, 살짝 곤란하게 되었다는 표정.

김 부장 사모님 그게 아닙니다-

김 부장이 총 주섬주섬 넣고, 만류하러
가려는데 절-뚝 하게 된다.
휙 보면, 어느새 있던 자리에 없는 건욱.
뒤쪽으로 나간 듯.
밖에서 주민이 요란하게 소리 지르는 게 들린다.

주민 동네 사람들! 큰일이야! 불이야!
도둑!! 아니고 경찰이야!!
김 부장 (잠시 갈등하다가 서둘러 나가며) 그게

아니라요오오!

멀어지는 소리 들리며, 건욱 - 창문으로 나가
높은 데서 골목으로 떨어진다.
고통 참고 허덕허덕 도망치는 건욱.

16. 골목길. 연탄봉사 / 낮

허성태 선거운동의 일환. 연탄봉사.
연탄 검댕이 잔뜩 묻은 허성태의 얼굴. 옆에서
연탄을 나르던 나제희.

나제희 (농담조로) 후보님 이렇게 보니까 못
알아보겠어요
허성태 (나제희 얼굴을 보고) 나특도 만만치
않은데요?

나제희 얼굴, 검댕으로 눈썹이 일자가 되어있다.
성태의 비서가 다가와서 허성태의 검댕을
지우려고 한다.

나제희 (사진 기자들 의식하면서) 그냥
놔두시는 편이⋯
허성태 이럴 때 보면 나 특 우리 어머니
같은 데가 있네
나제희 하하하. 과찬이십니다
허성태 칭찬으로 들린다니 다행이네요?

허성태, 다른 쪽으로 연탄 실으러 간다. 나제희,
코를 닦으며 숨을 몰아쉬는데 -
옆으로 다가오는 빈 수레. 수레 미는 사람을

보면, 마스크를 낀 경수.

경수 (대단히 은밀하게) 연탄 실으러 가시죠

경수와 나제희, 나란하게 걸으며

경수 뵙기가 힘드네요
나제희 선배가 시킨 대로 하고 있는
거잖아, 여기 꼭 붙어 있으라매.
경수 대답하지 말고 듣기만 해 (잠깐 멈추고)
그… 그분 말씀 제가 전하는 거예요

경수 귀에 블루투스 이어폰 꽂혀 있다.
골목으로 돌아가는 경수와 나제희.

경수 (구경이처럼) 허성태 같아? 몇 퍼센트
확신하니?
나제희 100퍼센트 의심스러운데. 그
사진만 봐서는 누군지 알 수가 없어.
경수 말하지 말라니까! (경수가 나제희에게
따로) 자기가 물어봐 놓고 이러시네
나제희 (하루 이틀이냐는 표정)
경수 허성태인지 허현태인지 드러나지도
않는 이 흐릿한 프레임 가지고
용 국장이 기자를 죽이려고 했다는 건-
의심스럽잖아.
나제희 그런 허술한 보험을 들어 놓는
사람은 아니었지, 고담이.
경수 (자기 목소리로) 죽기 전에 뭐 한 말
없어요?
나제희 (경수를 보며) 그건 선배가 직접

들어보면 될 거 같은데?
나도 내 보험이 있거든. …냉장고 야채
칸 좀 열어 볼래?

17. (교차) 나제희의 집 - 연탄 창고 / 낮

- INS. 7화 S#43 카메라가 옷에 가려져
희미하게 보이는 고담과 김 부장.

고담 …새어 나갈 일 절대 없어요. 내가
죽어도 무덤까지 함께할 겁니다.
용 국장 (눈 반짝) 그래요? 그럼 이야기
끝났네

고담, 저항하고 -

나제희 노트북으로 영상 보고 있는 구경이와
산타.

산타 (AI보이스) 나 팀장님은 정말 중요한
걸 정말 대충 아무 데나 두셨네요

- 연탄 창고에서 연탄 싣고 있는 나제희와
경수. 이하 교차

나제희 중요한 건 원래 냉장고에
두는 거야! 불이 나고 폭탄이 터져도
안전하다고!
경수 누구 믿을 만한 사람한테 보내
놓거나… 클라우드에 올려 두셔도
되는데…

나제희 고담은 그렇게 했을까?

구경이 아니, 고담은 아무도 못 믿어.
미로넷으로 온갖 찌라시를 긁어모을
테니까 온라인에 뭘 백업해 둔다는 것도
불안할 거고.

나제희 그럼 제일 안전한 건… 자기가
계속 가지고 다니는 거겠네.

산타 (AI보이스) 고담이 맨날 끼고 다니던
반지처럼요?

구경이 (혼잣말) 죽어도 내 무덤까지
함께할 겁니다…

구경이 - 나제희, 동시에 번쩍!

18. 케이의 은신처 - 정원 / 낮

5cm 열린 창문 틈으로 케이, 물 뿌리는
정원사를 본다.
정원사가 뿌린 물이 건물 쪽 지하수로로
흘러가는 걸 포착하는 케이의 시선.
정원사가 돌아보자, 창문을 탁! 닫는 케이.
케이 들어간 걸 확인한 정원사, 허술한
비품창고 앞에 선다.
허름하게 생긴 문인데 무려 홍채 인식으로 문
열고 들어가는 정원사.
케이가 닫힌 창문으로 눈 빼꼼 정원사 없어진
쪽을 본다.

19. 케이의 은신처 - 비품창고 / 낮

정원사의 인생사를 드러내는 몇 가지 액자 등.

70년대 경찰학교 무술교관 임명장,
옥조 근정훈장, 전두환에게 훈장 받는
기념사진, 80년대 경찰복을 입은 옛 사진 등…
한 쪽 벽은 빽빽한 CCTV 모니터. 은신처
내부모습.
안방 CCTV 켜 보면, 웅크리고 이불 덮고 있는
케이의 모습 보인다.
케이 모습 커다랗게 확대해 놓고 햄버거
먹으려고 입 벌리는데 -.
누군가 들어온다는 알람, 붉은 빛 뱅글뱅글.
화면 보면, 김 부장의 차가 들어오고 있다.
정원사, 한 입도 못 먹고 후다닥 일어난다.

20. 케이의 은신처 / 낮

절뚝이면서 들어오는 김 부장. 냉정한
표정이지만 화를 참지 못한다.
정원사가 재빠르게 문을 열자, 곧바로
안방으로 직진. 문 열기 전에,

김 부장 쟤 다치면 용숙이가 화를 많이
낼 거니까 우리는 자장이 있어야 돼.
챙겼어?

정원사가 마취총을 보인다. 문을 벌컥 여는
김 부장.
케이, 부스스 일어나면서,

케이 이제 막 잠들었는데 뭐예여- 숙녀
방에 함부로 들어오고-

정원사가 케이 겨눈다. 케이, 총 보고 멈춤. 김 부장이 케이 머리채 잡는다.

김 부장 안건욱한테 보낸 거 뭐야?
케이 아 씨! 머리 빠져!

케이가 팔을 휘적거리는데, 김 부장의 아귀힘이 단단하다.

김 부장 두 번 안 물어본다
케이 뭘 보냈다고 그래요! 알아듣게 말을 해야지!

케이가 손가락 버둥버둥 펼쳐서 자기도 김 부장 머리채 잡으려고 하는데,
손이 자꾸 미끄러진다.

케이 이씨 잡히지도 않아!!! (김 부장 보고)
진짜 오해가 있으신 거 같은데요.
시키는 대로 일 잘 하고 왔더니만 이게 뭐야?
김 부장 노래방에서 뭐 빼돌렸니? 곽 기자니?
케이 내가 왜~? 사람 죽이고 싶어서 이러고 있는데 왜 안 죽이고 빼돌려~ 나 봐요! 그렇게 의심스러우면 보여줄 테니까!

김 부장이 케이 머리채 놓아준다. 케이가 불퉁한 표정으로 일어나서 가방을 가지러 간다.

케이 증거 필요하면 보여 준다 내가.

가방을 여는 케이, 안을 뒤적거린다. 케이가 가방에서 손을 꺼낸다.
아무것도 없고… 손가락 하트 만들어 보이는 케이.

케이 줄 수 있는 게, 요고 뿐이네?
김 부장 쏴

푸슉! 마취총, 날아와 케이의 배에 꽂힌다.
손가락 하트에 웃는 표정으로 뒤로 넘어가는 케이.

김 부장 저거 지하실 넣어 놓고, 철 좀 들게 해줘. 죽이지만 않으면 돼
케이 아저씨…?

정원사가 케이에게 다가가는데,
눈 똥그랗게 뜨고 사지 마비된 케이가 입술만 움직인다.

케이 (혓바닥 풀리면서) …ㅎ… 아저씨는 구경이 쌤 살아있는 것도 모르면서… 용 언니가 그거 알면 화 마니 놔게뽑…

움찔하는 김 부장. 정원사, 케이 들쳐업고 나간다.

21. 케이의 은신처 - 지하실로 가는 계단 / 낮

케이 업고 가는 정원사. 지하실로 내려간다. 축 처진 케이의 몸.

22. 골목길 / 저녁

만신창이가 된 건욱. 변기 뚜껑에서 뜯어냈던 케이 전용 전화기로,
케이에게 전화 걸고 있다. 하지만 받지 않는다.

건욱 (초조 불안) 어디로 가야 되노…

건욱, 상처가 너무 심해서 제대로 일어서기도 힘들다.
그런 중에 골목 저 쪽에서 사람들 소리가 나, 반사적으로 움츠러드는 건욱.
얼굴을 가리고 반대쪽으로 절뚝절뚝 걸어간다.
식은땀 줄줄. 피 뚝뚝. 정신 혼미.

23. 대호의 집 / 저녁

왈왈왈왈왈! 대문을 보고 맹렬하게 짖는 다롱이.

대호 왜 그래 다롱이

대호가 문간을 보면 사람 실루엣. 긴장.

대호 누구세요?
건욱 …나…

문을 열면, 만신창이가 된 건욱.

대호 뭐야?
건욱 (간신히 웃음을 비치며 진짜 미안해하며)
미안… 갈 데가 없어서…
대호 너 갈 데 없다고 이런 식으로…

문이 조금 더 열리자 건욱의 상처가 눈에 들어와 말을 멈추는 대호.

대호 야!! 괜찮아!?
건욱 들어가도 돼?

바들바들 떨고 있는 건욱.

24. 야외 주차장 / 밤

차를 끌고 나가려는 나제희. 갑자기 나타나 가로막는 차 한 대.
나제희의 몸이 훅 앞으로 쏠린다. 보면, 운전석의 김 부장. 입 모양 - '내려'.
나제희가 눈을 게슴츠레 뜨고 목을 쭉 뺀다.

나제희 (입모양) 뭐라고요?

김 부장, 폼 잡으려던 거 실패하고 창문 내린다.

김 부장 내리라고! 내려요!

차에서 내리는 나제희와 김 부장.

나제희 급한 일이시래서 가고 있었는데, 언제 여기까지 오셨어요?

김 부장 나 팀장 알고 있었지

나제희 예?

김 부장, 나제희에게 바짝 다가가 선다.

김 부장 구경이 그 여자, 지금 어디 있어?

나제희, 눈알 한 번 굴리더니… 표정 바뀌어서…

나제희 (단전부터 끌어올려) 야!!!

김 부장, 갑작스러운 나제희의 복식 발성에 살짝 당황한다.

나제희 확실히 치워 버리겠다고 지 입으로 그러더니, 김 부장이 너는 어째. 제대로 하는 일이 없냐?

김 부장 엉..어엉…?

나제희 라고 하시겠네요 용 국장님이. 구 선배 살아있는 거 알면. 그렇죠?

김 부장 너 너 너…진작에 알고 있었구만.

나제희 당연히 알지. 당신이 그런 여자도 정리 하나 못 해서 나한테까지 연락 오게 만들었으니까. 근데 내가 왜 용 국장님한테 바로 보고를 안 했을까-요?
(핸드폰을 만지작거리면서)

김 부장이 한 발 떨어져 선다. 나제희 얼굴을 물끄러미 보던 김 부장.

김 부장 너 나 좋아하니?

나제희 …이건 재치가 있다고 해야 돼 염치가 없다고 해야 돼?

김 부장 핸드폰으로 들어오는 나제희의 메시지. 어느 지점의 주소다.

나제희 (김 부장 뒷덜미를 확잡고) 이번에는 확실하게 하라고 기회 드리는 거예요. 다음에는 김 부장님이 절 도와주셔야 돼요. 약속?

김 부장 …약속.

나제희 구경이 씨, 지금 고담 무덤 파고 있어요. 용 국장님이 찾으시던 게 거기 있대요.

눈이 번쩍 뜨이는 김 부장. 고대로 운전석으로 돌아가 차를 출발시킨다.
멀어지는 김 부장 차를 보고 있는 나제희, 침을 꿀꺽.

25. 피스랩 - 고담 추모 기념관 / 밤

올려다보는 구경이. 피스랩 한 켠에 있는 '언제나 정의로운 변호사… 고담을 기억하며' 팻말이 붙어있는 고담의 추모 기념관 앞이다.
들어가는 구경이, 산타, 경수.
광량 적은 탑조명들이 켜지고 자동으로 고담의 육성이 재생된다.

고담 (목소리) 정의로운 사회만이 제가
원하는 것입니다…

산타, 깜짝 놀라서 구경이 뒤에 바짝 붙는다.
주로 고담의 사진들이 줄줄이 걸려있는
추모관. 작은 갤러리 같은 느낌.
'당신이 대통령인 세상을 너무 일찍
꿈꿨습니다…' 같은 추모 시 전면에 붙어있다.

경수 심하다 심해

구경이가 앞장서서 가는데, 유리장 안에
진열된 고담의 두상 - 석고상이 시선을 뺏는다.

경수 저게 뭐예요?
산타 (AI보이스, 옆에 적힌 글을 읽는다.)
허례허식을 거부해 오신 생전 뜻에 따라
고담 대표의 장례는 화장장으로
이루어졌다.

마치 박물관 설명과 같은 산타의 목소리
깔리면서, 고담의 두상 - 석고상.

산타 (AI보이스) 뼛가루를 반죽에 섞어
고담 대표의 얼굴을 딴 석고상을 제작…
심하다 심해
구경이 심하네 심해
경수 그거 제 껀데… (마저 읽으며) 고인의
유품은 그 내부에 간직하도록 했다…
지옥까지 가져갈 거라는 게 이
뜻이었을까요?

구경이가 두리번두리번하더니 저 옆에 있던
소화기 가지고 온다.

경수 뭐하시게요?
구경이 깨야지

산타, 의자 휘두르려는 구경이 딱 막아서는
제스처.
구경이가 멈칫하는 사이에 산타가 돌아서서
간단하게 유리장 문을 연다.

경수 매번 굳이 그렇게 뭘 깨고 부수고
하실 필요가 없다니까요?
산타 (끄덕끄덕)
경수 (고담 두상보며) 저 안에 뭐가
들어있다는 거면, 어떻게 꺼낼지 일단
생각을…
구경이 (입구쪽을 보면서) 어머?! 저게 뭐야?!

산타, 경수 반사적으로 입구 쪽으로 고개
돌아간 사이, 구경이가 고담 두상을 꺼낸다.
고담 두상을 내려칠 기세로 들어 올리는
구경이. 슬로우- - -
동시에, 두상에 가려져 보이지 않았던 고담
반지 발견한 산타, 손 뻗는데 -
고담 두상 바닥에 내리꽂는 구경이.
와- - -장- - -창- - -

Cut to.
태연하게 고담의 반지를 보고 있는 구경이.
박살 난 두상을 다시 바닥에 조각조각

얼기설기 붙여 놓은 산타.

경수 코가.. 없네…

구경이가 반지 들고 서성이다가 고담 두상을 다시 밟는다. 빠드득-

구경이 (기겁하는 산타 보고 무심) 이 안에 있는 거 같은데…

그 때, 멀지 않은 곳에서 부아앙- 차 소리 들린다. 모두들 일동 정지. 숨죽이고 -

구경이 (다급해져서) 반지가 아닌가…? 다른 거 뭐 나왔니?

산타, 양손에 담긴 변호사 배지, 볼트, 작은 로봇 피규어 등 보여준다.

경수 (빠르게 속닥속닥) 아니! 저 알 거 같아요!

경수, 반지를 받아 들어 이리저리 돌려본다.

26. 피스랩 - 고담 추모 기념관 앞 / 밤

끼이익! 차를 세우는 김 부장.
차에서 내리는데, 추모 기념관의 한 쪽 문이 열려 있는 게 보인다.
재빨리 들어가는 -

27. 피스랩 - 고담 추모 기념관 / 밤

날쌘 손놀림으로 반지 돌리는 경수.

경수 예전에 프로포즈 준비할 때…
반지에 대해서 조사 많이 했거든요…
산타 (눈 커진다.)
경수 하… 언젠가 술 한잔하면서…
이야기해 줄게… 하…
구경이 (관심 제로) 빨리!

달깍, 하면 반지 열리면서 안에서 나오는 종이 조각 같은 - 마이크로 SD카드.

28. 케이의 은신처 지하실 / 밤

엎드린 채 눈을 뜨는 케이. 케이블 타이로 손발 묶인 채다. 몸 일으키며 볼에 뭐가 박혀 있어서 빼내어 보면, 누군가의 뽑힌 손톱.

케이 (손톱 빼내며) 우엑

작은 창문 나 있는 묵직한 철문 밖으로 스르렁 스르렁 소리가 들린다.
콩콩 발로 작은 창까지 가 밖을 살피는 케이.
정원사가 갈고리, 쇠사슬 등 오래된 고문 도구를 늘어놓으며 고문을 준비하고 있다.
케이의 시선이 정원사가 밟고 있는 바닥의 오래되어 보이는 맨홀 뚜껑으로 향한다.
여기 있을 줄 알았다는 표정의 케이.
킥킥거린다.

머리에 꽂혀 있던 실핀을 케이블 타이 홀에
넣어 손발을 풀어내며 둘러본다.
지저분한 간이침대와 마른 핏자국.
벽에는 손톱으로 피 흘리며 새긴 것이 분명한
글자들. '도와줘' '차라리 죽여'

배전함에 전기기구 연결해 불꽃 튀어 오르는
걸 보고 있는 정원사.

케이 (Off sound) 살려주세요- 누구
없어요--?

문으로 다가가는 정원사. 창문으로 보이는
케이의 실루엣. 간이침대와 벽 사이 공간에
잔뜩 웅크리고 있다.

케이 (Off sound) 무서워요---

창문 틈으로 마취총 쏘는 정원사. 푸숙! 악!
하는 케이의 비명.
소리 듣고, 정원사가 문을 연다. 케이 쪽으로
다가가는데 -
미동 없는 케이의 실루엣. 다가가서
보면 케이가 아니라 케이가 벗어 놓은
옷가지들이다!

케이 (정원사 등 뒤에서) 내가 여기 진짜
내려오고 싶었거든요?

정원사 획! 돌아보면, 문 뒤에 숨어 있던
케이.

케이 땡큐!

구석에서 빼낸 벽돌로 정원사 후두부
날려버리는 케이.
정원사, 앞으로 쓰러진다. 케이 - 그대로 문을
닫아버린다.
고문 도구들로 지렛대 만들어 맨홀 뚜껑 들어
올리는 케이. 하수도다.
안으로 쑥 들어가는 케이. 첨벙첨벙 소리
들리고 -

29. 케이의 은신처 - 비품창고 / 밤

CCTV 모니터들 가득한 방에는 정원사가 먹지
못한 햄버거만 덩그러니 놓인 채 -
화면 어느 곳도 미동 없이 안정적인 상태다.

30. 수로 외부 / 밤

바다로 통하는 수로에서 물이 졸졸 흐르고
있는데 갑자기 물줄기가 거세게 콸콸! 나온다.
그 안에서 기어 나오는 케이!
입에서 푸- 물 뿜어낸다.

케이 (입 닦고) 지금 만나러 갑니다!

31. 피스랩 - 고담 추모 기념관 / 밤

입구에 다다른 김 부장, 가스총 챙기고 문을
여는데 - 텅 비어 있는 추모 기념관.
가운데로 가보는데 박살이 나 있는 고담

두상의 잔해…

불 갑자기 켜지고, 사이렌 울린다. 김 부장,
당했다… 하는 표정.

얼굴 가리고 경비원 옷 입은 남자가 김
부장에게 가까이 다가온다.

경비원으로 위장한 산타.

산타, 김 부장의 주머니에 반지를 슥 흘려 넣고
경찰에게 소리 지른다.

경비원 이 사람이 훔쳐갔을 거야! 확인해
보세요!

김 부장, 머리에 손 올리고 서고 - 몸 뒤지는
경찰들. 주머니에서 고담의 반지가 나온다.
'절도 현행범으로 현장 체포합니다…' 하는
소리 -

산타, 김 부장이 붙잡히는 걸 보고 재빨리
빠져나간다.

32. 산타의 집 / 밤

생각에 빠져 있는 구경이.

- INS. 나제희에게 말하고 있는 구경이. "계속
죽은 척하고 지낼 순 없어. 이럴 땐 오히려
모습을 드러내 줘야지. 김 부장한테, 우리가
어디에 있을지 말해 줘."

- INS. 구경이, 고담의 반지를 만지작거리며 -
"한 번도 목소리를 들려주지 않은
의외의 인물이 필요해."

산타에게 건네면서 - "산타 씨, 할 수 있지?"

구경이의 귀에 들리는 소리들. 중첩된다.

곽 기자(V.O) 이거면 선거 때 허성태
완전히 무너뜨릴 수 있다고…
(1화)여자(V.O) 죽은 애가 그때 있었던
사람들한테 원한 품고 싹 다 죽였다고…
(2화)용 국장(V.O) 우리가 그 살인자 같이
잡아요

- INS 2화 S#35. 구경이가 용 국장에게 말하는
장면.
"다 죽을 만한 사람들이었죠."

케이 쌤도 다 죽을 만한 사람들이라고
생각하죠?

뚝. 갑자기 모든 소리 사라진다.

구경이, 표정. 앞에 놓여있는 컴퓨터. 고담의
마이크로 SD 연결부에 불이 반짝인다.

33. 영상 / 밤

핸드폰으로 촬영된 영상. 먼저 들리는 건 한
남자의 목소리.

김섭룡 야 찍는 거야? 찍지 마!

뭔가 찍으려던 카메라가 재빨리 제지당하는데,
손사래 치던 김섭룡이 카메라 뒤쪽 누군가의

말을 듣는다.
그 목소리는 정확하게 들리진 않는다. 손을
공손하게 모으고 말을 듣던 김섭룡.

김섭룡 아… 아… 찍으라고 하셨어요? 예!

한만구가 찍고 있는 폰 카메라로 비로소
드러나는 풍경.
밤, 요트 위. 효창바이오 접대 날.
공장 유니폼을 입은 김민규가 작은 상자를
가지고 나온다.
김민규가 상자를 열려고 하자, 주변으로
모여드는 사람들. 호송미와 김미진.

김섭룡 (여전히 얼굴 보이지 않는 뒤쪽의 누군가에게)
이게 멕시코에서 출발해서 홍콩 거쳐서
이번에 저희 화물로 들어온 건데, 그쪽
말로는 차원이 다르다는데요- 지들 말로
뭐라더라.. 벤..씨오?
김민규 벤디씨온이라고, 은총이라
하던데요.

김민규가 상자를 연다. 안에 보이는 비닐
포장된 하얀 가루.
그 때 쿠다당 소리 들리더니 쟁반에 술병을
잔뜩 올리고 비틀비틀 걸어오는
이준현의 모습 보인다. 요란하게 쟁반
내려놓고 꾸지람 듣는다.

김섭룡 야! 너는 제대로 하는 일이 없냐?
여기가 어디라고…

B.O

손이 뒤로 묶인 효창바이오 직원들과 여성들이
줄줄이 앉아 있다.

이준현 준비- 시…작!

캔디 시절 문희준 춤 마냥 엉덩이 콩콩 경주를
하는 효창바이오 직원들과 여성들.

목소리 (김민규에게) 나 너한테 걸었다! 1등
못하면 던져버린다!

죽을힘을 다해서 흰색 결승선에 먼저
도착하는 김민규. 켁켁 거리는 김민규.

목소리 (김민규 머리를 마구 쓰다듬으며) 열심히
하네! 잘했어 잘했어!

(목소리의 주인공이 들고 있는) 카메라 휙,
이준현을 비추면서

목소리 너도 해 볼래?

B.O

B.I
배 끄트머리에서 서 있는 이준현. 이준현을
포함하여 주변 다른 사람들
모두 제정신이 아니다.

이준현 무서워요!!! 근데 좋아요!!! 아무서워!!! 무서워!!

목소리 제일 웃겨 진짜 (오만원권 뭉치를 들이밀면서) 너 이거 좋아한댔지

이준현 네! 네! 네!

목소리 이거 내가 너한테 줄 거야!

이준현 좋아요 좋아요!

목소리 주워 봐!

목소리의 주인공이 돈을 훅! 뿌린다. 몇 장은 배 안에 몇 장은 바다에 흩뿌려지고, 허둥지둥 뿌려지는 돈을 잡으려고 팔을 뻗던 준현이 미끄러져서 바다에 빠진다.

목소리 (웃겨서 넘어간다.) 아! 제일 웃겨!

물에 빠져 허우적거리는 준현을 줌으로 당겨 찍는다.

목소리 (옆에서 사람들이 다가오자) 그만 가만! 가만히 있어봐! 구경 좀 하게.

준현이 허우적거리면서 물 속으로 점점 빠진다. 정신 차린 사람들 어어, 하는데 - 차마 준현을 건질 생각은 하지 않는다.

목소리 사람이 뒤지는데, 내가 말 한마디 했다고 얼어 있는 꼬라지가- 너무 보기 좋네.

B.O

34. 산타의 집 / 밤

산타 (AI보이스) 영상은 여기서 끝이네요

경수 아, 얼굴이 안 보이네! 죽이려면 이 새끼부터 죽였어야 되는 거 아냐?

구경이 나왔어

경수, 산타 ?

구경이, 화면 뒤로 돌려서 한 장면에 멈춘다. 돈을 뿌리는 장면. 보이는 건 팔을 뻗는 준현뿐인데 화면을 밝히자 요트의 창문에 언뜻 반사된 촬영자의 얼굴이 드러난다. 허현태다.

35. 구경이의 재구성 - 요트 / 밤

핸드폰을 들고 바다 쪽을 찍고 있는 현태. 겨우 정신 차린 김민규가 허덕허덕 뛰어와 갑판 끝에서 바다를 본다.

김민규 어디 갔지? 어어? 어떻게 하지? 구명 튜브! 튜브 어딨어?

현태, 핸드폰을 김민규에게 툭 던지면서

허현태 됐어 냅둬

김민규 에? 에?

허현태 깜깜해서 보이지도 않잖아? 사고를 뭐 어쩌겠어.

김민규 …아…

현태가 늘어져 있는 사람들을 지나고 의자에
드러눕는다.

허현태 한 턴만 빨고 가자. 이거 누구
폰이야? 알아서 지우고-

눈을 감는 현태. 구경이가 현태를
내려다보다가, 방금 현태가 촬영하던 핸드폰을
집어 든다. 화면을 넘기면, 백그라운드에서
돌아가고 있던 '미로넷' 앱이 보인다.
구경이 손에서 핸드폰 탁 빼앗아서 허둥지둥
영상 삭제하는 한만구.

구경이 늦었어

한만구, 삭제하면서 이상한 소리라도 들은 듯
주변을 두리번거린다.
구경이가 갑판으로 쪽으로 간다. 준현이
사라진 자리는 벌써 아무 흔적도 없다.

구경이 너무 늦었어…

어둠을 보는 구경이.

36. 대호의 집 / 새벽

붕대 칭칭 감은 채 소파에 누워 잠들어 있는
건욱. 옆에는 피 묻은 거즈 등 대호가 밤새
간호한 흔적이 있다.
대호는 잠든 건욱을 잠시 보고, 이불을 여미어
주는데 슬쩍 눈을 뜨는 건욱.

건욱 우리 아무도 모르는데 가서
조용하게 둘이 살까? 다롱이랑 셋이.

자는 줄 알았던 건욱이 낮게 말하자, 살짝
놀란 대호.

건욱 (눈치 보면서) 미안
대호 (이내 누그러져) 지 맘대로
왔다갔다하는 놈을 뭘 믿고?
건욱 (대호 올려다보면서 약간 귀엽게) 내가 니
하나는 멕여 살린다

대호, 웃는다. 웃음에 살짝 긴장하고 있던
건욱의 분위기도 풀린다.

건욱 어디 모르는데 가서 헬스장 하나
열든가, 아니면 장사해도 되고. 바닷가가
좋겠나 산이 좋겠나?
대호 …같이 바다 가면 좋겠다
건욱 (대호 손을 붙잡으며) 가자, 가면 되지!
(몸을 들썩이다가 아아야)
대호 (웃으면서) 지금 이래서 어떻게 가.
일단 더 자.

대호가 건욱을 다독이고 일어선다.

대호 (의미심장) 얼마가 됐건 기다려 줄
테니까. 바다 같이 꼭 가자.
건욱 어디 가?
대호 너 아침 먹여야지.

건욱, 편안한 미소를 띠면서 소파에 몸을 파묻는다. 대호가 나가는 소리 들린다.

37. 경찰서 / 새벽

눈물범벅이 되어서 앉아있는 대호.
맞은편에 앉은 형사는 대호가 가져온 CCTV 화면을 본다.
화면 속. (8화) 한강 화장실에서 케이가 사람을 죽였을 때의 영상.
건욱이 커다란 가방을 들고 (시체를 담은 가방이다.) 화장실 밖으로 나오는 모습.
심각한 표정의 형사들, 서로 눈짓을 주고받는다.
대호, 울음을 참으려 숨을 몰아쉬고 있다.

38. 대호의 집 / 새벽

건욱, 너저분해진 자리 정리하고 창문을 연다.
대호 오는 거 보고 다롱이 끌어안는 건욱.

건욱 다롱아, 아빠가 뭐 맛있는 거 사오는지 보자

건욱, 대호 쪽에 손 흔들며 이름 부르려고 하는데. 대호를 따라오는 사람이 있다.

건욱 (다롱이를 내려놓고) 누구지…?

건욱과 눈이 마주친 대호의 당황하는 얼굴.
건욱, 범죄자 짬바로 느껴진다. 대호와 함께

오고 있는 사람들은 형사들이다.

건욱 (배신감을 느끼며) 왜…

대호, 돌처럼 선 자리에서 굳어버린다.
건욱을 알아본 형사들이 달려가고, 건욱의 모습이 창가에서 사라진다.

39. 기차 / 아침

색이 화려한 관광열차에 타 있는 구경이.

안내 멘트 일곱 시 삼십 분에 출발하는 250 열차, 3분 뒤 출발할 예정입니다. 탑승하실 승객님들은 지금 즉시 승차해 주시고, 배웅을 위해…

띄엄띄엄 자리를 두고 앉아있는 나제희, 산타, 경수. 그리고 다른 승객들.
구경이, 차창 밖으로 역을 주시하고 있다.

케이 와, 말 잘 듣네.

모자를 눌러쓴 케이가 털썩, 구경이 앞좌석에 앉는다.

구경이 시킨 대로 해야지 그럼. 무슨 짓을 할지 모르는데.
케이 나는 연락하라고 해서 한 건데~ (둘러보며 괜히 나제희 등에게 손흔드는) 다들 제자리에 앉아 계시고… 그래서 본론은?

구경이가 검은 괴물인형을 꺼낸다.

케이 이걸 어떻게! (웃으면서) 쌤이랑 나랑
진짜 잘 맞는다니까!
나 잡을라고만 안 하면 우리 둘이 딱
합이 맞는데!
구경이 이거면, 나제희 괴롭히는 거
그만하겠다고 약속해.

케이가 낚아채려고 하는데 구경이가 인형 꽉
잡고 손을 뒤로 뺀다.

구경이 진짜 네가 죽였어야 하는 사람은,
여기 있으니까.
케이 (구경이를 보면서) 오- 그런 말은
의외인데… 말했던 것처럼 내가 별~ 일
없이~ 여기서 내리면, 그만 괴롭힐게요

구경이가 케이에게 검은 괴물인형을 내민다.
가져가는 케이.

케이 궁금하네. 쌤이 보기에도 죽일
놈이다 이거예요? 오케이 접수!

다시 안내 방송. 곧 출발을 알린다.

케이 아 근데, 내가 쌤 때문에 의심이
늘어서요

케이가 핸드폰을 꺼내서 화면을 보여준다.
구경이가 보면, 종준과 나나의 모습이 보인다.

나제희의 집 안. 해킹 화면.

케이 (화면 구석의 작은 빨간 시계를 가리키며) 요고
조끄만 거 보이죠? 기차 출발할 때까지
여기 사람들 한 명이라도 내리면,
(가지고 있는 버튼 보이면서) 이거 펑! ㅎㅎ 오키?

당황한 나제희 재빨리 종준에게 전화를 건다.
화면 속에서 울리는 전화벨.
그러나 종준은 어린이집에 가기 전 소동
중이라 전화를 받지 못한다.

종준 (화면 속) 전화기가~ 어디에~ 있나~
나나야 할아버지 전화기~ 어디 놔뒀어?
구경이 (케이에게) 계속 이럴 거야?
케이 아직 우리 이모 화가 덜 풀려서

기차 움직이기 시작한다. 벌떡 일어서는 케이.
마침내 전화를 받는 종준.

나제희 아빠!
종준 (목소리) 어?
나제희 나나 데리고 빨리 집 밖으로 나와!
빨리!

케이가 열차 문을 향해 간다.
문간에 앉아있던 산타가, 이대로 보낼 수는
없다는 식으로 일어나서 케이를 막아선다.

케이 쌤?

구경이가 산타를 쳐다본다.
산타, 구경이의 눈빛을 보고 이를 악물며
비켜선다.

케이 (산타에게 속닥) 내가 너 누군지 모를 거
같아…?

출발하는 기차. 케이가 차창 밖에서
구경이에게 손을 흔든다.

나제희 아빠! 나왔어? 나왔냐고!
종준 허유우 우 우~ 무슨 일들이야!

집 밖. 종준이 나나를 데리고 집 밖으로 나와
숨을 몰아쉬고 있다.
빈 집. 째깍거리고 있는 빨간 시계.
기차 안. 나제희가 종준이 안전한 걸 알고
구경이에게 눈짓한다.
기차역. 인형을 손에 넣은 케이, 떠나가는
기차를 보면서 -

케이 친구들 많아서 좋으시겠네

케이, 사람들 사이로 사라지려다 벤치에 앉아
있는 어린아이에게 다가간다.
아이의 엄마는 뒤로 돌아 통화 중이다.

케이 이거 갖고 놀래? 누르고 싶으면
눌러도 돼.

케이가 내미는 것은 버튼이다. 어린아이, 그걸

받아 들고 손에서 굴려본다.
집 안. 째깍거리는 빨간 시계 천천히 줌 인.
긴장되는 음악.
기차역. 어린아이가 버튼을 들여다보다가 꾸욱
눌러본다.
집 안. 시계 멈춘다. 시계에서 흘러나오는 소리.

소리 너무 늦었어! 일어나세요! 너무
늦었어! (소리 기괴하게 늘어지면서) 늦었어…
일어나…

녹아내리는 시계.
기차역. 흥미를 잃은 아이가 버튼을
던져버리고 다른 곳으로 간다.
기차 안. 맥이 풀린 나제희 보는 구경이. 경수가
나제희 도닥인다.

구경이 (나제희에게) 곧 끝날 거야. (경수와
산타에게) 다음 역 도착할 때까지 너희도
긴장 풀고 있어.
경수 저희 수원역 내리는 건가요?
나제희 (짐짓 진정한 목소리로) 수원까지 간
김에 왕갈비라도 먹고 올라갈까?

구경이 앞에 앉는 산타.

산타 (AI보이스) 케이한테 그걸 넘긴 게,
어떤 의미인지 아시는 거죠?

구경이가 산타를 말없이 쳐다본다.

40. 절 / 아침

용 국장 범인들이 큰 사람들 큰 뜻을 알 리가 없잖아. 오른쪽으로 가면 오른쪽으로 간다고 뭐라 해 왼쪽 가면 왼쪽 간다고 뭐라 해? 앉아 있으면 왜 안 눕냐, 누우면 왜 안 일어서냐… 그런데 우리 같은 사람이 하는 일이 뭐야. 천지사방 시끄러운 소리들 모두 모아서 우리 바람 가는 대로 이끌어줘야 되는 거거든요.

스님 그것이 우리 국장님하고 아드님 업이고 숙명이라

용 국장 (눈물 찔끔하며) 아유 나 왜 이렇게 고된 팔자를 타고났나 싶어요 스니임!

절간에서 용 국장과 스님이 앉아서 차담 나누고 있다.
멀리서 들리는 소란에 올려다보면,
산 제일 꼭대기 암자에서 작대기 들고 휘두르고 있는 현태 모습 보인다.

허현태 (아주 멀리서 목소리) 이쉬!! 잠깐만 나갔다 온다고!!!!

옆에 서 있던 (승복 입은) 요원 하나가 간단하게 현태 제압해서
다시 암자 안으로 처넣는다. 그 모습을 무슨 풍경 보듯 - 스님과 용 국장이 본다.

용 국장 처음에 저 놈이 또 사고 쳤단 소리 듣고는, 솔직한 심정으로는 탁! 놓고 싶었어. 우리 집안 문제였으면 그때 손 뗐지. 근데, 스님이 그러셨잖아요 이게 나라 위하는 길이라고.

스님 허성태군 사주 운행이 우리나라 국운 흐름이랑 같이 가는 때라고 말씀드렸지

용 국장 그래서 내가 용기를 내서, 일단은 그 배에 같이 있었다는 사람들이랑 이야기를 잘 해보자 한 거예요. 근데 그 중에 한 명이 죽었대. 타이밍 한 번 요상하다- 했지. 근데 또 딴 놈이 사고 나서 죽었대. 이 때 내가 안 거야. 아, 이게 누가 도와준다

스님 바람이 불어왔다!

용 국장 그 바람이 칼바람 돼서 돌아오기 전에 내가 무조건 찾아야 된다, 내가 누구야? 찾으려고 하니까 바로 찾았지.

용 국장 품에서 종이를 꺼내서 스님에게 준다.

용 국장 스님 잘 한번 봐줘요. 근데 얘가 미국서 태어나서… 사주팔자는 거기 생시 기준인가?

스님이 케이의 사주를 받아 든다. '송이경 1999년 10월 21일 신시(15시 30분)'

용 국장 내가 아들 둘이 키우면서 딸 하나 있음 좋겠다, 했는데 이렇게 생기네? 잘 부리면 저한테 아주 좋은 바람이 되어줄

거 같은…

스님(O.L) 아구 뜨거!

용 국장 예?

스님 불이 불을 만나서는 화풍 불어 다 태우겠네! 지금 이 처자 어딨습니까!

41. 마장호수 출렁다리 / 아침

사람 하나 없는 신새벽의 출렁다리.
위아래 추리닝복을 갖춰 입은 허성태가 나타난다.
관리인이 꾸벅 인사를 하고 닫혀 있던 출입문을 열어준다.
허성태식 멘탈 다잡기 훈련. 바람이 불 때마다 흔들리는 출렁다리.

허성태 (혼잣말) 무섭지 않아! 할 수 있어 허성태!

허성태, 준비자세를 취했다가 타이머를 켜고 달리기 시작한다.
중간쯤 가자 흔들리면서 휘청휘청.

허성태 할 수 있어! 지지마! 지지마 허성태!!!

힘차게 달려가던 허성태, 그러나 다리를 다 건너가기도 전에 –
발목 부분에 쳐져 있던 낚싯줄에 발이 걸려 자빠지고 만다.

허성태 아구구구!!

허성태, 넘어지면서 발 한 쪽이 다리 너머로 빠지고, 다리 바닥에 뚫린 구멍으로 아래 흐르는 물이 도도히 흐른다.
힘이 풀려 엎어진 채 겁에 질린 허성태.

목소리 괜찮으세요?

허성태가 엎어진 채로 고개 들어보면, 케이다.

———— 〈10화 끝〉 ————

1. 기차 안 / 아침

산타 (AI보이스) 케이한테 그걸 넘긴 게, 어떤 의미인지 아시는 거죠?

구경이가 산타를 말없이 쳐다본다.

나제희 케이더러 허현태를 죽여 달라는 거지.

산타가 나제희를 돌아본다. 구경이, 자리에 앉아 의자에 몸을 파묻는다.

경수 (구경이 앞자리에 앉아 사뭇 진지하게) 나머지 영상들도 다 보게 되면, 케이가 그 사람들도 다 죽이려고 할까요?
산타 (AI보이스) 그런 무서운 소리 하지 마세요!
구경이 죽여주면 땡큐 아냐?

구경이가 팀원들을 본다. 냉랭한 구경이의 얼굴에서 -
터널 안으로 들어가는 기차.

터널 밖으로 나온 듯 살짝 밝아지면, 기차 안에 앉아 있는 것은 구경이 뿐.
기차에 배경 음악이 흐른다. '이소라 - 청혼'

장성우 주문하신 구경이 세트 나왔습니다

구경이, 보면 장성우가 비닐봉지에 뭔가 한가득 담아와 옆자리에 앉는다.
간이 테이블에 착착 간식들 올리는 장성우. 계란 2, 귤 1, 소시지 1, 낱개 포장된 초콜릿1 작은 캔 맥주까지.

장성우 뭐부터 드시겠습니까?
구경이 고민이 되는데요… 으음…
장성우 생각 그만! (계란 집으며) 당연히 요거지 (아주 능숙하게 계란을 돌려 깐다.) 쉬러 가자고 기차 탄 건데, 인상 팍 쓰고 말야 당신 머리 굴러가는 소리가 저기까지 들리더라
구경이 굴러가는 걸 어떡해
장성우 옛날에는 그 복잡한 머릿속이 궁금하기도 했는데, (계란 내밀면서) 그럴 필요 없더라고. 당신이 하는 대로만 따라가면 다 맞아, 그게.
구경이 그러니까 의심 좀 그만하라고?
장성우 (웃으면서) 계란 먹으라고. (구경이가 계란 한입 먹으려고 할 때) 케이는 당신이랑 똑같애. 근데 아직 어리고, - 혼자잖아.

구경이, 계란 베어먹으려는 순간에 장성우 입에서 튀어나온 '케이' 라는 말 - 동시에 사라지는 계란, 사라지는 장성우, - 기차가 터널 밖으로 빠져나오고 여전히 의아한 눈으로 구경이를 보고 있는 팀원들.
구경이의 조금 달라진 눈빛에서-

케이 (사운드 선행) 괜찮으세요?

2. 마장호수 출렁다리 / 아침

허성태, 케이가 입고 있는 공원 관리인 조끼에 시선이 간다.

케이 (손 내미는) 아래를 보지 말고, 멀리를 보세요.

허성태가 케이를 붙들고 일어선다. 부축하는 케이.

허성태 (절뚝이는) 신세 좀 지겠습니다…
케이 선거 때문에 걱정이 많으신가 봐요… (그분) 맞죠?
허성태 넘어지는 모습을 보여 드렸네요 하하… 어떻게 하면 시민들을 위할까 생각하다 보니까 발을 헛디뎌 버렸습니다
케이 맞구나! 와 대박! 지금 지지율 1위시잖아요!

케이가 호들갑을 떨면서 깡충깡충 뛰자 출렁다리 출렁출렁.
간신히 옆의 손잡이를 잡고 선 허성태. 다리가 달달 떨리지만 애써 태연한 미소.

허성태 (떨리는 목소리) 젊은 여성분이 정치에 관심 많으시네요. 미래가 밝습니다.
케이 (쿵쿵쿵쿵 허성태의 정면으로 다가와) 아뇨! 정치 그런 거는 잘 모르는데~

허현태 의원님이 워낙에 셀럽이시니까 아는 거죠.

허성태 (빈정 상한, 작게) 허성태…

케이가 허성태의 팔짱을 탁 끼고 다리 끝으로 다시 데려간다. 거의 끌려가는 허성태.

케이 그 잘생긴 동생도 잘 계시죠? (속삭) 혹시 그분… 아 이런 거 여쭤봐도 되나…
허성태 현태 애인 없습니다~
케이 (기뻐하는) 와 그래요? 완전 제 스타일인데… 지금 어디 계세요?
허성태 예?
케이 허현태, 지금 어디 있냐구요

3. 절간 / 아침

절간 뒤. 불화 그려진 벽 앞에서 핸드폰 붙들고 초조해하는 용 국장. 십우도 앞에 선다.
통화 연결음 소리 뚜- 뚜- 뚜- 이어지며 인서트 컷.

-케이의 은신처 CCTV실. 화면 속에는 움직이는 이 하나 없다. 평화로워 보이기까지.
- 지하실. 고문 도구들 지나 (죽었는지 살았는지 모르는) 정원사가 있을 철문까지.
- 유치장에 갇혀 억울한 표정 하고 있는 김 부장. 변호사 올 때까지 입꾹닫.

용 국장 (크레셴도) 김 부장이 이 새끼는

어디서 뭐 하고 있는 거야!

용 국장, 폰 집어 던진다.

4. 마장호수 출렁다리 / 아침

허성태 현태… 지 집에 있겠죠.
케이 집에 없던데?
허성태 네? 그게 무슨… 당신 누구야?
케이 허현태가 딱, 제가 죽여야 되는
스타일이거든요. (피곤) 여기저기서 그
놈은 진짜 죽일 놈이다, 걔부터 죽여야
된다 하도 그래 가지고, 귀에서 피 날라
그래.

허성태, 다급하게 주변 둘러보는데, 보이는
사람 아무도 없다.

케이 의원님이 아무도 못 들어오게
하시구선!
허성태 여기요! 누구 없어요?
살려주세요!!!

케이, 허성태 다친 다리 뻥 찬다. 허성태
아파하는 동안.

케이 동생이 사고 칠 때마다 공들여 세운
탑 와르르 될까 걱정이잖아요. 근데 지금
허현태가 죽잖아? 젊은 동생을 잃은
시장 후보, 하- 얼마나 가슴 아파요.
당선되고도 남지.

허성태, 케이를 본다. 방금 전과는 사뭇 다른
눈빛.

허성태 더 이상 그 새끼가 사고 칠 걱정도
없고?

5. (교차) 절간 - 산 - 암자 / 아침

- INS. 암자. 대문 앞에서 초인종을 누르고 있는
용 국장이 보낸 요원.

운동복 요원 대답이 없습니다?

- 절간. 액정 깨진 폰 붙들고 어디론가 향하고
있는 용 국장.

용 국장 답답아! 들어가서 직접
확인하라고!
운동복 요원 이렇게는 못 열게 돼
있습니다?
용 국장 담이라도 넘어!

- 산속. 저 위로 절의 전경이 보인다. 그걸 보고
있는 것은 케이.

케이 드디어 잡았네

- 거친 숨소리. 꼭대기에 있는 암자까지
허덕허덕 걸어 올라간 용 국장. 문을 확 열며 -

용 국장 허현태! 가야 돼!

텅 비어 있는 암자 안.

- 산속. 막 산길 뛰어 내려가고 있는 허현태.
뒤로는 방금 케이가 본 절의 전경이 보인다.

허현태 왜? 아예 머리 깎고 중 되라고
하지. 묶고 자르고 아주 다 해라, 다 해.

현태의 앞으로 자동차 다닐 수 있는 큰길이
보인다.
허현태, 막 큰길로 나가는데… 현태 뒤로
달려오는 차.
점점 걸음이 빨라지다가 제풀에 자빠지는
현태. 차가 현태를 덮치는데 -

- 절간. 스님들 우왕좌왕. 고양이만이 하품하며
평온

용 국장 허현태!!! 허현태!!!!!

기둥 뒤에 몸을 숨기고 소란스러운 절간 풍경
보고 있는 케이.

케이 뭐야. 토꼈어?

- 산속. 쓰러져서 끙끙거리는 현태. 조수석과
운전석 문이 동시에 열리면 -
차에서 내리는 나제희와 구경이. 뒹굴고 있는
허현태를 내려다본다.

허현태 니… 니들 뭐야… 엄마가 보냈어?

구경이 너는 재수 없게 재수가 좋다? (주변
돌아보고) 빨리 타라. 살인마 쫓아온다.

6. 가든형 식당 야외 주차장 / 낮

믹스커피 마시며 이쑤시개로 이빨 쑤시는
나제희.

나제희 늦으시네요

헐레벌떡 정신없이 들어오는 용 국장.

용 국장 어딨어
나제희 고기를 저희끼리 다 먹어
버렸네요. 아! 아드님도 식사 전인데,
두 분 같이 드심 되겠어요.
용 국장 어딨냐고

나제희, 차 키 트렁크 버튼을 누르면, 주차된 차
한 대의 트렁크가 열린다.
용 국장이 트렁크 안을 들여다보면,
포대 자루에 담겨 목만 나와 있는 허현태가
재갈 물고 울먹울먹 하고 있다.

허현태 으엉… 으엄마… 음마…
나제희 너무 난리를 치셔서…
이해하시죠?

용 국장 표정이 일그러진다.

허현태 음마?

쾅! 트렁크 문 다시 닫아버리는 용 국장.

용 국장 (나제희 돌아보며 애써 웃는다.) 나
특한테… 고맙다고 해야겠지? 현태 목숨
값은 내가 제대로 쳐줘야겠다.
구경이 다음에는요?

먼저 들려오는 구경이의 목소리에 보면, 옆
파라솔에 앉아있는 구경이.
앞에는 믹스커피 몇 잔을 마셨는지 종이컵이
수두룩 빽빽.

구경이 케이 잘 아시잖아요, 절대 포기 안
할 거예요.
용 국장 어마 깜짝아 귀신이야 사람이양?
(징글징글하다는 표정)
재주도 좋아 내가 사람 하나는 잘 봤어.
구경이 반갑다는 인사는 됐고, 그래서
이제 어떻게 하시려나…
용 국장 우리 집 일은 이제 우리가 알아서
할게요.
구경이 잘나신 아드님 목숨이라도
부지하고 싶으면, 방법이 하나밖에
없는데…
모르시나 봐요? 꽁꽁 숨겨놓으면 될 줄
아시는 거 보니까.
용 국장 (비웃으며) 내 아들 데리고 제 발로
경찰서라도 가라는 거니?
구경이 (놀란 눈) 아시네요?

차가 먼지를 뿜으면서 주차장으로 들어오고

허겁지겁 김 부장이 내린다.

김 부장 (요란법석) 국장님! 저 왔습니다…
(나제희 보고) 하!!! 나 팀장이 하는 말
하나도 믿지 마십쇼! (구경이 뒤늦게 발견하고)
허?! 저 여자!! 어떻게?! 진작 알았어!
알고 있었다구! (돌연) 현태… 현태군은?!

엉덩이에 폭죽 끼운 사람 마냥 주차장을
뽈뽈거리고 돌아다니는 김 부장.
용 국장, 잔뜩 피로한 얼굴.

용 국장 그만 가만!

김 부장, 그대로 멈춘다.

용 국장 케이한테서 구해준 건 고마운데,
사실 구경이 씨는 우리 애는 관심도
없잖아? 걔 이겨 먹고 싶어서 그런 거지.
그러니까 적당히- 만 고마워하려고.
괜찮지?
구경이 저는 방법을 알려드렸어요
용 국장 부장아 애 챙겨라! 이거 하나는
똑바로 할 수 있나?

나제희가 버튼을 다시 누르자, 트렁크 열린다.

김 부장 아!!! 현태군!

김 부장이 현태 일으키려다 쿠당탕 난리를
피운다.

주차장 빠져나가는 용 국장들 차를 보는
구경이와 나제희.

경수 (사운드 선행) 의외로 순진들 하시네요

7. 구경이의 집 / 낮

경수 잃을 게 그렇게 많은 사람들이
그런다고 자수하겠어요? 적당히
또 무마하고 떵떵거리고 살겠지.
그런 인간들 살려주는 게 진짜 맞는
일이에요?
구경이 (무시하고) 어디까지 됐지?
산타 (AI보이스) 전부 신원 확인은 됐어요.
(사이, 냄새 맡고) 갈비 드셨어요?

경수가 컵라면 (상표: 케이라면) 두 개
조심스럽게 내려놓는다.

경수 …갈비? 저희는 컵라면 먹으면서
이거 하는데?
구경이 맛있는 거 먹네

구경이, 산타와 경수가 정리해 놓은 자료들 본다.
20명 정도 되는 사람들의 프로필이다. 각자의
인적사항과 주소, 직장들.

구경이 맞아. 자수 안 할 거야.
안전가옥이나 벙커, 하다못해 굴을
파서라도 숨겨 놓겠지.
나제희 그런다고 케이가 못 죽일까?

경수 (젓가락 사이로 면을 휘휘 뒤지며) 제가
케이라면 너무 죽이고 싶은 놈은,
무슨 짓을 해서라도 찾을 거 같은데요

경수의 젓가락에 캐릭터 후레이크가 딱 걸려
올라온다. 호로롭 먹는 경수.

구경이 케이라면… 라면… (경수가 라면 먹는
걸 물끄러미 본다.)
경수 갈비 드셨다면서요
구경이 (컵라면을 슬쩍 당겨 오면서) 어, 어,
먹었지. 국물만 한 모금. (어느새 한 모금)
커 좋다. 기름기가 쫙 내려가네 (이번에는
산타쪽 라면 보는데)

산타, 슬쩍 몸을 돌려서 자기 라면 한 번에 다
먹어버린다.

구경이 (입맛 다시면서) 케이라면…

구경이가 케이가 주로 하던 '손목을 꺾는
동작'을 해본다.

구경이 군이 숨어 있는 걸 왜 찾아? 지가
지 발로 나오게 하면 되는데?

8. 하천 / 낮

도시형 하천. 산책하고 자전거 타는 사람들,
둘러앉아 장기 두는 노인들.
장기 두는 자리에는 누군가 켜 놓은 뉴스

생방송이 핸드폰을 통해 나오고 있다.
물가에서 돌을 뒤집으며 물고기 찾는 나나.

종준 물고기를 잡으려면, 그 집을 막
파헤치면은 안 돼. 그러면 더 들어가.
나나 그러면?
종준 먹을 거, 먹을 거 주면서 살살
꾀어내거나 아니면은… 커다란 돌 있지?
그 위를 꿍! 치면 놀래 갖고 집 밖으로
튀어나오는 거야.

종준이 커다란 돌을 주워서 물고기 집 돌 위에
던지는데, 잘못 던져서 물만 첨벙 튄다.
물 맞은 나나가 뿌엥 하면서 종준 옆으로 온다.

노인1 애한테 좋은 거 가르친다!
종준 (대충 옷 소매로 나나 얼굴 닦아주면서) 아
우리 때는 다 이랬잖아
노인2 딸내미는 아직도 그렇게 바빠?
종준 바쁘지 그럼. 니들 다 이번에 허성태
뽑을 거지? 다른 놈 뽑기만 해봐 내가
아주 (나나가 보고 있어서 험한 말은 못 하고 대충
두들겨 팬다는 시늉)
나나 허성태 아저씨다!

나나가 뉴스 나오는 노인의 핸드폰 화면을
가리킨다.

종준 작아서 보이지도 않아, 소리 키워봐!

나오는 자막,

'뉴스 속보 허현태 충격 괴영상 급속도로 확산'
'요트 위 환락 파티… 사실 관계 확인 중'
'허성태 캠프에 타격 불가피'

앵커 조금 전 인터넷을 통해 일파만파
퍼지고 있는 이 영상에서는 허성태
후보의 동생인 허현태로 보이는 인물이
마약을 흡입하는 등의 행위를 하는
것으로 보이고요. 무엇보다, 물에 빠진
동행을 두고도 어떠한 구조 작업을
하지 않아 사실상 살인을 저질렀다는
의혹마저 제기되는 상황입니다.

자료 화면으로 허성태 캠프 및 홍보 영상이
지나가며 나제희 얼굴도 언뜻 비친다.

종준 이게 무슨 소리냐?

9. 통영. 재영의 차 / 밤

정신없이 차를 몰고 있는 재영. 막다른 곳에
차를 끽 세우고서야 정신이 든다.
조수석에 내팽개쳐 놓은 핸드폰을 다시 들어서
보는 재영.
화면 속. 모자이크 처리된 김민규.

김민규 (화면 속) 벤디씨온이라고,
은총이라고 하던데요
재영 아아악!

던진 핸드폰에서 흘러나오는 현태의 목소리.

허현태 사람이 뒤지는데, 내가 말 한마디 했다고 얼어 있는 꼬라지가- 너무 보기 좋네.

10. TV 뉴스 프로

허현태 목소리 따라서 웨이브 폼 파형이 넘실댄다.

목소리 …너무 보기 좋네.

화면 빠지면, 소리 공학 전문가가 웨이브 폼을 분석하며 인터뷰 중.

전문가 이 목소리가 허현태 씨의 목소리와는 다르다, 다른 사람이다 하는 증거는 이 파형을 보시면 됩니다.

'푸른어린이재단'을 홍보하는 허현태 목소리 재생.

허현태 (목소리) 푸른어린이재단
전문가 모양이 다르지 않습니까? 따라서 이 영상은 조작된 영상이다… 소리 공학 전문가인 저는 이렇게 확신을 합니다…

11. 구경이의 집 / 밤

구부정하게 컴퓨터 앞에 앉아서 화면 보고 있던 구경이.

구경이 확신…을 쉽게들 하시네~

12. 병원 병실 / 낮

90도로 허리 숙여 인사하는 소리 공학 전문가.

용 국장 애썼어요, 고마워요

피로한 용 국장이 인사 받아주자 90도 유지하고 문밖으로 나가는 전문가.
뒤이어 마스크 낀 허성태가 들어온다.

용 국장 어 왔어요 (김부장 향해서) 8시, 9시는?
김 부장 패널로 나가는 김 변하고, 손 의원이랑 통화했습니다.
용 국장 내일 아침 라디오는? 거기를 잡아 놔야 하루 분위기가 글로 가는데.
김 부장 조 기자가 푸시 해준답니다
용 국장 그래요, 그래. (허성태 마스크 벗겨보며) 얼굴이 왜 이렇게 푸석해? 이럴 때일수록 얼굴에 윤이 흘러야 되는데, 내일 마사지 예약하지?
허성태 어머니 저…
용 국장 응? 말해요 다
허성태 (용국장눈똑바로보면서) 현태 어딨습니까?
용 국장 그놈의 자식 내가 죽여 놨으니까, 허성태는 그거는 신경 쓰지 마
허성태 아니요… 제가 죽이고 싶어서 그럽니다…

짝! 용 국장이 허성태 뺨을 친다.

용 국장 스트레스가 심하네 우리
허성태가

용 국장이 허성태를 물끄러미 보다가 팔을
벌려 허성태를 품에 안는다.

허성태 (울기 시작) 어머니…
용 국장 무슨 일이 있어도 이런 어이없는
상황 내가 똑바로 돌려놓을게
뭔 자존심을 팔아서라도 내가 우리
허성태 억울한 일 없게 할 거야!

13. 버스 / 저녁

버스에 타고 있는 미애. 버스에 달린 화면에
시선이 간다.

패널 (화면 속) 딥페이크는 미국에서는
심각한 사회 문제입니다.
이런 조작이 반복되면 누가 누구를 믿고
살겠습니까!
학생1 랄트네 딱 봐도 토깽이잖아!

미애의 시선이 곧바로 앞에 앉아 있는
학생들의 휴대폰 화면으로 향한다.
화면 속. BJ샘시.
영상 속 반사된 현태의 이목구비와 평소
현태의 얼굴 사진 비교하는 중.

BJ샘시(E) 영상 속 반사되는 형체가
허현태 이목구비와, 정확히 일치합니다.
그런 중에 저희 미미남으로 미국에
가 있다는 허현태가, 사실은!
국내의 모처에 숨어 있다는 제보가
들어왔습니다! 충격! 쇼크! 대애 혼란!

케이 저런 새끼 확 죽여버려야 되는데.

미애, 바로 귓가에 닿는 여자 목소리에 깜짝
놀란다. 버스에서 곧바로 내리는 여자.
미애가 창 너머를 보는데, 마치 친한 친구처럼
케이가 맹렬하게 손을 흔든다.
(전화할게) 시늉하며. 미애, 주변을 둘러본다.

14. 벙커 룸 / 깊은 밤

쥐 죽은 듯 조용한 벙커 룸 안. 갑자기 들리는
'히히히' 사람 웃는 소리.
벌떡 일어서는 허현태. 수염이 덥수룩하게
나서 꼴이 말이 아니다.

허현태 누구야?

빤스 바람 허현태, 후다닥 일어나 목검 쥐고
휘둘러본다.
환풍구에서 바람 새어 나오는 소리가 묘하게
사람 웃는 소리처럼 들렸던 것뿐.

허현태 쩝도 안 되는 게

검 내려놓고, 테이블에 놓여있던 물컵 들어서
마시는 허현태.
마음 놓고 꿀꺽꿀꺽 마시다가- 켁! 하고 물을
뱉어 낸다.

허현태 뭐야… 이게!!!

입 안으로 딸려 들어간 긴 머리카락 빼내는
허현태.
허현태가 열 받아서 인터폰 든다. 삐- 지지직
지지직 소리.

허현태 지금 물에 이게 씨!!!
인터폰 (목소리) 오늘…. 지지직…. 죽…….
지지직…. 일거…. 지지직…
허현태 (긴장) 뭐…?
인터폰 (목소리) 오늘 메뉴 전복죽일
거라고요.. 괜찮으ㅅ…ㅈ..?

수화기에서 지직 소리 나고 정전기가 따끔!

허현태 앗 따가!

다시금 허현태 주변을 돌아본다. 을씨년스러운
벙커 룸 안.
물컵에 있던 물을 다 쏟아버리고 그게
독극물이라도 되는 양 재빨리 떨어진다.

허현태 이런 데 사람을 가둬 놓으니까
정신이 이상해지지.

다시 잔뜩 긴장한 상태로 침대로 가서 등을
벽에 딱 붙이는 허현태. 목검을 쥔다.

허현태 내가 뭘 잘못했다고 씨…

15. 길거리 / 낮

유세 중인 허성태.

허성태 이런 말도 안 되는 음해 세력의
공작에도 꿋꿋하게 저를 믿어 주시는
시민분들의 큰 사랑을 믿고 저 허성태는
뚜벅뚜벅 큰 걸음으로 나가겠…!

허성태의 뒤로 다가온 한 소년이 허성태
뒤통수에 날계란을 깬다.
허성태가 놀라서 돌아보면, 이준현 가면을
쓰고 있는 소년. (egg boy) 이어지는 소동.

16. 고급 식당 / 밤

차려진 고급스러운 상 앞에서 절망스러운
용 국장.
김 부장이 음식들을 물끄러미 내려다보고
있다. 먹고 싶다…
울리는 김 부장의 핸드폰. 문자 확인하고,

김 부장 (난처한 표정) 박 의원이 오늘은…
안 되겠답니다…

용 국장, 앞에 있는 물컵에다가 도꾸리 술을 다

따르더니 벌컥벌컥 마신다.

용 국장 내 존심이 문제야?

- INS. 길거리. 얼굴에 낙서가 된 허현태의 홍보물이 수거된다.
- INS. 김 부장이 운전하는 차에 탄 용 국장. 허성태 사무실 앞이 개판 난 걸 보면서 지나간다.

17. 목욕탕 / 밤

구경이와 용 국장이 처음 만났던 목욕탕. 김 부장 따라서 용 국장이 들어온다.

용 국장 어딨어?
구경이 헛~터~터~터~----

용 국장이 보면, 밴드 마사지기로 허리 털고 있는 구경이.

구경이 (허리 털리느라 말이 튄다.) 오, 셨, 어, 요, (두두두두---)
용 국장 뭐 필요해요. 다른 사람들은 얼굴에 다 보이는데, 구경이 씨는 뭐가 필요한 지 내가 아리까리하네.
구경이 (탈탈이종료) 어우, 시원해. 세상 다 가진 거 같으네… 아! 필요한 게…

김 부장이 식혜를 갖다 준다.

구경이 아으. 이 시려 (거절)
용 국장 무슨 수가 있으시니까 이렇게 유세를 피우겠지?
구경이 저 아니면 다른 방편 있으세요? 없으니까 저까지 부르신 거지.
용 국장 그 말이 틀린 말이 아니라서 기분이 별로다

구경이, 안마 의자에서 내려와서 훈제 계란 까먹는다. 공간에 구경이 계란 껍질 까는 소리. 구경이, 놀라울 정도로 계란을 못 깐다.

용 국장 …다른 거 안 원하고, 목숨만 살려줘.
구경이 제가 그렇게까지 v능력자v는 아니라서… 확신은 못 드리고… 계획이 있긴 한데… 할 수 있을지 의심이 되기는 하고… 근데 그게 또 저를 또 의심하시면 안 되는 그런 일이라…

용 국장이 무릎을 꿇는다. 몰래 식혜 먹던 김 부장, 밥알 튀어나올 정도로 놀란다.

용 국장 구경이 씨가 말하는 대로 할게.
구경이 …
용 국장 무릎 아파서 나 이러기도 쉽지 않다?
구경이 일어나세요. 이런 모양새 불편해요

용 국장이 일어난다. 부축하는 김 부장.

구경이 (ㅎㅎ) 말 잘 들으시네. (정색)
앞으로 저 의심하지 마시고, 시키는 대로
하세요.
오키오키?

18. NT생명 로비 / 밤

바닥 걸레질하고 있는 청소 노동자. 꿀렁~
하고 움직이는 노동자의 몸.
몸동작이 격해지고, 킥킥대는 소리 들린다.
청소 노동자 옷 입고 있는 케이다.
케이의 웃음이 박장대소로 이어진다.

케이 (계속 웃으며) 진짜 미친 거 아냐?

발작적으로 웃으며 눈물까지 흘리는 케이.
소매로 눈물 닦으며,

케이 진짜 웃기다 엄머머 나 울어~

툭. 비틀거리는 케이 몸에 부딪히는 한 사람.

케이 (퍼뜩 허리 숙이고) 어머나
죄송합니다…
건욱 미친 거는 너 같은데?

케이가 고개 들어보면, 98년도 대학가요제
나온 배철수 마냥 콧수염 붙이고
은발 단발을 묶고 미래적인 선글라스를 낀…

나름의 변장을 한 건욱이다.

케이 못 본 사이에 스타일이 많이 변했네.
나타난 이유는?
정답. 예쁜 내 얼굴이 너무 그리웠다
건욱 그래서 어떻게 멋지게 죽일 건데?

케이, 경비원이 로비 입구를 의식하는 걸
의식하고 건욱을 코너로 잡아끈다.

케이 목소리가 왜 이렇게 용감해졌어?
건욱 다 죽일 건데 겁날 거 없다. 니가
빵빵 터뜨리는 거 보니까 내까지
용감해지던데.
케이 ㅋㅋㅋㅋㅋㅋ 너도 내가 한 줄
알았어? 아 제대로다 진짜

케이, 건욱의 선글라스 제가 써 보면서 -

케이 허현태 그거 내가 푼 거 아니야.
건욱 그럼 누가 한 건데
케이 허현태를 보는 눈이 많아지면 걔가
안전해질 거라고 생각했겠지. 이런 미친
짓 할 사람이 누구겠냐?

- INS. 골목. 허성태 사무실 멀리서 망원
촬영하고 있는 BJ샘시.
옆으로 스윽 들어오는 구경이.

구경이 새샘시시니심,
트슥조송이십니시다사. (자막-샘시 님

특종입니다.)

BJ샘시 구수도속자사니심? (자막—구독자님?)
돌아보면, 옆에 있는 곽 기자와 멜론 머스크.
구경이, 입 안에서 SD카드 꺼내 보인다.

건욱 그 여자도 미쳤다니까.

19. 호텔 / 밤

심각한 얼굴로 노트북 보고 있는 건욱. 케이,
젖은 머리 수건으로 말리며 나온다.
미니바에 있던 술병들이 모두 나와 있다.

케이 너 술 다시 마시냐?
건욱 지금 그게 중요한 게 아니다. (노트북
화면 손가락으로 툭 치며) 니 알았나?
케이 뭐? 허현태 쳐 죽일 놈인 거?
건욱 꼬라지 보니까 몰랐네. (거들먹)
여기에 허현태 요트 동영상만 있는 거
아니고 다른 파일들도 있었다. 지워진 지
얼마 안 됐네.
케이 헐 대박 어쩐지! 고담이 허현태
꺼만 갖고 있었을 리가 없는데!
쌤 치사하게 그건 지우고 준 거야? 내가
어떻게 할까 봐? 아 진짜~ (ㅋㅋ)
건욱 여기서는 복구 안 되고, 니 그 경찰
쌤한테 있겠는데.

건욱, 술을 한 모금 더 마신다. 케이가 그걸
쳐다본다.

건욱 찾아서 다 죽이자. 나쁜 놈들 살려
둘 이유 없잖아.
케이 맨날 쫄보 소리만 하더니 웬일로
이렇게 마음이 착착 맞지?
건욱 그 여자 지금 어딨는데?
케이 쌤은 됐고… 그쪽 사람들 중에
제일… (표정 반짝, 생글거리며)
날 좋아할 거 같은 사람이~?!

20. 피자 알볼로 / 낮

경수, 몇 발짝 떨어져 테이블에 앉아있는
멤버들의 얼굴을 보고 있다.
테이블 위 놓여있는 페이지들.
허현태 여론 흐름 그래프, 미미남 스트리밍
타이밍 등이 그려져 있다.
내려다보면서 감탄 중인 곽 기자.

멜론 머스크 (옆에서 콜라 먹으며) 저야 댓글
단 거 밖에 없는데 기자님 이번에 다시
봤어요
곽 기자 (어깨동무하면서) 리얼트루스가 뭔지
알아? 트루스도 타이밍 싸움이거덩…
멜론 머스크 (금세 말 괜히 시켰다는 질린 표정 된다.)
어우 피자 왔다 (곧바로 집어 한입)

익숙하게 서빙하여 피자 내려놓는 경수.

BJ샘시 (피자 우물우물 씹으며) 근데 왜
자연스럽게 서빙을 하시죠?
경수 어?! 이상하게 그래야 될 거

같네요… 내가 만든 거 같고…

곽 기자 (먹으면서) 경수 씨가 만든 거라고?
어쩐지 맛있더라-

경수 아니 그건 아니… (둘러보고 포기하고)
예 맛있게 드세요

엎어져 자고 있던 구경이, 킁킁 냄새를 맡더니
눈을 번쩍 뜬다.
음료수 가져와서 앉은 산타가 구경이에게 갈릭
소스를 내밀며 구경이의 시선이 닿는 곳을 본다.
다양한 종류의 피자 중 구경이의 시선이
머무른 한 조각을 접시에 놓는 산타.

구경이 (한입 먹으며) 다음엔 저거 먹을
거야, 내 꺼니까 건들지 마.

일동, 벙찐 표정으로 그 피자 빼고 먹는다.
와구와구 열정적으로 피자 먹는 사람들.
경수는 자신의 접시 아래 깔린 자료를 본다.
이준현 사진. 물끄러미 보는 경수.

경수 전부 조사관님 뜻대로 됐네요. 용
국장은 무릎 꿇었고, 허성태는 박살
났고, 허현태는… 안 죽었고.

산타 (AI보이스) 대단하세요.

경수 그냥 죽게 놔뒀어도 됐잖아요.
케이는 (노트북에 고갯짓하며) 저 사람들로
유인하면 되고… 왜 이렇게 나쁜 놈들
위해서 싸우는 거 같은 기분이 들죠?
… (시계보고) 저는 회사나 다시
들어가보겠습니다.

경수, 일어서는데

구경이 오경수.

경수 (불만 가득) 네

구경이 (중요한 말을 할 것처럼 경수를 빤히 보다가)
남대문 열렸다.

경수 (구경이를 똑바로 보면서) 거짓말하지
마세요

구경이 (경수를 똑바로 쳐다보면서)
그런 색깔은… 뭐랄까, 참으로
오경수답다고도 할 수 있는 그런
강렬한… 불꽃을 상징하는…

경수, 참지 못 하고 아랫도리를 어쩔 수 없이
보는데 - 굳게 닫힌 지퍼.

경수 에이 진짜!

경수, 곧장 나가려다 피자 한 조각 물고 나간다.
그런 경수 쳐다보는 구경이 표정.
불만 가득한 얼굴로 매장 밖으로 나오는 경수.
그런 경수를 쳐다보는 누군가의 시선이 있다.

21. NT생명 경수 쪽방 / 낮

짜증 난 얼굴로 넥타이 느슨하게 풀며
앉는 경수.
사무실이 너무 좁아서 폼이 하나도 안 난다.

경수 정신 차려!

제 뺨 착착 때리고 허리 세우는 경수. 컴퓨터
켜는데 낯선 USB 꽂혀 있는 게 보인다.

경수 어? 이거… 시동 디스크?

부팅된 화면에 자동으로 켜진 프로그램.
고담이 미로넷에 업로드할 때 썼던 웹하드
프로그램이다.

[죽 2는 ㅁ ㅣ 친 ㅁㅁㅐ ㅎㅂㅇ 들여다 보기]
[일 上 속 花장실 ㅈㅣㅎㄹ철 몰ㅋㅏ]
[놈 곡의 SELF ㅋㄹ메ㄹ 능요크 FACe]

경수 놈곡? 롬곡이겠지.

그런데 파일명들이 뭔가 이상하다.

[더 火끈한 Sexi녀 R몸 홀ㄸㅏㄱ 공개]
[있 어보ㄹ 다 보여줄게 간ho.ㅅㅏ 5피ㅅ 8녀]
[지 옥에서 돌A ㅏ 온 음ㅌro한 HOT뜨거女]

파일명의 첫 글자들만 읽어보는 경수.

경수 죽 일 놈 더 있 지…?! (마저 읽는) …내
가 죽여줄게 내놔 봐 (소름 돋는)

그 아래에 있는 마지막 파일명.

[K 국 ㅐOT 7F 男 화장실 3째 칸애서 은밀한
ㄷH 화ㄹ ㄴ나누기]

땡글! 해진 경수의 눈.

경수 7층 남자 화장실 세 번째 칸에서
은밀한 대화… 케이…. ?!!!

22. NT생명 남자 화장실 / 낮

짐짓 침착한 얼굴로 화장실에 들어서는 경수.
고요한 화장실에 두 번째 화장실 칸 문만 닫혀
있다. 세 번째 칸에 들어가는 경수.

경수 착각하지 마, 니 편 된 거 아니니까.
지금 당장은 이놈들 죽었으면 하는
마음이라서 주는 거야. 다음번에 만나면
내 손으로 너 잡는다.

그 때 옆 칸에서 온 힘을 다해 끙차- 하는
소리와 함께 뿌지직 쾅쾅 음악 들린다.
경수, 당황해서 눈알을 이리저리 굴리며
자연스레 코를 막는데 -

원식 (Off sound) 뭐가 이렇게 시리어스해,
경수 씨?
경수 정 과장님…?
원식 (Off sound) 덕분에 괄약근에 포커스
온이 잘 됐어 아주

물 내리고 문 열리는 소리 들린다.

원식 요새 통 실적 없는 거 같은데- (손
씻는다.) 힘든 일 있으면 언제든 카운슬해.

즐똥하고~

원식이 나가는 소리 들리고 고요해진 화장실.
경수, USB 꼭 쥐고 있던 손 펴면 땀 범벅.

경수 잘못 생각했나. 너무 그 생각만 하다 보니까 조사관님처럼 정신이…
케이 (O.L, Off sound) 맞게 생각했어.

경수, 깜짝 놀라 두리번두리번. 위 쳐다본다.
천장 한 칸 열려 있고 그 안에서 빼꼼 얼굴 내밀고 있는 케이 보인다. 코 막고 있다.

경수 너… (아까그대사) 착각하지 마, 니 편 된 거 아니니까
케이 알았어 알았어, 착각 안 하고 그 놈들 죽여줄 테니까 (손 내민다.)
경수 (USB안주고 머뭇머뭇) 여기 있는 새끼들… 진짜 악마들이야.
케이 그러니까 고담이 빼 뒀겠지. 협박거리든 기삿거리든 뭐가 돼도 될 테니까.
경수 너 진짜 다음번에 만나면 내 손으로 꼭…
케이 예~ 예~ 다음에 꼭 잡으시구요~ (손 더 내밀며) 이제 좀 주지?

경수, 더 머뭇거리다 케이에게 USB를 넘긴다.

케이 (USB 낚아채자마자) 구 쌤이 너가 배신한 거 알면 엉엉 우시겠다.

경수 그 전에 내가 너 잡을 거야!

케이, 메롱, 혀 내밀고 어둠 속으로 사라진다.

23. 검찰청 / 낮

검사실로 녹즙 가지고 들어오는 배달원.
직원들, 얼굴도 보지 않는다.
녹즙 배달원이 검사실을 빠져나가는데, 얼굴을 보면 '미애' 다.
젊은 검사가 녹즙 가지고 바로 자기 방으로 들어간다.
녹즙 까서 마시는데, 점점 비워지는 병 안에 검은 괴물인형이 들어있다.

검사 쿠엑!!

검사, 켁켁거리다 손가락을 쑤셔 넣어 병 안의 검은 괴물인형을 꺼낸다.

검사 아니 장난하나

축축해진 검은 괴물인형 당겨 꺼내자, 거기에 달려있는 포지티브 필름 한 프레임.
꺼내서 형광등에 비춰보던 검사의 눈이 흔들린다.
손에서 떨어지는 녹즙 병. 바닥에 쫙 퍼지는 초록색 액체.

24. 안경 가게 / 낮

안경 새로 맞추는 중년 남자. 시력 검사실에
하얀 스크린 화면.
안경사 -김수용(고담 사건 피해자)- 가 안경을
주며 말한다.

안경사 이거 쓰고 한 번 보시겠어요?

하얀 화면을 보는데, 안경으로 보이는
화면은 다르다.
알몸으로 노래 부르는 중년 남자 본인의
모습이 나타난다!

중년 남자 뜨헙!

안경 냅다 벗어버리면 다시 흰 화면. 다시
안경 쓰면, 또다시 보이는 알몸 열창.
안경 후다닥 벗고 보면, 안경사 없고 안경사
있던 자리에 놓여있는 검은 괴물인형.

25. 인서트 / 낮 - 밤

- 낮. 정원. 강아지 입에 물린 무언가를 빼내는
강아지 주인.
'지지야! 그거 버려!' 강아지 입에서 빼내면,
축축한 검은 괴물인형.

- 낮. 외제차 안. 자리에 있던 검은 괴물인형을
밖으로 던져 버리는 여자. '뭐야 이게'
시동 켜자, 차량 내부 LCD에 재생되는

CCTV 영상.

- 밤. 냉장고 앞에서 돌처럼 굳은 남자. 냉장고
화면 속에서 재생되고 있는 것은,
작은 차에 기절한 듯한 사람을 싣고 있는
남자의 모습. (차 내부 블랙박스 영상)
남자가 밖으로 나가자 곧바로 차 안은 매캐한
연기로 가득 찬다.
'뭐해?' 뒤에서 목소리 나자, 당황한 남자가
화면을 가리려 냉장고 문을 연다.
'어..아니야' 냉장고 안에 들어있는, 검은
괴물인형과 마주하는 남자.

- 낮과 밤. 검은 괴물인형을 받아 든 사람들의
당황한, 겁먹은, 불쾌한 표정들.

26. 미애의 아파트 입구 / 낮

눈에 띄지 않는 옷에 검은 모자, 마스크 쓴
미애가 아파트 입구로 들어선다.
어두운 기운이 달라붙는다, 했더니 등 뒤에
바싹 따라오는 구경이.

구경이 바빠 보이네. 그러고 다니면
지나가던 개도 수상하게 보겠다
미애 (멈춰 서서) 왜 여기까지 오셨어요
구경이 니가 나한테 할 말 있는 거
같아서.

구경이가 미애를 제치고 지나간다. 앞서 가는
구경이 뒷모습 보는 미애 표정.

27. 어린이재단 정원 / 낮

땀을 뻘뻘 흘리며 나무를 심는 용 국장. 어린이
재단 나무 심기 행사.
방금 심은 나무에 손을 대고 눈물을 흘리는
용 국장.

김 부장 국장님?
용 국장 나무요, 누가 뭐래도 그 자리에
꿋꿋- 하게 서 있잖아. 비가 오나 눈이
오나…
김 부장 바람이 부우나… 그리웠던 삼십
년 세월…
용 국장 같이 확 심어 버리기 전에 절로
가!

김 부장이 입을 삐죽대면서 멀리 간다.
다른 사람들도 열심히 나무를 심는 중. 그 중에
나제희의 모습도 보인다.
'미래의 희망, 푸른 어린이들을 위한 숲 조성'
현수막 펄럭이는데 -
기자들의 관심은 용 국장에게 쏠려 있다.

기자 국장님, 상황이 이런데 - 나무만
심지 마시고 한 말씀 해주셔야죠!

용 국장, 계속되는 기자들의 질문에 삽을 들고
나선다. 기자들이 주춤, 한다.
삽을 고이 바닥에 꽂아 놓고, 옆에 서서 손을
모으는 용 국장.

용 국장 사실 관계를 떠나서, 이런 소동이
일어난 것에 대해 무엇보다 한 아이의
부모로서 많은 분들께 죄송합니다.

용 국장이 허리를 숙이자, 터지는 플래시.
용 국장, 허리 펴고.

용 국장 무엇이 진실이고 거짓인지는 곧
밝혀지리라 믿습니다.
허현태 군이 지금 당장 국내로
들어오지 못 하는 것은 국익이 걸린
비즈니스 관련이니 부디 양해해주시기
바랍니다…

나제희가 기자들을 보는데, 그 중 하나가 용
국장 말 끝나기 무섭게 -

기자 살인자들!

소리 지르며, 용 국장에게 알 수 없는 액체를
뿌린다.
취이익-! 소리 나며 연기 피어오르고, 용 국장
얼굴을 감싸 쥐고 비명을 지른다.

나제희 국장님!

사람들 우르르 달려와 용 국장 에워싸고
기자들은 신이 났다.
얼굴이 녹아내리는 듯한 고통에 데굴데굴
바닥에 구르는 용 국장.
나제희가 재빨리 뛰어와서 용 국장 얼굴에

재킷을 덮어 가린다.

28. 병원 / 밤

미이라 수준으로 얼굴에 붕대를 둘둘 감은
용 국장이 베드에 앉아있다.
찰칵, 소리 난다. 구경이가 용 국장 사진을
찍는다.

김 부장 보자보자 하니까… 선을 아주
넘네?

김 부장이 뒤춤에 꽂아 둔 '진짜 권총'을
만지작하며,

김 부장 기념이라도 하실라고?
용 국장 (구경이에게 가려는 김 부장 손으로 막는다.)
구경이 전 그런 쓸데없는 짓 안 해요. 이제
토끼 새끼 기자회견 잡으세요

구경이 병실 밖으로 쌩하니 나간다.

용 국장 (붕대 사이로 허탈하게 달싹달싹, 목이 다친
듯 속삭) 오키오키

29. 벙커 룸 / 아침

목검 든 채 벽에 기대 앉아 꾸벅꾸벅 졸고
있는 허현태.
똑똑 소리에 긴장해서 문을 보는데, 들어오는
스타일리스트 원 원장.

허현태 (안도, 울먹) 원장니임!

미용 케이프 확- 펼쳐지며, Cut to.
한결 멀끔해진 현태. 헤어 받으며 A4용지 보고
중얼거리는 중.

허현태 '최첨단 기술로 선량한 한 사람을
모함하는 것은 얼마나 쉬우며,
이 거짓으로 저희 어머님이 얼마나
큰일을 겪으셔야 했는지… 흐흐흑…
말을 잇지 못한다.' (원 원장에게) 이거 워터
프루프로 했죠?
원 원장 당.연.하.지.
허현태 뭐 날라오고 그런 건 아니겠지?
원 원장 사람들이 우리 왕자님 얼마나
좋아하는데! 베테랑 경비들 철저하게
세우구 나머지도 토깽이 지키는
팬들로만 채운다구 안심 안심이래.
허현태 (괜히 좋으면서) 아이 너무 짠 거 같이
그렇게 되면 민망한데에-

원 원장, 어깨 으쓱 하는데 띠링, 문자 들어오는
소리 난다.

원 원장 잠시만. 용 국장님 연락일 수도
있어서. (문자확인하더니 코웃음 친다.)
어머, 요새는 이렇게 허술하게들 피싱을
하네. '니 가족이 너를 죽이려고 한다.
막고 싶으면 현금 10억을 준비하라?'
발전이 없어요, 얘네가.
허현태 잠깐. 줘 봐.

원 원장 엥? 이거 내 폰인데.

현태, 달라는 강한 제스처에 폰 넘기는 원 원장.
문자 다음으로 곧 음성 파일 하나 들어온다.
재생하는 현태.

허성태(E) 더 이상 그 새끼가 사고 칠
걱정도 없고?
원 원장 응? 허 의원님이에요?
허성태(E) 그러네… 그 새끼만 죽으면
어머님도 편하고 나도 편하고 세상도
편하네. 죽여줘. 죽여주세요.
원 원장 (살짝 긴장) 피싱이 열정이 넘친다.
그렇지?

현태, 손에 쥔 폰 부서질 듯 부들거린다.

허현태 아… 시끄럽네. (원 원장 노려보며)
잠깐 나가지?

30. (교차) 호텔방 - 벙커 룸 / 아침

커튼이 쳐져 있는 어두운 방. 커튼 틈 사이로
빛이 조금 들어오고,
전화를 하고 있는 케이의 실루엣이 보인다.

케이 들었으니까 알겠지. 조작 아닌 거.
니 그 영상처럼.

- 벙커 룸의 현태가 눈에서 레이저를 쏘면서
전화를 받고 있다.

케이의 목소리가 변조되어 들린다.

허현태 우리 엄마도… 알고 있냐?

- 호텔방의 케이.

케이 그건 니가 직접 물어봐 등신아.

앞에서 팍팍! 소리 난다. 스케치북에 할 말 줄줄
써 놓은 건욱.
'욕 금지' '열 받는 말투 금지' '발 연기 금지' 팍팍
치고 있는 건욱.
케이, 소리 죽여 오케이- 오케이- 표시.

케이 너 죽이고 싶은 사람이 너네 형뿐인
건 아니거든.

- 벙커 룸 / 호텔방.

허현태 현금 10억이 하루아침에 안 되는
건 알지.
케이 그럼 죽어.
허현태 일단 5억, 내가 완전히 안전해진
다음에 5억.

케이, 무음으로 오 대박 대박 하고 있다.

허현태 내가 완전히 안전해진다는 게
무슨 뜻인지 알지?
케이 너 죽이고 싶어하는 사람, 싹 정리해
줄게. 내가 시키는 대로 할 수 있나?

현태, 거울을 본다.

허현태 다 해. 대신에 너도 제대로 못 하면
죽을 줄 알아.

31. 호텔방 / 아침

소파에 늘어져 있다가 벌떡 일어나는 케이.
손가락으로 건욱을 가리키면,

건욱 (현태 흉내) 다 해, 대신에 너도 제대로
못 하면 죽을 줄 알아
케이 아, 겁나 더 비장하게!! ㅋㅋㅋㅋㅋ

까무러칠 듯 웃는 케이. 웃다가 자빠진다.

케이 (웃음 잦아들면서) 아 진짜 죽이고 싶다.
형제가 서로 죽여 달라고 난리네.
건욱 10억이 뉘 집 개 이름이고
케이 안 아까워? 10억, 20억이면 싹
다 바꾸고 살 수 있잖아 어디 스페인
남부 별장 같은데 가서~ 애인이랑~~
같이~~~
건욱 왜 스페인데?
케이 몰랐어? 나 카산드라잖아~ 올라!
그라씨아스-
건욱 어 씨 맞네. 니는 빠져나갈 구멍이
있네.
케이 마음이 좀 흔들흔들해?
건욱 아니. 허현태는 진작 치웠어야 되는
새끼잖아. 너는?

케이, 소파에 벌러덩 누워서 거꾸로 건욱이를
쳐다본다.

케이 내가 그런 새끼를 봐줄 거 같냐?

32. 여기저기 / 아침

각자의 장소에서 각자의 얼굴만 보이는
구경이 팀.
- (병원) 거꾸로 보이는 구경이의 얼굴.

구경이 고담 때랑은 달라. 케이는 고담을
죽이고 싶어 했으니까.

- (차 안) 운전석에 앉은 경수의 왼쪽 프로필.

경수 허현태도 죽이고 싶어 하잖아요

- (기자 회견장) 입구로 들어가는 나제희의
오른쪽 프로필.

나제희 죽일 놈들이 편해지는 게
싫다잖아. 나 살려 둔 이유도 그거였어.

- (슈퍼마켓) 식칼 코너에 서 있는 산타의
뒷모습에서 -

산타 (AI보이스) 죽이느냐 살리느냐 그것이
문제로다
구경이 …햄릿?
산타 (AI보이스) 죽어서 가는 지옥보다

고통스러운 건, 살아서 겪는
생지옥이라오.
나제희 어째 지금 상황이랑 딱 맞는
대사네
경수 …케이가 어떻게 할까요?
구경이 허현태가 모습을 드러내면,
생지옥을 보여주겠지.

33. 기자 회견장 / 낮

넓은 홀의 기자 회견장. 기자들 수십 명이
카메라와 노트북을 뻗쳐 놓고 앉아있다.
대통령 경호 수준으로 빽빽한 경호 인력들이
공간을 장악하고 있다. 경찰들도 주시 중.
나제희가 바짝 긴장하여 주변을 둘러본다.
나제희 시선 끝에 걸리는, 경호원의 총.

34. 비포장도로 / 낮

주변이 산으로 둘러싸인 비포장도로. 반경 1km
안에 아무도 없어 보인다.
김 부장이 운전하고 머리에 붕대 두른 용
국장이 뒤에 탄 차가 뽈뽈뽈 등장해 선다.
반대쪽에서 등장하는 비슷한 느낌의 세단이 용
국장 차 바로 옆에 선다.
뒷좌석에서 창문을 내리는 허현태. 뒷좌석끼리
통창이 된다.

허현태 어머니도 알고 계셨어요?
용 국장 (갸웃)

현태가 폰을 꺼내 파일을 재생한다.
그 속에서 흘러나오는 허성태의 목소리.
현태를 죽여 달라는 내용이다.
폰을 건네받은 용 국장, 붕대 칭칭 감긴 손을
부들부들 떤다.

허현태 형 정치 인생에 도움되라고 세상
바른 사람인 양 국민 아들 노릇 하게
해 놓고, 이제 와 죽으라고요? 내가 왜
이렇게 됐는데!

현태가 떠드는 사이에, 현태 차 트렁크 문이
살짝 열리며 안에서 케이가 굴러 나온다.
살금살금 용 국장 차로 향하는 케이.

허현태 영상 까발려진 거? 차라리 잘
됐다고 생각해요. 지긋지긋했거든요. 속
없이 웃고 손 하트 날리는 거.

용 국장, 차에서 내리려 하면 현태가 길다란
팔을 내밀어 용 국장의 차문을 쾅 닫는다.

허현태 어머니 말 듣는 거 이번이
마지막이에요. 기자회견 끝나자마자
이 나라 뜰 거고, 거기서는 내 맘대로
싸지르고 다니면서 살 거야!

창문 올리며 차 출발시키는 현태. 현태가 준 폰
집어 던지는 용 국장.
김 부장, 그런 용 국장 눈치 보며 차
출발시키는데 - 차가 덜커덩 덜커덩거린다.

김 부장 어어어-- 이게 왜 이래.

김 부장, 차에서 내려서 보면 펑크가 나서 아예 주저 앉아있는 타이어 바퀴 둘.

김 부장 잉? 이게 어쩌다가… 비포장이라 그런가?
케이 (Off sound) 비포장이라 그런가?

김 부장, 휙 돌아보는데 - 시야에 시꺼먼 총구가 보인다.
총구 뒤로 보이는 생글생글 케이의 얼굴.

케이 쏴?

35. 기자 회견장 / 낮

무대 위로 누군가 나오고, 기자들의 플래시가 파바바바박 터진다.
가운데로 나와서 90도로 인사를 하는 재단 관계자.

관계자 (마이크를 잡고) 미국에서 입국하는 허현태 씨의 비행기 연착 관계로, 기자 회견 시간이 잠시 미뤄지겠습니다.

기자들의 볼멘소리 나오는데 - 경호원들이 쳐다보자, 목소리 줄어든다.

나제희 분위기 쎄-하네.

조명 켜지고, 수십 명 - 옷을 맞춰 입고 토끼 귀를 한 허현태 팬클럽이 일렬로 들어온다.
'우리는 허현태의 진실을 믿습니다' 커다란 현수막을 펼치자 웅성거리는 사람들.
나제희가 팬클럽 멤버들 한 명 한 명을 유심히 본다. 케이를 찾듯이…
그 때, 팬클럽 멤버 중 한 명이 '검은 물체'를 손에 쥐고 있는 게 보인다.

나제희 !

가까이 가보는 나제희, 팬클럽 멤버가 몸을 돌리는데 - 손에 든 건 양갱이다.
맛있게 양갱 먹는 팬클럽 멤버. 나제희, 그 모습을 보니 오히려 더 긴장된다.

36. 비포장도로 / 낮

김 부장, 도리도리 하는데… 이마 정중앙에 쏘아지는 마취총.
김 부장이 흐물텅 흐물텅거리는데 허리춤 사이로 진짜 실탄 총이 보인다.

케이 대박. 이런 것도 가져왔어?

쓰러지는 김 부장에게서 총만 확 낚아채는 케이.

케이, 뒷좌석 문 열면 막 나가려는 용 국장 보인다.
용 국장의 붕대 두른 뒤통수에 총구 들이대는 케이.

케이 그만 가만! 이거 진짜 총이에요~

멈칫하는 용 국장. 부와앙 굉음을 내면서 옆에 와 서는 차.
차의 뒷문이 톡 열린다. 운전석에 앉은 건욱이 보인다.

케이 얌전히 타면 지금은 안 죽일게

용 국장이 휙, 케이를 보면.

케이 나중에? 나중에는… 가서 생각할까?

케이, 용 국장의 머리에 복면을 씌우고 옆 차 뒷좌석으로 용 국장을 처넣는다.

37. 기자 회견장 / 낮

플래시 심하게 팡팡팡팡 터진다. 허현태가 도착한 것.
보안 요원에게 겹겹이 싸인 채 엄중한 경비를 받으며 마이크까지 다다르는 현태.

38. 도로 / 낮

복면 쓴 용 국장, 팔 뒤로 묶인 채 뒷좌석에 엎어져 있다.
복면 천 사이로 비춰 보이는 건욱과 케이의 모습. 손목을 부벼 보지만 풀리지 않는다.
(탈출 전문 케이는 결코 허술한 방법으로 손을

묶지 않는다.)

건욱 허현태는 그걸로 끝이가?
케이 우웅? 끝이라니~ 이제 시작이지!

용 국장, 몸을 발작적으로 뒤트는데 - 브레이크 콱! 밟는 건욱.
우당탕 하면서 용 국장의 몸이 좌석 밑으로 굴러떨어진다.
차 바닥에 얼굴을 처박는 용 국장.

케이 편-하게 누워 가세요~

부와앙- 달려가는 차.

39. 기자 회견장 / 낮

허현태 먼저 국민 여러분께 심려를 끼쳐 드려 대단히 유감…
소리 ('뭐가 살쪄!'톤으로) 야!! 죄송해야지!

현태, 갑자기 튀어나온 소리에 살짝 머뭇.

허현태 …죄송… 유감입니다.

현태, 빠르게 눈으로 방금 소리 지른 사람 찾는다. 팬클럽 중에 서 있는 여자는, 어린이집 관계자다.

- INS. 9화 S#16. 현태한테 김치 받아먹으며 끈적한 눈빛을 나누던 어린이집 관계자의 모습.

허현태 (살짝 당황한 표정으로) 눈덩이처럼 불어나는 거짓들을 더이상 묵과할 수 없어…

보안 요원들, 소리 지른 사람 찾아가 처음에는 곱게 데리고 나가려고 하는데 -

관계자 죄송하라고!!! 나 봐요 아저씨!!! 토깽이 니가 나한테 이럴 수 있어!?

관계자, 발성이 대단하다. 현태가 뭐라고 말을 이어가 보지만 발성에 다 묻힌다.

허현태 (관계자에게 난처한 기색 표하며, 손가락으로 앞쪽 뱅뱅 돌리며) 여기 정리 좀

현태 팬클럽들, 그 손짓에 발끈.

팬클럽1 현태야! 나이도 있으신 분한테 이건 아니지!
관계자 이거 놔요! 나!
팬클럽2 현태오빠 계속 말해요! 괜찮아! 괜찮아!

보안 요원들의 움직임이 거칠어지자 팬클럽 회원들이 넘어진다.

팬클럽들 아구구 아구구! 사람 살려어!!!

더 커지는 소동. 흥분한 팬클럽들이 보안 요원들과 몸싸움한다.

허현태 (심호흡 후 무시하고) 최첨단 과학 기술이 선량한 한 사람을…
팬클럽3 (하유미 톤으로) 서언랴앙?

팬클럽 회원들이 무대로 몰려들고, 난리가 난 사이에 무대 앞을 막고 있던 보안 요원 중 하나가 일부러 무대로 가는 길을 터주듯 뒷짐을 진다.
갑자기 터진 길에 엥? 하고 쳐다보는 팬클럽3.
보안 요원 - 고담에게 계약해지 당했던 25시가디언즈 경호 팀장이다! - 이 씩 웃는다.

경호 팀장 (낮게) 이쪽으로 가세요
팬클럽3 (오케이 하고 무대로 질주) 허현태애애!

봇물 터지듯 허현태에게 달려드는 팬클럽들. 뒷덜미 낚아채진 허현태, 몰매 맞는다. 나제희가 사람들 헤치고 가서 허현태 보호하려는데 쉽지 않다.

허현태 살려!! 살려 줘!!

현태, 머리채 쥐어뜯기고 얼굴 밟히고 난리법석! 아악! 아아아악!

---

40. 화장실 / 낮

아주 망원으로 꽉 차게 보이는 구경이 얼굴. 거울을 보던 구경이가 심취 - 한 듯이 눈을 감고, 노래한다.

구경이 나도 모르게 겁이 나요 꼭 붙어줘
같이 처음부터 시작해요 우리의 시간
나는 당신을 믿을게요---

노래 마지막 부분이 기괴하게 에코 생기면서
울려 나가고 --

41. 극장 무대 위 / 낮

사람이 아무도 없는 텅 빈 극장. 사용한 지
오래되어 보이는 무대.
두건 쓴 채 휠체어에 묶여 있는 용 국장.

케이 아줌마처럼 특별히 지나치게 나쁜
사람은 그냥 죽일 수가 없으니까
뭐 좀 해보려고

두건 확 벗기는 케이. 붕대가 너덜너덜한 용
국장이 푹 고개를 숙인다.

케이 나이 드셔 가지고 체력이 딸리시나
보다

케이가 뱅글뱅글 휠체어를 잡고 몇 바퀴나
돈다. 휘청휘청 하는 용 국장 몸.
휠체어 멈추면, 붕대 사이로 뜬 눈을 휙
들여다보는 케이.

케이 어우, 눈꺼풀도 다 녹았네. 그래도
보이긴 보이죠?

끄덕, 하는 용 국장.

케이 고담이 되게 열심히 했더라고요.
거기에 명장면이 많더라.
요새는 어디에나 보는 눈이 있는데,
사람들이 의외로 그걸 우습게 생각해

건욱이가 태블릿 PC 갖다준다. 케이가
재생시키면,

중년남자 (노랫소리) 잊지 못할 첫 사랑~
소녀~ 분홍빛 기억~
케이 (질겁) 아우 왜 이거부터 나와! 이게
털이야 팬티야? 웩

자기는 보지 않고 화면을 용 국장한테
들이미는 케이.

케이 얼굴 보니까 알죠? 무슨 나라에서
높으신 분이라던데.

- INS. 11화 S#24 안경점의 중년남자. 모자를
눌러쓰고 으슥한 국도변에 닿는다.

케이(V.O) 옷 다 벗고 노래 부르는 거야
자기 자유지. 나도 샤워할 때 노래 불러.

등산 가방을 둘러메고 폐업한 '맑은 휴게소'
안으로 들어간다.

케이 근데 이런 짓은 안 하거든.

재생되는 영상 이어지며 소리만 들린다.
남자들의 왁자한 웃음소리 뒤에
여자의 비명 소리. 그걸 보는 용 국장만
움찔움찔.

케이 이 사람이랑 아줌마 중에 한 명만
죽이고 싶은데, 누구를 죽일까?

용 국장, 이게 무슨 소리냐는 듯 케이를 슬쩍
돌아보는데 – 진지한 케이 얼굴.

케이 누구 죽여?

붕대 감긴 검지손가락을 천천히 들어 올리는
용 국장. 케이가 손을 확 잡으면서,

케이 어어엉~ 아직 아직. 뭐가 이렇게
마음이 급해요 등장인물 아직 다
나오지도 않았는데.

– INS. 11화 S#25 외제차에 탔던 여자. 차마
휴게소까지 가지 못 하고
입구에서 차를 대놓고 입술을 깨물고 있다.

케이(V.O) *어린 딸 아파서 죽었다고 사연*
팔이 엄청 했는데, 그 집 베이비 캠이
자동 저장되고 있는 건 몰랐던 거지.

화면 속. 아기 우는 소리. 신경질적으로 냉장고
문을 닫는 여자의 모습. 울음소리 끊긴다.

케이 지우면 뭐하나,

– INS. 휴게소 안으로 들어와서 주변을
둘러보고 있는 검사.

여전히 화면 보고 있는 용 국장. 화면 속.
핸드폰으로 촬영된, 군복 입은 검사가
누군가를 폭행하면서 낄낄거리는 장면.

– INS. 휴게소 안 검사가 누군가가 유리 밟는
소리에 휙 돌아보면,
강아지 입에서 검은 인형을 빼냈던 사람(11화
S#25 – 이하 개 주인).

케이 한 번 나쁜 사람은 계속 나쁜
사람인데.

42. 폐업한 휴게소 / 낮

검사 당신이야?
개 주인 …
검사 당신이 메세지 보낸 사람이냐고!
이거 협박죄인 거 알지?

개 주인, 땀을 뻘뻘 흘리며 아무 말도 못 하고
있는데 구석에서 사람들 그림자가
하나둘씩 걸어 나온다. 다들 어떻게든 얼굴을
가리려고 안간힘을 쓴 모습.
냉장고 남자, 외제차 여자, 중년 남자…, 스무
명의 사람들 모인다.

냉장고 남자 전부 다 메세지 받은 겁니까?

갑갑 그러면 지금 가방에 갖고들 온 게 진짜 현금 1억? 와 사람들 돈 많네

을을 그쪽도 같은 이유로 온 거 아니야?

검사 진짜로 돈 갖고 오면 지워준단 말을 믿은 겁니까?

냉장고 남자 지도 믿었으니까 왔으면서

검사 저는 협박범 잡으러 왔습니다!

을을 가방이 무거워 보이시는데요?

검사, 긴장하면서 가방을 뒤로 뺀다.

개 주인 협박한 사람… 누군지 아시는 분?

모두들 …

냉장고 남자 이 중에 있는 건 아니겠죠?

병병 나타나겠죠, 다들 1억씩 들고 왔으면 돈이 장난이 아닌데.

검사 (재빠르게 눈으로 훑고) 스무 명? …이십억?

외제차 여자 저기 한 명 더 있는 거 같던데요

시선 돌아간 곳에 커다란 곰돌이 인형. 눈이 반짝인다.

케이(V.O) 용 언니한테는 그렇게 어려운 질문이 아닐 거 같은데-

43. 무대 / 낮

곰돌이 인형 눈 캠으로 보이는 휴게소

내부 모습. 소리는 들리지 않고 웅성거리는 사람들의 모습만이 보인다.

케이 누가 더 나쁜 사람이야?

지이잉 모터 돌아가는 소리와 함께, 멀리서 (터치 앤 고) 장난감이 용 국장 쪽으로 다가온다. 하나는 거북이, 하나는 토끼 모양. 등에 누를 수 있는 커다란 버튼이 있다. 거북이에 등에는 '20명', 토끼의 등에는 '허현태' 라고 적힌 깃발이 꽂혀 있다.

케이 스무 명을 죽이고 아들을 살리실래요? 아님 스무 명 목숨 살리고, 아들을 죽이실래요?

발을 동동 구르면서 화를 내는 용 국장.

케이 알겠지만, 용 언니가 하는 선택도 다- 남을 거라는 거.

용 국장 맞은편 커다란 스크린에 실시간 용 국장의 모습이 '상영' 된다. 케이 뒤에 있던 카메라가 실시간으로 용 국장의 정면을 찍어 보여주고 있는 것. 남들의 죽음을 바라는 거대한 자신의 이미지와 대면해 앉은 용 국장.

건욱 야 너무 바쁘다! 스탭 나 혼자냐?

케이 투덜거리지 마! (용국장에게) 용 언니가 허현태를 살리겠다고 하면,

저기 있는 폭탄이 터져서- 깔끔하게
전부 죽을 거야. 용 언니가 20명을
살리겠다고 하면, 허현태가- 터져서
죽겠지?

용 국장, 끄으응 소리를 낸다.

44. 폐업한 휴게소 / 낮

외제차 여자를 따라서 휴게소 내부를 조심스레
걸어가는 나머지들. 몇 명은 떨면서 자리에
있고, 나머지는 따라가 본다.
누군가 어둠 속에서 신음 소리를 내고 있다. 곰
인형의 등에 묶여 있는 한 사람.

외제차 여자 살아… 있어요?
개 주인 어, 나 저 사람 아는데.
검사 …허성태 후보?

만신창이가 된 채 앉아 있는 허성태.

45. 무대 / 낮

잔뜩 신난 케이.

케이 용 언니가 아들 하나 희생해서 스무
명 살리고 싶다고 하면은,
그 인간들 어떤 인간들인지 알지만 내가
한 번 봐줄 거야.
건욱 낚시꾼이 바다에 있는 물고기 전부
다 못 낚으니까.

케이 근데 과연 저 인간쓰레기 같은 스무
명이 귀여우신 아들보다 살 만한 가치가
있을까?

케이가 두 버튼을 들고 용 국장의 얼굴
앞으로 가져간다.

케이 머리로 쿵 누르는 거예요, 알았지?
10초 안에 안 고르면 둘 다 죽인다.
(지체 없이) 10!

- INS. 11화 S#39. 기자 회견장에서 쳐 맞고
있는 허현태.

케이(V.O) 9! 8! 7! 6!

- INS. 20명들의 구경거리가 된 허성태. 곰
인형의 배꼽 부근에 빨간 불이 들어온다.

케이 5! 4!… 3 2 1!

용 국장이 토끼에 달린 '허현태' 버튼을 쿵!!!
하고 누른다.

케이 어…?
용 국장 (비명을 지르며 웅크린다.) 으 으 으!!!
케이 (건욱이보면서) 이건 너무 의외 아니냐?

건욱이 박수를 친다.

건욱 와 씨 감동 있다!

케이 혹시 알았나? (용 국장앞으로 가서) 용 언니! 거기 허성태 있는 거 알았어?

용 국장이 흐엉? 하면서 일어난다.

케이 울지마 울지마! (카메라 가리키면서) 어우, 우리 용 언니는 망나니 둘째 아들 죽이고 대신에 미래가 밝은 첫째 아들을 살리셨습니다!

곰 인형 눈 캠 통해 보이는 화면. 휴게소 사람들이 묶여 있던 허성태를 풀어서 들여다보고 있다. 용 국장이 그걸 보고 다시 흑흑 거리며 어깨를 떤다.

케이 생면부지의 인간쓰레기 스무 명을 살렸더니 이거 봐, 복이 있잖아! 사람은 이래서 착하게 살아야 되는 건데… 허현태는 죽일 놈 맞았어요. 나한테 자기 엄마, 형 다 죽여 달라 그랬거든. 그렇지?
건욱 그랬지
케이 (콧구멍 벌름벌름) 근데? 여기서 반전 들어갑니다.

지이잉- 모터 소리와 함께 다시 가까이 오는 버튼 달린 용 모양 장난감.
용 장난감 등에는 '용 언니' 라고 적힌 깃발이 달려있다.

케이 (연극 톤으로) 수만 명의 사랑을 다 끌어모아도, 오필리아를 향한 내 한

사람의 사랑보다 못한 것을! 도대체 너는 오필리아를 위해 무엇까지 할 수 있겠느냐?

용 장난감을 용 국장에게 들이미는 케이. 한 손엔 다시 거북이 장난감.

케이 내가 저 스무 명이랑 용 언니 중에 한 쪽만 살려줄 거거든.

삐- 소리 나며 용 국장 휠체어 뒤에 붙어있는 폭탄의 불이 켜진다.

케이 이거는 누르면 우리 용 언니가 바로 터질 거야. 그러니까 안 미끄러지게 조심하시고. 스무 명의 사람들이냐, 용 언니냐? 길게 안 가져갑니다. 10! 9!
건욱 (같이) 8! 7!
케이 6!

용 국장, 재지 않고 곧바로 자신이 터지는 버튼을 머리로 누르려고 한다.
케이, 그걸 보고 곧바로 버튼을 뒤로 빼면서 용 국장 이마를 턱! 잡는다.

케이 뭐야 왜 이렇게 판단이 빨라.
건욱 거기다 희생적이고. 재미없게.
케이 은근히 착한 척하는 타입이네. 재수 없게.

케이가 용 국장 가까이 다가가는데, 말하고

나니까 뭔가 쎄한 느낌이 든다.

케이 …

케이, 용 국장을 물끄러미 보다가 용 국장의
얼굴 붕대를 천천히 벗겨본다.

건욱 얼굴 보면서 죽일라고?

케이, 대답 안 하고 계속해서 붕대를 풀어낸다.
붕대가 다 풀리자, 케이가 용 국장의 얼굴
피부를 손으로 마구 뜯어낸다.
마침내 드러난 맨 얼굴.

케이 아!!! 아씨아!!! 아아아아아!! 아
짜증나!!! 짜증나!!!!아!!!!!!아!!!!!!!!아
아아아아!!!

케이, 머리 쥐어 뜯으며 방방 뛰었다가
데굴데굴 굴렀다가 짜증 폭발.

케이 아!!! 진짜 아!!!!!!

벌러덩 주저앉는 케이. 앞의 휠체어에 앉은
사람은 -
구경이다.

구경이 이제 알았니?

———— 〈11화 끝〉 ————

1. 연극 무대 / 낮

붕대 속 인물이 구경이인 것을 알고 열불 터져 하는 케이의 모습.

케이 (아진짜! 이건 아니지이이!)

하지만 케이의 소리는 들리지 않는다. 들리는 소리는, 달리는 기차의 배경음.

구경이 걔는 어리고, 혼자잖아.

구경이의 정면 얼굴.

2. 과거. 기차 안 / 아침

터널 밖으로 나오는 기차. (11화 S#1 후 상황)
팀원들 다 진심이냐는 얼굴로 구경이 쳐다보는데 -

구경이 이게 우리가 용 국장이랑 케이를 한 번에 잡을 수 있는 방법이야
경수 예? 케이가 허현태 죽이도록 놔두는 게요?
산타 (구경이 앞에 손을 흔들면서, AI보이스) 조사관님 괜찮으세요?

산타의 손이 앞에서 붕붕 하는데도 눈 깜빡 하지 않는 구경이.

산타 (AI보이스) 조사관님이 눈을 안

감으세요…
나제희 건드리지 마. 뭔가 엄청난 그림을 그리고 있는 중인 거 같다.
경수 빅- 픽- 처-?
케이 (짜증) 으아아아아아아아악!!!

기차 칸 구경이 옆자리에 앉아 있는 현재의 코스튬한 케이.

케이 짜증나, 개짜증나!!!! 짜증나 진짜!!!!!! 나는 허현태가 개자식인 거 알기도 전이었는데 뭔 빅 픽 처 야 !!!!!
구경이 아무렴 살인자한테 그런 거 넘기면서 아무 대책도 없었을까.

3. 과거. 절 근처 산길 / 아침

11화 S#5 현태가 절에서 도망쳐 나와 구경이-나제희 맞닥뜨린 직후.

허현태 여기 타라고? 여기?

허현태, 어기적어기적 트렁크에 탄다.
구경이, 도리도리 고개 흔들며 포대 자루 내민다.
허현태 옷 입은 케이, 입 비죽 내밀고 포대 자루에 다리 집어넣으며

케이 그때 허현태 빼돌린 거 쌤이었어? 왜? 죽이라고 영상 줘 놓고 구하는 건 무슨 심보야?

나제희, 케이의 목만 내놓고 포대 자루 입구 꽁꽁 묶는다.

구경이 용 국장한테 내 능력 보여주기 딱 좋지. 너보다 한발 앞서서 허현태를 구했으니까.
케이 능력 보여줘서 뭐하…

하는데, 케이의 입에 재갈 물려 버리는 나제희. 케이, 찌릿 -

4. 과거. NT생명 로비 / 밤

11화 S#18 상황. 청소 노동자 옷 입은 케이, 건욱의 배철수 선글라스 쓰며.

케이 허현태 그거 내가 푼 거 아니야.
건욱 그럼 누가 한 건데
케이 허현태를 보는 눈이 많아지면 걔가 안전해질 거라고 생각했겠지. 이런 미친 짓 할 사람이-
구경이 나였지. 근데 이유가 그거였을까?

구경이, 건욱이 했던 배철수 분장하고 있다.

케이 맞잖아요~ 내가 허현태 죽이는 쪽으로 직행할 거 같으니까 동영상 터뜨려서 다른 가능성을 보여준 거. 그럼 일단 죽이는 건 막을 수 있을 테니까.
구경이 그거는… 반만 맞다.

케이 나머지 반은 뭔데?

5. 과거. 목욕탕 (11화 S#17) / 밤

구경이 앞에 무릎 꿇고 있는 용 국장.

구경이 용 국장이 나한테 손 벌리게 만드는 거.

김 부장 부축받고 일어나는 용 국장 옷 입은 케이.

케이 하… 그니까…

케이, 김 부장 부축 확 팽개쳐, 김 부장 프레임 아웃된다.

케이 나한테 허현태 영상 넘기고 그 인간 빼돌릴 때부터 여기까지 생각했다고?
구경이 내가 이래 봬도 어렸을 때부터 머리는 잘 굴렸단다.
케이 …용 언니 다친 것도 쌤이 그런 거구나!

6. 과거. 어린이재단 앞 (11화 S#27 이후 상황) / 밤

용 국장 …부디 양해해주시기 바랍니다

나제희가 기자들 쪽 보면, 그 중 하나와 눈이 마주친다. 기자가 고갯짓 까딱 하고

나제희가 고 사인을 보내면 용 국장 말이
끝나기가 무섭게 -

기자 살인자들!

하면서 용 국장에게 액체(물)를 뿌리는 기자.
용 국장이 한 손으로 얼굴을 감싸 쥐고 비명
지르며 바닥에 주저앉는다.
바닥에 꽂아 두었던 삽을 툭 치면 안에서
드라이아이스 연기가 피어오른다.
용 국장 손 사이로 보이는 얼굴은 멀-쩡 하다.
나제희가 재빨리 뛰어와 용 국장 얼굴에
재킷을 덮어 가린다.
고개 들면 나제희의 옷을 입은 구경이.

구경이 아예 용 국장 얼굴로 분장하는 건
2박 3일 걸린대서.

7. 과거. 병원 / 낮

멀쩡한 얼굴에 붕대 대충 감은 채 폰에 대고
멀쩡하게 말하고 있는 용 국장.

용 국장 허현태가 기자회견 전에
보자네요.

8. 과거. 구경이의 집 / 낮

구경이 제가 말한 대로죠? 티 안 나게, 잘
숨어 계세요.

용 국장 사진 찍어 온 거 보는 구경이. 거울
보며 머리에 붕대 감는 구경이.

구경이 (노래 부르며 붕대 감는다.) 그대에게 나
반한 것 같아 말은 안 했지만-
너무 멋져 보여요-

붕대 감긴 구경이. 별로 멋져 보이진 않는다.

9. 현재. 무대 / 낮

구경이 기자 회견장엔 아무것도 안
해 놨잖아. 모인 사람들이 알아서 할
테니까. 니 목적은 처음부터 끝까지 용
국장이었어. 진짜 죽이고 싶은 사람…
아니고, 진짜 큰 고통을 주고 싶은 사람.

구경이 앞에 널브러져 있던 케이. 벌떡
일어나서 구경이를 올려다본다.

케이 (양손으로 볼을 감싸 쥐면서) 쌤 나 기분이
이상해
구경이 ?
케이 쌤이 내가 할 거 다 예상하고
나를 갖고 놀았으니까 열받아야 될 거
같은데…
나 이해받는 기분이 들어. 쌤은 왜
이렇게 내 마음을 잘 알아?

케이와 구경이 마주 보는데,

건욱 쇼 그만 하지?

건욱이 케이의 옆에 있던 '용 버튼 장난감'을
들어 올린다.
구경이, 휠체어에 달려있는 폭탄이 다시
의식된다. 아뿔싸…

건욱 (케이에게) 거 앞에 앉아있으면
내장이고 뭐고 니한테 다 터져 나온디

케이, 일어나서 건욱의 손에 들려 있던 버튼
빼앗으려고 한다.

케이 내놔아!
건욱 니가 멍청했다는 소리 밤새 듣고
있을끼가

아슬아슬하게 오가는 버튼 보면서 움찔거리는
구경이.

구경이 (살짝 떨리는 목소리) 얘들아…
그러다가 누른다 너네?
케이 (휙! 버튼 낚아채면서, 건욱에게) 너는
가서 구 쌤이 뭐 안 달고 왔는지나 봐.
떨거지들 주렁주렁 따라왔을 거 같거든?
건욱 (케이에게 바싹) 우리 빨리 처리하고
가야 되는 거 알지?
케이 ㅎㅎ 그걸 쌤한테 물어보려고.

케이가 히- 하고 웃자, 건욱도 따라서 웃고
무대를 빠져나간다.

케이 (용 버튼 장난감을 내려놓으며) 이건 이제
됐고, 퍼스트 띵 퍼스트 으-

케이가 거북이 버튼 장난감을 가지고 온다.

케이 쌤은 내 맘을 그렇게 잘 알면서 왜
내가 하는 일을 안 도와주지?
쌤도 봤잖아요, 여기 모여 있는 사람들
얼마나 나쁜 사람들인지. 인간적으로
내가 쌤한테 솔직하고 진지한 답변을
바라면서 물어볼게. 솔직히, 아니
솔직히. (버튼을 누르려고 손을 올리고 구경이를
올려다보며) 죽여도 되죠?

케이가 손을 올리고, 구경이가 태블릿 PC
화면을 본다.
폐 휴게소의 사람들 모습.
구경이 귓구멍으로 빠르게 들어가는 카메라.
초소형 이어폰 불빛이 깜빡-

경수(V.O) 아직 안 돼요!

10. 현재. 폐업한 휴게소 / 낮

휴게소로 들어가는 경수.

경수 여러분! 이쪽으로 빨리 나오세요!
검사 뭐야 저 사람?

그러나 사람들이 경수를 믿지 않고
주저주저한다.

경수 거기 계시면 죽어요!

중년남자 내가 당신 말을 어떻게 믿어?

개 주인 저 사람이 메세지 보낸 사람
아니야?

갑갑 모르겠고 난 여기서 나가렵니다

외제차 여자 의심스러운데…

경수 의심하면 죽어요!!!

곰돌이 인형 배에 불빛이 깜빡. 깜빡. 동시에,
휴게소 내부 곳곳에 숨겨져 있는 폭탄들 수십
개에 동시에 불이 들어온다.

경수 아직… 안 돼요!!

11. 무대 / 낮

케이의 손이 버튼을 누르려는데 - 구경이
다급하게 외친다.

구경이 내가!

케이 어?

구경이 내가 누르게 해줘

케이, 그 말에 활짝 웃는다.

케이 이건 또 무슨 심경의 변화?

케이가 구경이 쪽으로 다가오는데,
구경이 무릎 위 화면 안에는 언뜻 경수의
모습이 보인다.
구경이, 무릎을 들썩여 태블릿 PC를 바닥에

떨어뜨린다.

구경이 이놈들 한 짓 보니까, 내가 왜
이러고 있나 하는 생각이 드네

케이, 살짝 의심하는 톤으로 -

케이 진작 봤잖아요. 왜 그땐 봐줬는데?

구경이 그때는 버튼이 없었잖아. 한 번
누르기만 해도 이 쓰레기들
한 번에 사라질 버튼이.

케이 사람들이 참 그래요잉? 정작 눈
앞에 있는 사람은 못 때리면서
누가 대신해준다 그러면 과감해져 아주.
용 언니도 그랬지.

케이가 구경이에게 버튼을 내민다.

케이 내가 다 해놨으니까, 쌤은 누르기만
하면 돼요. 하고 나면 얼마나 상쾌하게?
세상이 조금 더 깨끗해진 거 같은 그런?

구경이 김민규랑 박규일 죽이고 나서도
그런 기분이었니?

케이 김민규, 박규일? (피식 웃고 나서)
김섭룡, 한만구, 호송미, 김미진, …
서형원, 이성지, 송소연, 박은주, 설원호,
박두목… 죽이고 나서도
다 그런 기분이었는데.

구경이 나도 느껴보겠네 이번에.

구경이가 이마로 낑낑, 버튼 눌러 보려다가 -

구경이 인간적으로 존엄은 지켜주라.

케이가 빙글빙글 웃으면서 구경이 한쪽 팔만 풀어준다.
하, 한숨을 토하는 구경이.

케이 빨리 눌러봐요. 안 그러면,

케이, 휠체어에 붙어있던 폭탄을 떼서 구경이의 목에다가 붙인다.

케이 (용 장난감 버튼 갖고 와서) 그 기분도 못 느끼고 죽을 수도 있으니까.
구경이 다 됐니?

12. 휴게소 / 낮

휴게소 밖으로 사람들을 간신히 끌고 나온 경수.

외제차 여자 영상은 어디 있는 거야?
검사 (중년남자 알아보고) …김 장관님 아니신가요?

급히 휴게소 주차장으로 들어오는 나제희.

나제희 (경수에게) 전체 파악됐어?
냉장고 남자 (나제희 붙잡으며) 당신도 한패 아니야?
나제희 이거 놓으시죠!
경수 (숨을 몰아쉬며) 스무 명…! 맞아요!
나제희 (돌아서서 구경이에게) 스무 명 다

확보했어요

13. 교차. 무대 / 낮

나제희(V.O) 됐어!
케이 쌤? 나랑 장난치는 거야? 안 눌러??

구경이가 버튼에 손대고 있다.

구경이 누를 거야

구경이 목의 폭탄 불빛.

14. 교차. 휴게소 / 낮

개 주인 근데 아까 그 사람 아직 안 나왔잖아요.
경수 …?
개 주인 허성태요. 아직 저 안에 있는데-

경수, 나제희 - 서로 눈이 마주친다. 아뿔싸!

나제희 잠깐! 선배 잠깐…!

경수, 뭐라고 할 사이도 없이 휴게소 안으로 뛰어들어간다.

15. 교차. 무대 / 낮

버튼을 누르는 구경이.

케이 헐. 진짜 눌렀어?

케이, 다급히 패드 보는데 잠잠한 건물 내부 보인다.

케이 잉 뭐야.

케이의 말이 끝나기도 전에 화면 확 밝아지며 폭- 발-! 카메라 화면 나간다.

케이 대박!!!!!!!!!!!!!!!!!!!! (구경이에게 화면 나간거 보여주며) 이거 봐요, 이거 봐

동시에, 구경이의 이어폰에서 삐이익- 하는 소음. 인상을 찌푸리는 구경이.
케이, 구경이를 와락 안는다.

16. 교차. 휴게소 / 낮

퍼펑! 펑- 터진 휴게소.
다급하게 경수를 따라가다가 멈춰선 나제희.

나제희 오경수!!

17. 교차. 무대 / 낮

구경이를 가득 끌어안고 있는 케이.

케이 기분이 어때요?
구경이 …얼떨떨하네

18. 휴게소 / 낮

불에 타고 박살이 난 휴게소 안으로 들어가는 나제희.

나제희 …쿨럭.. 오경수!

박살이 난 휴게소, 커다란 곰 인형이 샅샅이 터져서 불타버린 잔해만 남았다.

나제희 오경수!

어디선가 들리는 신음 소리에 코를 막고 가보면, 옆으로 엎어져 있는 업소용 냉장고, 문 사이로 사람 손이 보인다.
냉장고 문을 열면, 헤롱거리는 허성태와 그를 붙잡은 경수가 굴러 나온다.

허성태 살려…주…세요..
나제희 …야!!
경수 (정신을 차리고) ㅎㅎ… 팀장님이… 냉장고가 제일 안전하다고…

안도하는 나제희 표정.

19. 무대 / 낮

치지직 끊겨 들리는 나제희와 경수 목소리.
구경이도 안도하는 표정 되고. 신호 끊긴다.

케이 나 있잖아요, 누가 날 위해서 사람

죽여준 거 처음이야. 이런 기분이구나…
너무 감동적이야. 내가 도와준 사람들도
이런 기분이었을까?

그런 케이의 위로 풀려 있는 한 손 올리는
구경이.
케이, 포근한 느낌에 눈을 다 감는다.

케이 (눈뜨며 포옹 푸는) 이제 우리 같이 하는
거죠?
구경이 그럼. 같이 가야지.

케이, 구경이에게서 떨어지려 하는데, 윙, 몸이
떨어지지 않는다.
케이를 감싸 안은 손과 묶인 제 손을 꽉 맞잡고
있는 구경이.
케이, 몸부림쳐도 몸이 빠지지 않는다.

케이 쌤 뭐해요. 내가 그렇게 좋아?
구경이 좋은 냄새가 나네. 이렇게 같이
가자, 경찰서까지.
케이 앙??????

멀리서 경찰 사이렌 소리 들려온다.

구경이 나쁜 놈들 내 손으로 죽인다는
생각은… 애저녁에 졸업했지, 이
애새끼야.
그리고… 넌 혼자잖아?
케이 …!
구경이 난 아니거든-

구경이가 케이를 붙잡은 채 케이 너머를
보면서 살짝 미소 짓는다.

20. 무대 밖 복도 / 낮

112가 위치 추적 중이라고 뜬 핸드폰 화면.
카메라 올라가면 그걸 꼭 쥐고 있는 산타.
복도 구석에 숨어있는 산타의 귀에 경찰
사이렌 소리가 들린다.

산타 (안도의 한숨) 하-

그때, 복도 반대편으로 나오는 건욱. 건욱 역시
긴장한 채로 주변을 살피는데 -
경찰 사이렌 소리가 들리자 움찔한다.
멀리서 나는 건욱의 인기척을 느낀 산타,
주머니칼을 꺼내 펼쳐 든다.

21. 무대 / 낮

가만히 멈춰 있던 케이. 얼굴에 기뻤던 표정
전부 사라졌다.

케이 …안 죽었구나, 아무도. 그러면…
구경이 오경수가 센스는 없어도 사람은
못 해쳐. 진짜로 너한테 동조한 줄
알았니?
케이 …하!

- INS. 과거. 구경이의 집
경이가 건네는 SD 카드 받아 드는 경수.

경수 이걸 진짜로 넘겨도 될까요?
케이가… 그 사람들을 해치면요?
구경이 경수 씨가 막아야지. 서당개 삼 년
왈왈 알지?

- INS. 과거. 피자집. (11화 S#20 이어서 -)
피자 물고 나가는 경수 뒷모습 쳐다보던
구경이

구경이 더 열받은 척, 잘한다 잘해

씩씩거리면서 가게 밖으로 나온 경수.
창 너머 자신을 주시하고 있는 구경이 눈빛
보고,

경수 (혼잣말조) 아우! 이렇게 저를 믿어
주시니까, (앞으로 빠르게 걸으며) 제가 그
믿음에 보답할 수밖에

- INS. 현재. 폐업한 휴게소
휴게소 주차장에 널브러져 검게 그슬린 채
코피 줄줄 흘리고 있는 경수,

경수 ㅎ…없죠

다시, 무대.
케이, 고개를 숙이고 있어서 머리카락에 얼굴
가려진다.

케이 오늘 쌤한테 뒤통수 여러 번 맞네.
근데 하나 말이 안 되는 게… 내가 그

사람들 노리는 것까지는 알았어도
디테일 한 건 몰랐을 거거든? 왜냐면
그거 아는 사람은 나랑, 안건욱이랑…
구경이(O.L) 무슨 일이 있어도 절-대 배신
안 할 거라는 니 공범들 있잖아?

그 말에 고개를 살짝 드는 케이.

- INS. 11화 S#13 케이 시점, 버스 타고 멀어지던
미애의 모습.

22. 과거. 공중전화부스

미애 그 사람한테 도와 달라는 연락이
왔어요. (검은 괴물인형 만지작거리며)
막아주세요. 사람 더 못 죽이게. …누굴
죽이겠단 마음 품고 사는 거, 그거
진짜 못할 짓이거든요. (사이) 저는… 저
도와준 그 여자애가 더 나은 삶을
살았으면 좋겠어요.

23. 무대 / 낮

여전히 구경이에게 안겨 있는 케이의 표정.

구경이 걔는 널 진심으로 걱정하는
모양이더라. 그건 예상 못 했는데.
케이 …여전히… 불쌍하고… 멍청하네…

대화 중에도 구경이, 팔을 꽉 잡은 채 꿈틀꿈틀
움직여 발을 하나 풀어내는데-

탕!

갑작스러운 총소리에 고개 돌아가는
구경이와 케이.
무대 쪽으로 내던져지는 산타의 몸. 다리에
총을 맞은 듯.
뒤이어 나타나는 건욱. 산타와 몸싸움 흔적이
남아있다.

건욱 (헉헉거리며) 아~ 이게 첫 방은
공포탄이구나 (케이보고) 아직 안 끝났나?
구경이 산타 씨…
건욱 (손 덜덜 떨리며) 그럼 이 다음부터
실탄이다, 맞제

산타, 겨우 상반신을 들어서 구경이 쪽으로
기어가려고 하는데
건욱이 산타를 붙잡고 총구를 겨눈다.

산타 (미안한표정)
케이 쌤 나 혼자 아닌 거 같은데요오-? 좀
놓지?

구경이, 케이 잡고 있던 손을 놓는다. 케이,
구경이 밀쳐 내고 몸 이리저리 스트레칭한다.

케이 어우 힘 웰케 세

그때,
극장 밖이 소란해지고 - 곧 다섯 명의 요원들이
우르르 객석 쪽으로 들어온다.

짝 빠진 옷을 입은 게 아니라 경동시장에서
뽑아 올린 듯한 행색의 요원들.
보리밥집에 있던 멤버들이 주축이다.
사냥용 엽총들을 들고 각자 좌석으로 흩어지며
무대 조준.

케이 아 또 뭐야
김 부장 남의 물건 함부로 손 대지? 엉?!

김 부장이 얼굴 시뻘게진 채로 나타난다.

김 부장 우리 편하라고 한 무데기로 아주
잘 모여들 있네.
구경이 부장님? 이래 버리면 여기 수습은
어떻게 하려고? (휠체어에서 나머지 팔 하나
풀어내며) 헛짓하다가 용 국장님한테 또
혼나요
용 국장 누가 혼내. 내가?

등산복에 엽총 메고 나타난 용 국장. 누구보다
태가 자연스러운 수렵인의 모습.

용 국장 제대로 못 해야 혼나지, (메고 있던
엽총 들어 겨누는 자세 취하며) 깔끔하게 치우고
다 태워버리면 내가 혼내겠어?
김 부장 (산타쪽 보면서) 경찰 안 와-

건욱, 손에 있던 권총으로 용 국장 쪽 바로 쏴
버린다.
총을 쏘고 곧바로 케이 앞쪽으로 가 케이 앞을
막아서는 건욱.

12화

의자 뒤에 숨었던 용 국장, 일어서며 바로
건욱을 쏜다. 어깨 쪽 맞고 쓰러지는 건욱.

건욱 으아악!
용 국장 (아쉬워하며) 사람이랑 멧돼지랑은
또 다르네

건욱이 들고 있던 총, 무대 저쪽으로 날아가고

김 부장 야! 그거 그렇게 함부로 하는 거
아니야아!
그거 장군님이 주신 거야!!

용 국장이 바로 다음 사격을 한다.
구경이가 산타를 보호하려 산타 쪽으로
향하는데 케이가 이 낌새를 포착하고 먼저
산타를 끌고 무대 오른쪽으로 숨는다.
구경이, 날아드는 총알에 간발의 차로 무대
왼쪽으로 숨는다.
김 부장은 객석 뒤쪽에 숨어 다니기 바쁘다.

건욱 …와 이거 아프네
용 국장 잡기 쉬운 놈부터 끝내 놓고-

용 국장, 건욱에게 엽총을 겨누는데 -
구경이가 옆에 있던 커튼 줄을 잡아당긴다.
촤르륵- 한순간에 무대를 가리는 커튼.

용 국장 아우 진짜 별걸 다 하네!
구경이 살리려면 이거라도 해야죠!
용 국장 사는 거에 미련 없는 줄

알았는데~
케이 (건욱에게) 야! 안건욱!

총에 맞은 건욱, 엎드린 채 있다가 고개를 들어
케이를 본다.
케이가 고갯짓하는 곳에 무대 바닥 출입구가
보인다.
건욱이 안간힘을 써서 기어간다. 그 사이에
산타가 움찔하자, 헤드락을 거는 케이.

케이 (산타에게) 허튼짓 하면 구 쌤도 다친다

동시에 - 구경이, 케이 쪽 주시하며 자신의
목에 있던 폭탄을 풀어내고.
건욱, 간신히 기어가 출입구에 가닿는다.
각자 숨어 있는 곳에서 눈을 마주치는
구경이와 케이.
케이의 시선이 구경이 손에 있는 폭탄에,
구경이의 시선이 케이 앞쪽에 있는 용 버튼에
향한다.
그 순간, 구경이 머리칼을 스쳐 지나가는 총알.
구경이가 더 몸을 숨긴다.

용 국장과 요원들이 무대 코앞까지 왔다.

용 국장 (커튼 틈 사이로) 다 보인다- 보인다!
구경이 무슨 구경 났어요?

건욱, 출입구 아래로 몸을 밀어 넣으려는데 -
허리춤에 총을 맞고
그대로 아래로 굴러 떨어진다.

동시에, 구경이가 케이와 눈 마주치며 폭탄을
머리 위로 든다.

구경이, 폭탄을 용 국장이 있는 객석 쪽으로
던지고!

케이가 몸을 날려 총을 집어 들며 버튼을
누른다!

동시에 구경이와 케이 양쪽으로 흩어진다.

비상구로 빠져나가는 구경이. 바로 뒤에서
들리는 폭발음 꽈광!

정신없이 비상구 복도를 내달리는 구경이.
저 쪽으로 언뜻 - 케이와 산타의 뒷모습이
보인다.

연기로 가득 찬 복도, 기침하면서 재빨리
따라가는 구경이.

24. 극장 밖, 서울역사 앞 / 낮

어두운 길을 한참 달려가는 구경이의 뒷모습.
마침내 문이 열리고,
야외로 빠져나오는 구경이. 아무 일도 없다는
듯 지나다니는 행인들의 모습에 어지럽다.
공사장 소음과 차들의 빵빵 소리, 확성기 소리
뒤엉키며 정신없는 가운데 -

구경이 여기가… 어디야?

구경이가 뒤를 돌아보니, 서울역 구 역사
앞이다.
어이가 없어서 어질어질한 구경이. 재빨리
눈으로 케이와 산타의 모습을 찾는다.
남녀커플의 다정한 모습들이 스쳐 지나가는

와중에 -

염천교 방향으로 가는 산타와 케이의 뒷모습이
언뜻 보인다.

따라붙는 구경이. 방금까지 자리에 있던
산타와 케이가 보이지 않는다.

다리 아래를 보면, 산타를 끌고 철로 사이를
달려가고 있는 케이.

케이와 산타의 모습이 오가는 열차들 사이로
사라진다.

25. 선로 사이 / 해 질 녘

선로 사이를 뛰어가는 구경이.
막 출발하는 기차가 구경이를 향해오고,
신호수의 경고 알람이 위협적으로 울린다.
아슬아슬하게 선로를 벗어나는 구경이.
반쯤 넘어지면서 바닥에 납작 엎드린다.
달려가는 열차 바퀴 사이로 케이와 산타의
발을 찾으려 애쓰다가 벌떡 일어선다.
바닥의 흔적을 찾는 구경이. 다리를 질질 끌며
지나간 듯 자갈들이 푹푹 파여 있는 게
눈에 들어온다. 구경이, 고개 들면 -

케이가 산타에게 총구를 대고 나란히 걸어가고
있는 모습이 보인다.
산타는 절뚝이면서 다리를 질질 끈다.
구경이를 지나쳐가는 케이와 산타의 모습.
구경이 고개 돌리면, 케이와 산타의 모습
사라지고 이미 멀어져가고 있는 기차가 보인다.
구경이, 기차를 뒤쫓으려는 듯 그 방향으로
달려간다.

26. 서울역 앞 / 저녁

나제희와 경수, 서울역 광장으로 들어서는데
구급차와 소방차 등으로 시끌하다.
상황 보고 있는 경찰들 대화 엿듣는 두 사람.

경찰 저분 말 들어보니까, 안에서 촬영을
하다가 소품이 잘못돼 가지고
사고가 났다고…

경찰이 말한 저분 - 은 구급차 뒤에 앉아
응급처치 받고 있는 김 부장이다.
김 부장, 나제희를 보고 힉! 하더니 아구구
아구구 소리를 내면서 쓰러진다.

김 부장 (구급대원에게) 빨리! 병원 빨리
가주세요!

구급차 바로 출발하고, 나제희가 옆에 있던
다른 구급대원에게 묻는다.

나제희 혹시 여자는 없었나요? 머리가
길고 피부 하얀…
구급대원 (둘러보면서) 여자 분은
없었는데요
경수 (나제희에게) 안으로 제가 들어가
볼게요

경수가 경찰들 눈 피해서 역 안으로 들어간다.
나제희 옆으로 요원들이 들것에 실려간다.
구급대원이 주변을 훑는데 구석에 주저앉아

있는 용 국장의 뒷모습이 보인다.
용 국장을 흔드는 구급대원.

구급대원 괜찮으세요? (용 국장의 상처를 보며
기겁, 뒤에다가 외친다.) 여기 들것!
용 국장 아니야!! 아니야!

용 국장, 얼굴을 들키지 않으려고 몸을 돌린
채 일어선다.
용 국장의 앞모습, 폭발을 여파로 알아볼 수
없을 정도.

구급대원 저기요!
용 국장 그만! 가만! (팔을 내치며) 됐다고!!!

절뚝이면서 앞으로 걷는 용 국장.

용 국장 (중얼중얼) 누가 알아보고 소문나면
어쩌려고… 눈치 없게…

또다시 용 국장의 어깨를 붙잡는 누군가의 손.
용 국장이 욕을 하면서 팔을 내치려고 하는데,
휙 돌아보면 - 나제희다.

용 국장 …
나제희 (낮게) 구 선배 어딨어요
용 국장 나 팀장? 내 눈에 지금 뭐가
보이겠냐?
나제희 …케이는?
용 국장 없니?… (얼굴 일그러지며 웃기 시작)
같이 죽었나 보다

나제희, 용 국장 멱살을 잡는다.

용 국장 아야!
나제희 내가 지금 당신 아들 둘 살려주고
오는 길이거든요?
내가 걔네를 왜 살렸는지 아세요?
용 국장 나 팀장이 바라는 게 있으니까.
그걸 내가 들어줄 수 있으니까?
나제희 …
용 국장 북창동에 내가 아는 의사 하나
있어, 일단 거기로 가스…. 아아악!

나제희가 용 국장 제일 심하게 다친 부위를
꾸우욱 누른다.

나제희 당신 편해지는 게 싫어서 그래.
용 국장 아야야야!! 아야야야!!
나제희 (쩌렁쩌렁하게) 여기 도와주세요!!!
용 국장 뭐 하는 거야악!
나제희 푸른어린이재단 이사장 용숙
여사님!! 여기 계세요!!
어떡해 많이 다치셨나 봐! 허성태 시장
후보 토껭이 허현태 어머니가
여기 계신다고요!!!! 도와주세요!!

구경꾼들과 구급대원들이 몰려든다.
용 국장이 빠져나가려고 하는데 꽉 잡고
놓아주지 않는 나제희.

나제희 (용 국장을 보면서 슬쩍 웃는다.)
도와주세요!!

사람들 몇이 (도와준답시고) 용 국장을
붙잡는다. 발버둥치는 용 국장.

용 국장 아니라고! 나 아니라고오오!

빠져나오는 나제희.

나제희 어딜 간 거야…

27. 무대 아래 / 저녁

어둡고 고요한 무대 아래. 엎드려 있는 건욱.
흘러나온 피들이 흥건.
탈수 상태의 건욱의 입이 바짝 말라 있다.

건욱 …도와…줘…

아무런 소리가 들리지 않는다. 정신을
잃어가는 건욱의 눈에 눈물이 고인다.
갑자기 설움 폭발. 아이처럼 울기 시작하는
건욱.

건욱 …무서워…

건욱이 손에 잡히는 파편을 휘둘러 계단을
때린다. 깡깡깡! 소리를 내본다.
하지만 이내 팔에 힘이 스르르 빠져버린다.
툭 떨어지는 팔.
혼미한 가운데 멀리서 자기를 부르는 듯한
목소리를 듣는다.

건욱 (눈 감채로 달싹달싹) …대호가…
경수 안건욱?

건욱, 다시 눈을 떠보면 자신을 붙잡고 있는
경수의 얼굴.

경수 야 정신 차려! 잠들면 안 돼! (밖을
보고) 여기요! 여기예요!
건욱 (나지막하게) 도와줘…

경수, 허겁지겁 옷을 벗어서 벌벌 떨고 있는
건욱을 덮는다.
무대 위 사람들 달려오는 소리 들린다. 살짝
안도하는 건욱.
경수, 건욱을 붙들고 간절하게 말한다.

경수 (간절하게) 이제 니 차례야.
니가 안 도와주면 케이가 우리 산타
어떻게 할지 몰라.
건욱 (흔들리는 눈빛)

건욱이 입술을 달싹거린다. 경수가 귀를 건욱
얼굴 가까이로 갖다 댄다.

28. 기차 출발지 선로 / 밤

서울과는 떨어진 기차 차량기지.
열차 하나가 지나가면, 선로 옆을 걷는 산타의
모습이 보인다.
양 손 묶인 채, 앞서서 걸어가는 산타.
다리를 다쳤는지 발 하나를 질질 끌고 있어서

자갈 바닥에 미묘한 흔적이 남는다.
산타, 다리에 힘이 풀려 푹 주저앉으려 하면,
뒤에 바짝 붙어가던 케이가 산타의 목덜미를
혹 잡아 일으킨다.

케이 총 맞으면 바로 죽나?

산타 목덜미에 와 닿는 케이의 총구. 비틀비틀
걸어가는 산타.
건욱을 생각하는 케이의 얼굴이 살짝
굳었다가,

케이 그렇게 막 바로 죽진 않을 거야.
그치?
산타 …
케이 쌤은 왜 너를 아낄까? 니가 어떤
앤지도 모르면서.
산타 …
케이 말이 없어서 그런가
산타 …
케이 어우 난 개짜증 나는데.

케이의 시선에 역에서 화물 기차 출발하려고
하는 게 보인다.
산타, 저 쪽을 보면 역무원이 멀리에서 선로를
보고 있다.
도움을 요청하려고 움찔, 하는 산타.
고개만 이쪽으로 돌리면 산타를 볼 수 있을 거
같은데…

산타 (입술 달싹)

역무원이 고개 돌리는 순간, 확 산타의 목을
잡아당기는 케이.
둘의 몸이 기차 칸 뒤로 숨겨진다.

케이 이왕 닥치기로 한 거 계속 조용-히
가는 게 좋을 거 같은데?

케이가 산타를 반대쪽으로 잡아 끌면, 돌연
산타가 입을 연다.

산타 …언제까지 너랑 같이 가야 돼?
케이 (웃으면서) 본색 나오네. 내가 완전히
안전해질 때까지 같이 가야지.

두 사람 앞을 천천히 지나가는 기차. 케이가
기차 번호를 확인한 후,
산타에게 기차에 타라고 고갯짓한다. 산타가
주춤하면 웃으며 총을 겨누는 케이.
산타, 버둥거리며 기차에 간신히 오른다.

케이 (산타 뒤로 기차에 오르며) 나라고 너 달고
다니고 싶겠어?

29. 기차 화물칸 안 / 밤

화물칸 문이 열리고, 산타가 비척이며
들어온다. 기차 움직임에 휘청하는 산타.

케이 아님… 지금 내가 너 죽이면 같이 안
가도 돼. 죽여줄까?

케이, 실실 웃는다. 산타, 목덜미에 소름이
오소소 솟는데 -
뒤따라 화물칸 들어서던 케이, 발에 뭐가 걸려
휘청 넘어질 뻔한다.

케이 으아씨!

발에 걸린 걸 휙, 쳐다보는 케이. 화물 사이에서
사람 다리만 쑥 나와 있다.
화물 사이에 숨어 있다가 쑤욱 몸을 일으키는
사람, 구경이다.

구경이 (일어나며) 가긴 어딜 가. 나랑 같이
있기로 했잖아.
케이 와… 쌤 (산타 등 뒤에서 총 겨누며 구경이와
대치) 완전 스토커 다 됐네? 어떻게
여기까지 따라왔어요?
구경이 나도 웬만하면 집에 가서
게임이나 하려고 했는데 안건욱이
알려주더라.
케이 (장난스럽게) 쫄보 새끼

산타, 어떻게든 구경이에게 가려고 하지만
케이가 산타 오금을 발로 찬다.
쓰러지는 산타.

구경이 살살해라
케이 다음에 기차 서면, 경찰들 포위하고
있고 나 잡히고 그런 그림인가?
구경이 그렇지. 아주 예상 가능한, 쥐새끼
한 마리도 못 빠져나갈 그런 그림이지.

그니까 괜히 도망간답시고 기운 빼지 말고 산타 씨도 놔줘.

케이 아유 배고파서 도망갈 힘도 없어요, 이제.

케이, 산타 어깨를 확 잡아당기고 자기도 앉는다.

구경이 놔주는 걸 까먹은 거 같은데. (그 앞에 풀썩 앉는)

탄창을 열어서 한 번 보는 케이. 총알이 하나 남아있다.

케이 진작 이런 거 있었으면 그 고생 안 해도 됐겠는데.
이거요, 총알 하나 남았는데 안 쓰려니까 너무 아까운 거 있죠

케이가 산타를 겨눠본다. 겨우 몸을 일으키며 쿨럭 소리를 내는 산타.

케이 내가 안 쏴도, 병원 빨리 안 데려가면 죽을 거 같긴 하다.
(총구를 대면서) 조금 빨리 당겨줄 수도 있고-

구경이 총알 아까워서 쓰고 싶은 거면, 허공에다 쏴.

케이 노잼이잖아요

구경이 꼭 누굴 맞춰야 돼?

케이 그럼요. 총알이 세상에 나온 이유가

그건데.

구경이, 손가락으로 케이를 가리키려는데, 케이가 세차게 고개를 절레절레절레 흔든다.

구경이 (손가락 그대로 자신 가리키며) 그럼 나한테 써.

케이 (앙탈부리는) 아~~ 또 착한 척!!!

구경이, 흐흐 웃는다.

구경이 근데 왜 굳이 그래야 돼?

케이 왜 사람들 죽이냐고? 쌤! 내가 알아듣게 다 이야기했었잖아.
내가 안 죽이면은 그 나쁜 사람들 누가 치워 줘요?

구경이 너 똑똑하잖아.

케이 말해 뭐해.

구경이 그 똑똑한 머리, 나쁜 사람들 죽이는 데 쓰지 말고 좋은 사람들 살리는 데 쓰면 좋았을 거야. 그럼 이렇게 혼자 남겨지진 않았겠지

케이, 살짝 짜증이 난다.

케이 나보다는 별로지만, 쌤도 머리 좋잖아요. 근데 그 머리로 뭐했다?
(구경이 보면서) 자기 남편 그렇게 만들었다아-

구경이 아우 아파라

케이 좋은 사람이 뭐야. (총구로 산타 툭툭

치며) 얘? 얘가 좋은 사람인 거 같아요?

구경이가 비웃는 케이의 얼굴을 본다.

케이 어? 진짜 모르는 표정이네? 쌤 진짜
모르는구나!
얘가 왜 쌤한테만 유독 잘해주는지 의심
안 해봤어요?
언제 봤다고 쌤 옆에 찰싹 붙어서는
먹여줘, 입혀줘, 청소까지 해줘.
쌤이 억만금을 주는 것도 아닌데 왜
그랬을까, 이 사람은?
구경이 나도 곰곰이 생각을 해봤는데…
산타 씨는 그냥 그런 사람이야.

산타, 자기도 모르게 끄덕끄덕.

케이 세상에 목적 없는 사람은 없다는 거
쌤도 알잖아요. 이 사람 목적은?
자기 죄책감을 더는 거였지. 자기 땜에
…장성우 쌤이 죽었으니까.
구경이 뭐?
케이 이 사람이 그때 말만 제대로 했으면
장성우 쌤 안 돌아가셨을 거라고요.
구경이 …그게 무슨 소리니…?
케이 봉백여고 한결 언니. 그때 물에
빠졌던 우리 선배요. 그날 누가 옆에
있었다고 했지. 그게 장 쌤이라고 소문이
파다했는데. 진짜 장 쌤이었을까요?
(산타 보는)
구경이 …!

케이 순진하고 착한 우리 산타 씨,
봉백고등학교 졸업생 한광욱 씨.
당신이 그때 한결 언니 숨겨진
애인이었잖아요.

산타, 놀란 눈으로 케이를 본다.

구경이 애쓴다 너. 내가 니 말에 넘어갈 거
같아?
케이 그러기엔 쌤도 벌써 의심하고
있는 거 같은데? 그동안 뭐 이상한 점
없었어요?

흔들리는 구경이의 눈동자.

*- INS. 산타가 마시고 있던 머그컵에 있던
'봉백여자고등학교' 글씨.
산타의 집에 있던 장성우의 증명사진.*

케이 자기가 그때 한결 언니랑 같이
있었다고 한마디만 했어도, 장 쌤 그렇게
안 됐어. 쌤도 계속 행복하게 경찰 일
하고 있었을 거고. 근데 어떡해.
이미 죽었고 쌤은 집에 처박혔는데.
그래서 쌤한테 가까워지자마자 그 기회
안 놓치고 잘해줬던 거예요. 지 딴엔
죗값 치른 거지.
조금이라도 자기 맘 편해지려고.

*- INS. 유난히 구경이를 신경 쓰던 산타의 모습들
구경이가 쓰레기차에서 살아났을 때 집 앞에서*

울고 있었던 것
구경이에게 밥을 먹이고 청소하고
저유조 너머에서 구경이를 부르는 것 등

구경이, 점점 더 케이의 말이 그럴듯하게
들린다.
산타를 보면, 산타는 아니라는 듯 고개를
흔든다. 창백한 얼굴에 검은 눈동자의 산타.
순진해 보이기도 악랄해 보이기도 한 표정.
고개를 젓는 구경이.

케이 지난 5년 동안 얼마나 힘들었어요.
남편 죽은 게 자기 탓인 줄 알고,
하루에도 몇 번씩, 그때 다른 식으로
행동했으면 어땠을까 생각했겠지.

- *INS. 살아있던 장성우의 모습들. 구경이가*
가끔 불러냈던 장성우의 환상 씬들.

케이(V.O) 지금까지 살아서 옆에
있었으면, 나한테 어떤 말을 해줬을까…
하면서.

구경이 (산타보며) 아니지?

산타가 고개를 흔든다. 언제나처럼 선량한
얼굴이지만, 구경이에게 의심이 깃든다.

케이 자책 그만 해요. 쌤 탓 아니고 다-
(산타가리키며) 여기 한광욱 씨 때문이니까.
구경이 -아악!

산타에게 달려드는 구경이. 산타가 반사적으로
밀쳐 내려다 구경이 아래에 깔린다.
신음을 토해내는 산타. 산타와 눈을 맞추는
구경이.
케이, 옆에 서서 두 사람 쪽에 총 겨눈 채 킥킥
웃는다.

구경이 (산타두눈보며) 말해. 아니라고. 니가
우리 성우 씨 죽인 거 아니라고
산타 …아니에요…

산타의 멱살 쥔 채 괴로워하는 구경이.
다시 산타의 두 눈을 들여다보다가, 스쳐
지나가는 장성우의 모습들을 떠올려본다.
모습들이 선명해질수록 괴로워지는 구경이.

케이 어차피 못 믿을 거면서.
산타 …제가 안 그랬어요.

철컥- 권총 장전하는 소리 들린다.
여전히 두 사람 쪽으로 총을 겨눈 채의 케이.

케이 아직도 이 총알, 산타 씨 말고
쌤한테 쓰길 바래요?
죽여 달라고 한마디만 해요. 내가 죽여
줄게. 쌤은 못 할 테니까.

괴로운 얼굴의 구경이, 케이를 본다.

케이 아니다, 그것도 못 하겠죠? 쌤은
착한 척해야 되니까. 그냥 가만히 있어요.

셋 셀 때까지 가만-히 만 있으면 내가 다
해 줄게.

산타, 구경이를 보고. 구경이, 산타를 본다.

케이 (구경이에게 총구 향하며) 쌤이 죽느냐
(다시 산타에게 총구 향하며) 산타 씨가
죽느냐야.
…하나…

구경이, 산타의 멱살을 놓고 일어난다.
죽여주길 바란다는 듯이.
차가운 눈으로 산타를 내려다보는 구경이.

케이 (씨익 웃는) …둘…

산타, 눈을 꼭 감는다.

케이 세…ㅅ

케이가 입을 떼는 순간, 구경이가 케이에게
온몸으로 달려든다.

탕!
눈을 뜨는 산타. 기차 내부를 뚫고 간 총알 자국.
구경이도 케이도 보이지 않는다.
억지로 몸을 일으켜보는 산타. 총에 맞지
않았다.
허억 허억, 숨을 몰아쉬는 산타. 눈에서 한 방울
눈물이 또르르 흘러내린다.
몸을 일으켜 문 밖으로 고개를 내밀어 보지만

쌩쌩 지나가는 바람뿐.
어디에도 구경이의 모습이 보이지 않는다.

30. 기찻길 옆 / 밤

우거진 풀숲. 여름 풀벌레 소리 잦아들고
빗방울이 굿고 지나간다.
엎어져 있던 케이, 풀숲에서 고개만 빼꼼 든다.
눈을 굴려서 인기척을 살피는 케이.
아무도 없는… 줄 알았는데, 갑자기 수풀이
크게 흔들린다.
손끝에 잡히는 나뭇가지를 꽉 쥐어 보는 케이.
그 때, 풀숲에서 튀어나오는 고양이가 한 마리.
과연 기억하는 사람이 있을까 싶지만, 로이와
닮았다.

케이 (살짝) …야! 야!

케이를 물끄러미 보는 고양이.

케이 …로이야! 어느 쪽으로 가야 해?

고양이, 케이를 잠시 보다가 뒤쪽으로 종종
뛰어 가버린다.

케이 멍청한 고양이한테 내가 뭘
물어보냐

케이, 고양이가 사라진 반대 방향으로
기어가려고 팔을 뻗고, 몸을 끌어가려는데 -
턱! 케이의 발뒤꿈치를 붙잡는 구경이의 손.

달빛을 받아 하얗게 빛난다.

케이 ⋯에이씨

케이가 발을 탁, 터는데 다리뼈 한 쪽이 완전
부러진 듯, 고통이 뒤따라온다.

케이 ㅇㅇ⋯

그래도 떨어져 나가는 구경이 손. 구경이는
고개는 여전히 엎어진 채다.
다시 케이가 고통을 참으며 기어가려고 하면,
탁 올라오는 구경이 손.
재빠르게 손가락이 움직인다. 마치 게임용
마우스를 쥔 손처럼⋯
케이가 발을 빼내려고 하는데 아귀힘이 너무
세다. 꿈쩍 못하는 케이.

케이 이거 아니잖아아아아
구경이 다 잡아⋯ 다 잡아⋯

구경이의 검지손가락 재빠르게 케이의
발꿈치를 클릭클릭 하는데,
저쪽에서 앰뷸런스 소리가 들리며 플래시
불빛이 풀밭을 훑는다.
사람 소리가 들리고, 케이가 아무리 용을 써도
빠져나갈 수가 없다.

구경이 (꿈속에서 게임하는 듯) 다 잡아 다 잡아
다 잡아아아아⋯!

31. 분천역 근처 / 밤

경찰차 뒷좌석에 타 있는 케이. 물끄러미
창밖을 바라본다.
알록달록 반짝반짝 산타 마을 컨셉의 역사
앞에 구경이 팀이 보인다.
앞에 있는 형사 둘에게 이야기하고 있는
구경이. 나제희가 담요를 덮어준다.
벤치에 기대어 누워있는 산타를 다독이고 있는
몇 사람.
케이 눈에는 크리스마스 배경에 한 가족 같은
따뜻한 분위기로 보인다.
경찰차 앞좌석에 경찰들이 올라타고, 차가
서서히 움직이기 시작한다.

케이 잠깐만요, 잠깐만⋯ 좀만 천천히⋯

구경이에게서 눈을 떼지 않는 케이.

경찰 (Off sound) 서에 가서 이야기합시다

구경이는 케이가 있는 쪽을 보지 않는다.
나제희와 산타를 볼 뿐.
구경이가 시야에서 사라지자 뒤에 난 차창으로
뒤돌아서 구경이를 보는 케이.
하지만 구경이가 점이 될 때까지, 눈이
마주치지 않는다.
케이의 얼굴에 와 닿는 푸르고 붉은 불빛.
F.O

32. 병원 / 낮

F.I
헬멧을 쓴 사람, 검은 서류 가방을 들고 병원 정원으로 들어선다.
그 자체로 넘나 의심스러워 보이는 외양.
파쿠르로 화단을 뛰어 넘고
계단을 구르고 난간을 넘어서 건물 근처로
바짝 접근!
이윽고 어느 병실 열린 창으로 내려오는 밧줄.
(침대 커버를 가늘게 찢어 묶은 것)
밧줄에다가 서류가방을 단단히 묶는다.
스크린을 올리면 드러나는 헬멧 속 얼굴.
멜론 머스크다.
창문 밖으로 사람 손이 쑥 나와서 - 따봉! 한다.
따봉! 내밀고 돌아서는 멜론 머스크.

병실 안.
밧줄을 열심히 당기고 있는 손.
마침내 손에 닿을 정도로 올라오는 서류 가방.
서류 가방을 창문 안으로 낑낑 가지고
들어오는 구경이.
서류 가방을 소중하게 품고 주변을 한 번
둘러본다.

Cut to.
커튼이 쳐진 구경이의 병실 침대.
서류 가방 안에는 맥주 캔과 귤, 삶은 계란,
소시지, 초콜릿 - '구경이 세트'가 들어있다.
눈치를 한껏 살핀 구경이.

구경이 에엣--췌!

기침 소리 맞춰서 캔 뚜껑을 딴 구경이, 한입 들이키려는데-
커튼 촥! 열리고 캔을 탁! 붙잡는 경수의 손.

경수 안 된다니까요.
구경이 왜!
경수 의사 선생님이 술은 절대 안 된다고 삼백 번 말씀하셨고,
간호사 선생님도 절대 못 마시게 하라고 삼만 번 말씀하셨으니까요.
구경이 …의심스러운데.. 넌 그 말을 믿니?!
경수 예! 믿어요!
구경이 하! 참나! 이제 머리 굴릴 것도 없는데 쫌 마시자! 야 한마디 해!

잠자코 앉아 있던 나제희, 경수에게 손을 내민다.

나제희 긴장 좀 풀자

경수, 나제희에게 맥주 캔 건네고 - 나제희,
구경이 보며 벌컥벌컥 맥주 마신다.
구경이의 절망하는 표정.

나제희 (맥주 CF처럼) 캬-! 긴장됐었는데 이러고 있는 거 보니까 안심이 되네.
(자신 있는 모습으로 일어나며) 나 갔다 올 때까지 어디 가지마.

꼼짝 말고 똑같이 하던 대로 이러고들 있어!

33. 검찰청 입구 / 낮

검찰청 건물로 들어가는 나제희의 긴장한 모습.

나제희 (자기 암시) 꼿꼿하게 허리 펴고, 살살 숙여 줄 필요 없어…

뒷모습 위로 -

나제희(V.O) 이 영상이 증거능력이 있는지는 따져 봐야겠지만 -

34. 검찰청 안 조사실 / 낮

나제희 제가 법정에서 증언하면, 효력이 생기겠죠?

수사관과 수사 검사, 앞에 앉아서 나제희가 보여준 '고담 살해 영상'을 보고 있다.

수사 검사 본인 범죄 사실 자백하는 거라는 거 알고 계시죠?
나제희 사람이 잘못을 하면 벌을 받아야죠. 당연히 제가 지은 죗값은 받아야 되는 건데-

몸을 앞으로 가까이하는 나제희.

나제희 한국에서 공식적으로 플리 바겐이 안 되는 걸 알긴 하는데…
제가 가진 게 아직 많이 있거든요?
궁금하지 않으세요?

솔깃해하는 수사 검사.

수사 검사 일단 저희 둘이 이야기할까요?
(수사관에게) 잠깐-

수사관이 눈치를 받고 밖으로 나간다.

35. 검찰청 조사실 앞 복도 / 낮

복도로 나온 수사관, 지나가던 다른 수사관이 말을 건다.

수사관2 전에 아구 수육 괜찮다고 한 집 어디였지?
수사관1 아구..수육.. 아구.. 수육..? 그거는 효창동이지 아, 거기 죽이지.
김 부장 ..ㅎ ..거기 별론데..

수사관들이 돌아보면, 수사 대기하고 있는 김 부장이 앉아있다.

수사관2 에?
김 부장 효창동 거기 주방 이모 바뀌고 맛 떨어진 지 오랜데… 맛도 모르는 사람들이 거기가 맛있다고 하지…
수사관1 아니 조사할 땐 입 꾹 닫고

계시더니…

김 부장 공덕동.. 공덕동 거기도 괜찮고…
진짜 맛있는 데는 익산에 있는데…
애가 싱싱해야 되거든? 아구 수육이라는
게…

뒤에서 누가 부르고 수사관들 떠나간다. 혼자
중얼거리는 김 부장.

김 부장 생각하니까 먹고 싶네… 언제
다시 먹을 수 있지…

김 부장, 고개를 숙이면 손에 채워진 수갑이
보인다. 계호에게 일으켜져서 수사실로
들어가는 김 부장.

36. 어린이재단 앞 / 낮

용 국장 체포되어 차에 타고 기자들 몰려들어
장난 아닌 아수라장.
"한마디 하시죠! 하시죠!" 소리에도 인자한
미소를 잃지 않는 용 국장.
이리 치이고 저리 치이면서도 인----자.

곽 기자 살인 교사 혐의도 인정하시는
겁니까!

곽 기자 목소리 들리자 재빨리 그 쪽으로 시선
돌리는 용 국장.
용 국장, 눈으로 레이저를 쏜다.

곽 기자 (레이저에 눈빛에 맞아) 아악!

차에 올라타는 순간까지 - 먹잇감을 놓치지
않는 사자처럼 - 노려보는 용 국장.

앵커 (사운드 선행, E) 푸른어린이재단의
대표 이사이자, 허성태 전 의원의
어머니로 알려진 용숙 국장이 긴급
체포되었습니다.

37. 뉴스 화면

고담이 죽을 때 영상통화 속 용 국장 얼굴이
확대되어 보이고,
극장에서 구경이 쪽에 엽총을 쏘던 모습 등이
보인다.

앵커(E) 검찰은 살인 교사, 살인 미수,
부정 청탁 등 열일곱 건의 혐의를 구속
수사중이라고 밝혔습니다.

포토라인 앞에 서 있는 용 국장.

앵커(E) 한편 살인 방조 해명을 위한 기자
회견장에서 몰려든 팬들에 의해 전치
4주의 부상을 입었던 허현태 씨 역시,
살인 방조, 사기, 혼인 빙자 간음, 등의
혐의로 수사 중입니다.

얼굴 한껏 가린 채 차에 타는 허현태의 모습.

앵커(E) 허성태 전 의원은 가족들의
혐의로 사회에 물의를 일으킨 점에
책임을 통감하고 시장 후보 사퇴
기자 회견을 가지며 사실상 정계를
은퇴하겠다는 뜻을 밝혔습니다.

기자 회견하는 허성태의 모습.

38. 병원 중환자실 앞 복도 / 낮

뉴스 화면이 나오는 병원 복도. 병실 앞을
지키고 있는 순경이 그걸 본다.
형사 가까이 오자 순경이 거수경례 한다.

형사 안 깼지?
순경 예
형사 (안을 보고 놀란다.) 아직도 저러고 있어?
순경 깰 때까지 기다린다고…

문에 난 창 너머로 보이는 병실 안.
의식을 잃고 누워있는 건욱과 옆을 묵묵히
지키고 있는 대호의 모습.

39. 아쿠아리움 / 낮

나나 뭐하는 거야?

신난 얼굴로 수조에 코를 박고 있는 나나.
물고기들이 헤엄쳐 가는 모습을 신이 나서 본다.

종준 보자… 쟈가 쟈를 잡아먹는 거

아니냐?
나나 (우엥) 어떡해!…

뒤에 서 있던 나제희가 나나를 끌어안는다.
나제희는 채도 높은 티셔츠에 청 자켓을
입었다. 전혀 볼 수 없었던 프리한 스타일.

나제희 (어르면서) 아니야, 잡아먹는
거 아니야. 저기 저 커다란 건 엄마
물고기고- 옆에는 아기 물고기- 둘이
같이 산책하는 거야
나나 같이 오디가?
나제희 맛있는 저녁밥 먹으러 가지요-
종준 우리는 뭐 먹냐

나제희, 종준을 보면서 -

나제희 뭐 드시고 싶으신데?
종준 오랜만에 가족끼리 나왔으니까
맛있는 거 먹나 했지
전에 먹었던 거기 회 초밥집 거기도 맛이
있긴 했는데…
나제희 아빠는 무슨 아쿠아리움에 와서
회초밥 이야기야!
종준 너가 잘 먹더만
나제희 …

나나는 물고기들에게서 눈을 떼지 못한다.

나나 너네는 어디서 왔어?

나나의 질문을 들은 듯 재빨리 헤엄쳐
나아가는 물고기.

40. 구경이의 집 / 낮

화면 불빛이 와 닿는 구경이 얼굴. 한껏 집중.

구경이 잡자… 한! 놈! 만! 잡자아아!

빨라지는 구경이의 손가락 놀림. 클릭 클릭!
게임 하고 있는 구경이.
문이 열리고, 박스를 든 경수가 들어온다.
쓰레기들이 무덤처럼 군데군데 모여 있고
(묘하게 캔은 캔끼리 비닐은 비닐끼리)
쓰레기 사이로 요리 쏭 조리 쏭 움직여서 한
쪽에 마련한 테이블 위에 명패 올려놓는 경수.

'구경수 탐정 사무소 대표 오경수'

경수 아, 멋있다 좋죠 조사관니임? 이
아니고 구 탐정님?
구경이 죽어 그냥 죽으라고 왜 이렇게 안
죽냐…

경수, 자신에게 몹시도 무관심한 구경이를 한
번 보면서 책상 정리를 마저 한다.

경수 산타가 있어야 정리가 될 텐데…
(구경이 눈치 보며 운을 띄우는) 제가
봉백고등학교 졸업생, 전학 간
학생들까지 다 뒤져봤는데요-

한광욱이라는 사람은 없었어요
구경이 이야 대박… 방금 껀 진짜
대박이었죠
경수 의심스러우시죠? 케이가 이름을
잘못 알았을 수도 있고, 말씀하신 것처럼
개명을 했을 수도 있으니까? 그래서
졸업 앨범이랑 생기부, 수학여행
체육대회 학교 행사 사진들 싹 다
확인했는데, 산타같이 생긴 사람은
없었어요. 저 눈썰미 좋은 거 아시죠?
구경이 … (마우스 딸깍딸깍)
경수 그렇다고 산타가 어떤 사람인지
알아낸 건 아닌데요… 우리가 과거의
산타는 모르지만 지금 어떤 사람인지는
알잖아요. 저는 제가 보고 느낀 걸
믿어요. 산타는 좋은 사람이에요.
구경이 오케이 승리!!

화면 보면, 승리 화면. 헤드셋 벗는 구경이,
경수 보고 깜짝 놀란다.

구경이 너 언제부터 있었니?
경수 …삼일 전부터요
구경이 (경수가 놓아둔 명패 보고) 그거 진짜
하는 거야?
경수 얼추 준비는 다 끝났죠.
구경이 준비…

주변을 한번 훑어본 구경이.

구경이 하여튼 한 번에 하는 일이 없어…

어휴 내가 이렇게 또 움직여야 되니…

구경이, 으득으득 소리가 나는 무릎을 펴면서
겨우 일어선다.

경수 뭐 필요하세요?

구경이 손을 휘적휘적 내저으면서 밖으로
나가버린다.

41. 산타의 집 / 낮

삐-삐-삐-삐-삐-삐- 띠로리~
산타 집 답지 않게 다소 어수선. 커튼도 내려가
있어서 어두운 집 안.
구경이가 들어온다.
모로 누워있던 산타. 앞 탁자에는 논 알코올
비어. 그것도 다 못 마시고 1/3만 마셨다.
성큼성큼 들어온 구경이가 컴퓨터 쪽으로 가서
버튼을 누른다.

구경이 컴퓨터 고장 났니?

산타, 갑자기 들이닥친 구경이에 어안이 벙벙.
고개를 도리도리.

구경이 게임 접속을 안 하길래. 아우,
다리야. 좀 비켜봐라.

구경이가 산타 발을 치우고 소파에 앉는다.
산타, 어쩔 수 없이 부스스 일어나서 앉는다.

소파에 나란히 앉은 구경이와 산타.

구경이 나는 니가 어떤 사람이었는지
아무 상관이 없단다, 중요한 건… 니가
있어야 우리가 게임에서 이긴다는 거지
산타 …조사관님…
구경이 오경수가 이런 걸 만들었던데…

구경이가 주머니를 뒤진다. 주머니에서
쓰레기들이 나온다.
도저히 주머니에서 나오는 쓰레기라고 믿기지
않을 정도의 쓰레기들이 줄줄 나온다.
마지막으로 나오는 '구경수 탐정사무소' 명함.

'구경수 탐정사무소
팀장 산타'

컹. 코웃음이 터지는 산타.

구경이 가자

구경이 보며 활짝 웃는 산타.

42. 구치소 변호사 접견실 / 낮

전관으로 보이는 변호사가 앉아서 맞은편을
보고 있다.
높이 쌓여 있는 서류들이 사건의 심각성을
말해주는데…

케이 네 알아서 해주세요

무감한 케이 얼굴. 울었던 것 같기도 하고
지쳐 보인다.

변호사 뭘 원하시는지 말씀을 해 주셔야
저희도 맞춰서 준비를…
케이 원하는 게 뭐지… 지금 몇 시예요?

케이가 고개를 돌려 시계를 본다.

변호사 시간 쓰셔도 돼요. 변호인 접견은
이런저런 핑계 대고 계속 할 수 있으니까
케이 (밖에다가) 저 끝났어요 (변호사에게)
지금이 딱 그 시간이라서.

케이가 내려놓는 과자 봉지. 특이한 모양으로
접혀 있다.

43. 구치소 독거실 안 / 낮

문에서 등을 진 채 작은 창 쪽 보고 양반다리
하고 앉아 있는 케이.
하체는 가만히 둔 채 상체만 왼쪽으로, 좀 더
왼쪽으로, 조금씩 기울어지는데 -
보면, 손바닥 한 뼘 만한 빛이 들어오는 것을
얼굴로 받아들이고 있다.
빛이 움직이면 따라서 몸을 기울이는 케이.
빛을 마시기라도 하듯, 입을 하- 벌려본다.

소리 (멀리서) 그 새끼 진짜 죽일 놈이야!

그 소리에 귀를 쫑긋하는 케이.

소리 (목소리) 진짜 나쁜 놈이라고요!
죽여야 돼! 죽여야 돼!!!

케이, 후다닥 문으로 가서 보면 복도에
까마귀들(CRPT)한테 끌려가면서
고래고래 소리 지르고 있는 다른 수용자.
복도에 울려 퍼지는 "죽여야 돼!" 소리.
케이, 눈에 불이 켜진 듯- 반짝!
소리 더 잘 들으려고 사이로 머리 들이미는
케이. 안간힘.

44. 구경이의 집 / 낮

개업 선물 든 채 구경이 집 현관 비번 누르는
나제희. 369369 -

나제희 아직도 안 바꿨네.

나제희, 들어서면 한껏 기대한 얼굴의 경수가
축 처진다.

경수 아… 나 팀장님이구나…
안녕하세요…
나제희 뭐야 그 반응은?

구경이, 몸을 굴려 나왔다가 나제희가 가져온
게 화분인 걸 보고 실망한 얼굴로 굴러서
돌아간다.

구경이 변했어, 나제희…
나제희 기껏 개업 축하하러

왔더니마는…

산타, 화분 보고 활짝 웃으며 인사하고 화분
들고 창가로 간다.

경수 (울상) 왜 의뢰인이 없을까요 나
팀장님.
나제희 어휴 그럴 줄 알고 내가 하나 물어
왔지. 이제 다 왔을 텐데…
경수 (반색) 진짜여?

그에 맞춰서 띵똥- 소리 난다. 잠금을 풀자,
문이 열리며 - 보이는 - - - 의! 뢰! 인!
이목구비는 구경이와 똑같이 생겼는데…
방금 잡지에서 걸어 나온 것처럼 화려하고
아름다운 의뢰인.

의뢰인 여기가… 구경수 탐정사무소
인가요?

모두들 입이 딱 벌어진 상태.

구경이 (의뢰인 뚫어져라 보다가) 의심스러운데?

──────── 〈마지막화〉 끝 ────────

트리비아

글: 성초이

나제희의 이전 버전 이름은 나나였다. 나나는 성이 나, 이름이 나다. 성초이 중 일부는 7dayz의 팬이었다. 제일 좋아하는 곡은 '나의 사랑이란'

2화의 케이가 정연에게 '맛있겠다'고 한 것은 〈헨젤과 그레텔〉의 마녀 역할 대사를 흉내 낸 것이다. 이전 대사는 '살이 통통하게 오르면 잡아먹어야지!'

3화는 유일하게 삭제씬이 있는 화다.
The Way to ABC의 레퍼런스는 〈Don't Hug Me I'm Scared〉
박규일 살인에 이용된 화학 약품은 실제로는 존재하지 않는다. 따라 하지 마세요.

4화에 나오는 월미도에 가면 경양식을 먹으면 된다. 비눗방울 챙겨가면 예쁜 사진을 찍을 수 있다.
월미도에는 놀라운 간판이 많아서 읽는 재미가 있다.
산타가 타는 대관람차는 타다가 기절할 뻔. (성초이 중 일부만 해당)

용 국장과 김 부장은 대학 시절 아주 잠깐 CC였다.
6화의 바삭한 부침개와 막걸리 씬은 볼 때마다 침이 고여서 혼났다.
구린왕자의 원래 트위터 주소는 twitter.com/goorinwang666 이었는데 촬영 전 신고를 받아 계정이 정지되었다.
BJ샘시는 실제로 음모론 마니아다. 유튜브에서 '미미남샘시'를 검색하세요.

7화의 강화도 촬영 당시 구경이 역을 맡은 배우 이영애는 작가들에게 강화도 순무 김치를 사 가길 추천했으나, 순무 김치가 품절이라 순무 절임만 사 갔다.
7화의 마지막 부분을 쓸 때 들었던 노래는 Queen의 'Love Of My Life'다. 눈물이 절로 난다.

8화의 케이의 댄스 장면은 아프리카 댄스팀 포니케와 댄서 요다의 도움으로 촬영할 수 있었다.
작가 팀은 오경수 역을 맡은 배우 조현철에게 대본을 줄 때부터 물구나무 연습을 하라고 했다. 배우 조현철은 물구나무 전문가에게 특훈을 받아 시도 때도 없이 물구나무를 섰다.

9화는 가장 힘들게 썼던 화다.
상암 문화비축기지는 자전거 타고 가기도 좋다. 저유조 장면이 탄생한 곳이다.
케이 은신처의 레퍼런스는 1981년 작 영화 〈깊은 밤 갑자기〉

10화에 나오는 마장호수 출렁다리는 산책하기가 좋다.
호수에서 배 타는 것도 추천. (성초이 중 일부는 출렁다리 걷기도 힘들어했다.)

11화의 건욱이 한 변장은 1998년 MBC 대학가요제에서 '탈춤'을 부르는 배철수의 모습을 참조했다.

12화에서 기차 장면이 어디로 이어질지 고민 중, 분천역의 '산타마을'을 발견하고 운명이다 싶어 넣었다. 그곳에는 놀랍게도 알파카가 있었다.
뉴스 속 허현태의 '혼인빙자간음죄'는 10년도 더 전에 위헌 결정이 났다.
아귀 수육은 일산에 맛있는 곳이 있다. 익산에는 참게장이 맛있다.

대본집 대담

참석자: 이정홈 감독, 배우 이영애, 김혜준
진행자: 김소미 씨네21 기자

"불안 장애, 알코올 중독, 극단적 사회 기피. 정신 나간 여자라서 이랬다저랬다 하니까 자백서 썼다가 아니라고 잡아떼고…" 자신을 추궁하는 낯선 남자 형사들 앞에서 구경이는 NT생명 조사B팀에게는 물론 케이에게도 보여준 적 없는 표정을 짓는다. 그녀는 먼저 나서서 자기 병명을 읊고는, 그러나 아무렴 너희들이 내 진실을 헤칠 수는 없을 것이라고 단호히 방어한다. 구경이는 말마따나 조금 아픈 사람일지 모른다. 이윽고 과호흡으로 고꾸라지는 구경이의 상반신을 따라 90도로 회전한 카메라가 그녀의 내면에서 벌어지는 죽은 남편과의 대화를 보여주는 장면도 감탄스럽지만, 이 장면에 숨겨진 진정한 기적은 약 오십 보 반경에서 상황을 지켜보는 나제희와 산타가 있다는 사실이다. 정신을 차린 구경이는 차에 시동을 걸고 자신을 기다리는 나제희를 뒤로한 채, 굼뜬 산타를 말처럼 부려 케이의 한강 컨테이너로 달려간다. 아픈 여자의 의심과 수사는 그렇게 풀 죽는 법 없이 계속된다.

〈구경이〉는 여성 캐릭터를 중심으로 하드보일드 장르의 윤리를 재정의한 드라마다. 성초이 작가는 그 위로 장면 전환에 대한 시각적 아이디어, 인터넷 밈을 동원한 비주류적 감수성을 숨기지 않고 채워 넣었다. 이처럼 전방위적으로 과감한 기질이 돋보이는 각본이 탄생한 배경에는 미투 운동(Me Too Movement)의 움직임, 그리고 디지털 성범죄가 만연한 시대의 그림자가 있다. 영화과 동문인 30대의 두 여성 작가는 '성초이'라는 하나의 가상 정체성을 직조한 다음, 그 안에서 시대에 맞서는 자기 생존의 언어를 절박하게 발산했다. 폭력과 죽음, 도덕의 붕괴 속에서 그들은 구경이처럼 의심했고 닥쳐오는 아노미 상태를 견뎠다. 그럼에도 불구하고 살아있어야 할 이유를 찾기 위해, 또 할 수만 있다면 내 옆에 있는 사람까지 살려야 할 이유를 찾기 위해 〈구경이〉를 썼다.

작가를 움직인 동기는 사실상 비장하다. 그런데 결정적으로
이 드라마를 이상한 코미디로 만든 요인이 있었으니 그건
성초이가 숨길 수 없는 반골 기질의 소유자란 점이다. 웃을
일이 없는데 해맑게 웃거나, 웃어야 하는데 초연해져 버리는
태도로 장면을 빚음으로써 〈구경이〉는 비로소 완성된다.
상처가 유머를 끌어당기고 경이와 이경이 거울 놀이를 하는
이야기가 그렇게 계속된다.

매력적인 캐릭터 플레이와 꼼꼼한 재치의 연출, 여성들이 자주
체감하는 현실의 부조리를 향한 통쾌한 응징, 서브 컬처에서
볼 법한 미묘한 관계 구도들… 〈구경이〉에는 시의적절한
미덕이 많지만, 드라마가 종영한 지 반년 정도 지난 이 시점에
대본집의 대담을 준비하면서 결국 오래 곱씹게 된 것은 앞서
묘사한 대로 동반자(혹은 라이벌)들의 강력한 존재감이다.
이어질 대담에서 이정흠 감독, 배우 이영애, 김혜준이 불현듯
고백하듯 〈구경이〉는 누가 뭐래도 사랑 서사다. 무엇에 관한
사랑인지는 12화가 방점을 찍는 순간까지도 정의되지 않는다.
의심 끝에 상실로 치닫는 사랑이 있고, 상대의 정체가 무엇이든
있는 그대로 받아들이는 사랑이 있으며, 제멋대로 침입해
자꾸만 귀찮게 하는 동료를 나무라면서도 집 비밀번호를
만년 369369로 유지하는 사랑도 있다. 물론, '죽여야 한다'는
사람에게 '살려야 한다'고 외치는 사랑만 한 것은 없을 것이다.

우리는 마치 구경이와 게임 파티원들처럼 온라인으로 만났다.
네 개로 쪼개진 사각형 화면 사이로 시선을 두루 맞춘 배우
이영애는 〈구경이〉를 준비하는 단계에서 "이건 혼자서 할
수 있는 건 아닌 것 같다! 꽤나 큰 도전이니까"라고 빠르게
마음먹었다고 했다. 이어서 김혜준은 말했다. 액션 씬마다
힘을 빼고 가짜로 연기하는 것에 애를 먹자 옆에 선 이영애가
자신에게 "그냥 힘줘. 내가 받아 줄게"라고 말했던 일화를.
그들의 말은 꼭 구경이가 케이에게 "넌 확신해. 내가 의심할게"

혹은 "넌 혼자 해, 내가 같이할게"라고 말하는 것처럼 들렸다. 아무리 개성 넘치는 각본이라 한들 영상화 과정에서 창의적 요소들이 깎여 나가는 경우는 적지 않다. 더구나 〈구경이〉처럼 매니악한 작품이 넘어야 할 현실의 장벽은 아직 높다. 그러나 우리가 이미 확인했듯, 〈구경이〉는 작가와 감독, 배우와 스태프들이 각자의 위치에서 최상의 시너지로 각본의 잠재력을 구체화한 희귀한 사례로 남는 데 성공했다. 그 정확한 팀워크의 배경을, 영원히 정의하기 힘든 사랑의 여러 모양을 이 대담에 당사자들의 목소리로 실었다.

/ 어쩌면 변태들끼리 모여서 /

- 신선한 각본이었던 만큼 처음 읽기에 쉬운 대본은 아니었겠다는 생각도 듭니다. 장면화에 대한 시각적 아이디어가 명시되어 있고 인터넷 밈을 비롯한 대중문화 소스들이 포진한 데다, 저마다 종잡기 힘든 캐릭터의 개성도 여기저기 솟아나 있으니까요. 〈구경이〉 각본의 어떤 점에 이끌렸는지, 세 분의 감상도 아마 제각각이지 않을까 싶어요.

이정흠/ "근데 진심으로, 모든 생명이 살아갈 가치가 있다고 생각해요?" 〈구경이〉 대본을 받고 기획 의도를 읽는데, 이런 문장이 눈에 들어왔어요. 성초이 작가는 기획 의도에서 질문을 던진 다음, 〈구경이〉는 '왜냐하면…' 뒤에 이어질 이야기라고 정의했죠. ("구경이가 대답한다. 도덕책 같은 설교 대신 구경이만의 방식으로. 기꺼이 겪어낸 고통들 속에서 찾아낸 진실로. '그럼에도 불구하고' 인간은 살아가야 한다고. 이 드라마는 '왜냐하면!' 뒤에 이어질 긴 이야기다. 근데 그전에 일단, 게임 한 판만 하고. 고고고!") 사적 복수라는 테마를 다루는 이야기가 꽤 나오고 있던 시점이어서 대강의 분위기를 짐작하며 읽기 시작했는데, 예상보다도 훨씬 무게 잡지 않는 대본인 점이 매력적이었어요. 어떻게 끝날지 점점 더 궁금해졌습니다. 두 작가는 〈구경이〉를 본격 하드보일드 블랙 코미디로 규정했지만 하드보일드와 코미디가 원래 잘 어울리는 단어는 아니죠. 특히 하드보일드는 비극적인 남자 주인공들의 전유물 같은 장르인데 이건 여자들이 '다 하는' 드라마라는 점에서 더 끌렸습니다.

이영애/ 단번에 독특하단 인상을 받았어요. 성초이란 이름부터 그렇잖아요? (웃음) 분명 재밌긴 한데, 한편으론 이젠 내가 좀 올드해진 건가 싶을 정도로 독특하게 다가오는 부분들이 있었고 그래서 처음부터 100%의 확신을 갖긴 어려웠어요. 그런데 주위에서 자꾸만 〈구경이〉 대본을 추천하는 게 아니겠어요. 망설이다가 한번은 마음먹고 처음부터 끝까지 대본을 다시 읽어 내려갔죠. 그때 이건 도전해 볼 만한 작품이다, 내가 해 볼 수 있겠다, 그런 생각이 섰어요. 〈대장금〉과는 전혀 다른 연기에 도전하고 싶어서 〈친절한 금자씨〉를 했던 것처럼 〈구경이〉가 〈사임당 빛의 일기〉와 이룰 '트위스트'도 흥미로웠고. 키이스트의 박성혜 대표를 비롯해 제작진들이 왜 구경이 역에 저를 떠올렸는지는 작품을 하는 과정에서 자연스럽게 공감했습니다. 구경이와 자연스럽게 어울리는 배우가 아니라, 기존 이미지상 거리감이 꽤 있는 배우가 연기했을 때 생기는 시너지가 있다는 점을요.

김혜준/ 전 만화책을 읽는 것 같았어요. 연극 대본을 보는 느낌도 들었고요. 제 스타일대로 상상해볼 수 있는 여백이 있는 각본이라 재밌었던 동시에 어떤 부분은 도대체 이걸 어떻게 상상해야 할지도 모르겠을 정도로 종잡을 수 없었던 것 같아요. 그리고 저에겐 각본도 각본이지만 이영애 선배가 구경이를 연기한다는 소식이 결정적이었어요. '이건 정말 상상도 할 수 없는 일인데!' 하면서 〈구경이〉는 지금의 제가 할 수 있는 가장 커다란 도전이자 기회라는 생각이 곧장 들었어요.

- 〈구경이〉는 결국 SBS 소속이던 이정흠 PD를 사표 쓰게 한 작품이죠?

이정흠/ 이영애 배우와 〈구경이〉 각본. 이 두 가지가 사표

쓸 결심을 하게 만든 거죠. (웃음) 지금까지 보고 만들던 드라마와는 개념부터 달랐다고 할까요? 지상파 바깥에서 이런 내용의 작품이 이 정도 제작비로 기획되고 있다는 사실에 일종의 충격을 받은 셈입니다. 드라마를 단 3편(〈너를 노린다〉 〈조작〉 〈아무도 모른다〉) 만들었을 뿐인데, 방송국에서 이미 저는 중견 연출자가 되어가는 중이었어요. 그게 꼭 나쁘다는 건 아니지만. 〈구경이〉를 읽는 동안 이대로 안주하면 나도 모르는 새 아주 올드한 드라마를 만들어 버릴 수도 있겠구나, 심각하게 고민하게 됐어요. 읽을수록 특이한 작품이라는 생각에 방송국에선 하기 어렵겠다고 일찌감치 단념했고요. 처음엔 OTT 오리지널 정도로 생각했죠. 결과적으로는 JTBC에서 방송했지만요.

- 두 명의 성초이 작가는 2017년경 구경이를 처음 떠올릴 때 '50대 여성 탐정, 히키코모리, 엄청나게 유능하지만 그만큼 예민한 사람' 정도로 캐릭터 초안을 구상했다고 합니다. 각본에 주어진 단서들을 토대로 구경이 역할에 배우 이영애를 떠올리기까지 어떤 과정이 있었을까요.

이정흠/ 이영애 배우가 작품 활동을 자주 하는 분은 아니니 대본을 읽으면서 이영애가 구경이를 하면 되겠다, 하고 자연스럽게 상상하긴 어려웠어요. 제작사(키이스트)에서 처음 이영애 배우를 제안하기에 놀랍고 좋은 한편 '정말 막 던지는구나' 생각할 정도였으니까요. (웃음) 섣불리 기대를 하지 않으려 했는데 대본을 본 이영애 배우가 제작사와 교감을 했고, 선배 집에서 첫 미팅을 했습니다. 전날 밤인가 아침인가 폭설이 왔어요. 양평에 있는 선배 집에 도착했더니 사방이 눈으로 뒤덮여 온통 새하얀 풍경이 펼쳐졌죠. 그 풍경 사이로 선배가 문을 열고 들어오는데… 아! 〈구경이〉의 엔딩 장면은 이때의 기억에서 출발한 거예요. 문을 열면 '특별출연 이영애'가 서 있고 갑자기 아파트 뒷배경이 초록으로 물드는 장면이요. 저에게 이영애 배우의 첫인상은 온통 순백인 풍경에 갑자기 싱그러운 색을 입히는 느낌으로 기억돼요. 이

만남 직후 걱정도 시작된 것이, 내가 이런 사람을 대본에 쓰인 것처럼 마구 망가뜨릴 수 있을까 갑자기 자신이 없어진 겁니다.

이영애/ 특별출연 장면은 감독님이 우리 드라마 엔딩에는 꽤 유명한 연예인이 나올 거다, 정도로만 이야기했었어요. 촬영 막바지에 실체를 알고 나서는 다들 깜짝…

김혜준/ 놀랐죠, 많이!

이정흠/ 특별출연 해야 한다는 정확한 사실은 엔딩씬을 찍을 때야 알려드렸지만 사실 그전에도 슬쩍 운은 띄운 적은 있어요. '선배님, 마지막에는 차려입고 나오실 거니까 우아한 옷 한 벌쯤은 준비하셔야 할 것 같다'고요. 대본에는 "이목구비는 구경이와 똑같이 생겼는데… "라고 쓰여 있었어요. 사실 그런 사람이 선배님 말고 또 누가 있나요? (웃음)

- 〈사임당 빛의 일기〉와의 연속선상에서 생각하면 〈구경이〉는 꽤 폭이 큰 트위스트지요. 그사이 휴식기도 있었고요. 과감한 시도에 대한 재미와 기대, 그리고 염려 사이에서 무게중심을 잡는 동안 시행착오는 없었나요.

이영애/ 그래서 감독님하고 여러 번 만났죠. 캐스팅이 확정되기 전부터 집에 모여서 편하게 얘기하면서 캐릭터의 디테일에 관한 아이디어를 주고받았어요. 작은 손동작, 표정을 지을 때 눈의 모양 같은 것까지도요. 〈구경이〉는 너무 재미있는 작품이 확실하지만 동시에 큰 도전이기도 하니까 '혼자서 할 수 있는 건 아닌 것 같다'고 일찌감치 판단했기 때문이에요. 김혜준 배우도 마찬가지로 초창기에 걱정이 많아서 둘이 만나서 또 많은 이야기를 했죠.

- 각본이 배우와 감독의 야심을 부추긴 대목은 구체적으로 어떤 것들이 있었는지 궁금해집니다.

이정흠/ 1화에서 구경이와 이경이가 각각 현재와 과거 속에 있는 한 사람처럼 보이는 설정은 대본을 처음 읽는 순간부터 잘 살려보고 싶었어요. 방영 전에 기사, 예고편, 제작발표회 등을 통해 정보가 노출되는데 시청자가 김혜준 배우를 이영애 배우의 아역으로 착각하게 만드는 것이 현실적으로 쉬울 것 같진 않았어요. 하지만 이미 정보를 다 알고 있다 해도 1화를 보는 동안에 막상 헷갈리기 시작한다면 오히려 그것이 더 큰 묘미가 아닌가 생각했지요. 두 사람이 동일 인물처럼 보였다가 1화의 엔딩에서 분리되는 전개는 〈구경이〉의 전체적인 톤과 색깔을 보여줄 중요한 장치였어요.

이영애/ 1화 엔딩에서 구경이와 이경이가 서로를 응시할 때 음악이 탁- 시작되잖아요. 그때 제 심장도 떨렸어요. 둘을 서로의 현재와 과거처럼 엮는 뉘앙스는 대본상에서도 미묘한 것이었기 때문에, 저조차도 본 방송을 보면서 비로소 '아!' 하고 연출 의도를 정확히 체감했던 것 같아요.

이정흠/ 첫 방송 직후 성초이 작가님과 저 모두 시청자를 속였다는 약간의 쾌감을 느꼈습니다. '우리 성공한 것 같아요!' 하면서 다들 좋아했잖아요.

이영애/ 기억나요. (웃음)

이정흠/ 어쩔 수 없어요. 그런 거에 되게 행복을 느끼는 사람들인 거예요, 우리들은.

- 그렇군요. 이야기의 변태들이 모여서 만든 작품이라는 것엔 이견이 없습니다. (웃음)

이영애/ 하하하. 전 액션 씬에도 욕심이 났어요. 대단히 화려한 액션은 아니었지만 작업 과정이 재밌었거든요. 구경이가 되어서 처음 달리고 뛰고 합을 맞춰가는 초창기 과정이 녹아있는 장소여서 그런지, 통영행의 기억이 특히 선명하네요. 이후로도 혜준 배우와 열심히 액션 합을 맞추는 과정이 특별했어요. 드라마가 종영한 후에 저 혼자서 '그때 디테일을 더 잘 살려볼걸' 하고 계속 붙들고 있을 정도로요.

김혜준/ 제가 긴장이 많이 되어가지고 자주 겁먹은 채로 현장에 갔어요. 액션을 할 때 힘 조절이 잘 안 됐거든요. 때리는 '척'을 하는 게 너무 어려웠는데… 선배님 기억나세요? "진짜 힘줘서

해. 내가 다 받아줄게." 선배가 그러셨어요. 그때부터 한결
편하게 찍었던 것 같아 감사한 마음이 커요. 저 개인적으로는
케이가 자기감정을 드러내 보이는 씬들에 마음이 많이 갔어요.
자기도 모르게 본심이 튀어나온다든가 외로움을 들킬 때가
있잖아요. 저는 케이를 위한 배우니까, 케이다운 타당성을
만들어내야 하는 사람이니까, 그래서 잘 살려보고 싶었어요.

- 2화 11씬. 통영 보험 사기극의 참고인 신분으로 취조실에 불려온 구경이가 혼자 이런저런 추리를
하는 장면이 있습니다. 추리닝 위로 걸친 검은색 트렌치코트의 목깃을 바짝 올린 채로 카메라를
응시하며 "의심스러운데?"라고 말하는 모습은 이후 '구경이'하면 떠오르는 시그니처 이미지가
되었죠. 각본에는 그저 "심각한 표정으로 모로 누워있다", "혼잣말을 한다" 정도인데 현장에서 무슨
일이 있었던 건가요?

이영애/ 저희 집에 감독님과 성초이 작가가 리딩하러
와서 한참을 궁리했거든요. '구경이의 시그니처 포즈, 뭐
없을까?' 하고요. 구경이만의 아이코닉한 자기소개 동작
같은 게 있었으면 좋겠다는 거였죠. 아이돌들이 (화면 향해
손바닥 뻗으며) "저희는 ○○입니다!" 하고 구호를 외치는
것처럼요. (일동 웃음) 성초이 작가님들은 '의심스러운데?'를
(손가락으로 V자를 만들어 눈에 갖다 대며) 이렇게 하자고
했고, 저는 (엄지와 검지로 턱받침) 요롷게 해보기도 하고,
정말 많은 시도를 해봤답니다. 그런데 결국 전파를 탄 제스처는
현장에서 나왔죠. 숏이 시작되면 공기가 달라져요.
김혜준/ 아, 맞아요. 무슨 말씀인지 알겠어요!
이영애/ 대본을 연구하며 실컷 구상해 두어도 막상 현장의
공기와 느낌을 접하면 배우에겐 준비한 것과 전혀 다른 게
나올 때가 있는 거죠. 취조실에서 이렇게도 누워보고 저렇게도
누워보며 여러 자세를 잡다가 나오게 된 설정인데, 제게도
흡족했던 결과물이에요.
이정흠/ 거기가 세트가 아니라 실제 경찰서 취조실이었잖아요.
그날 부감으로 '의심스러운데?'를 찍는 순간 인생샷

나왔다라고 확신했어요.

이영애/ 정말요? (웃음)

이정흠/ 〈구경이〉 현장에서 이건 몇 년이 지나도 두고두고 만족스러울 것 같다고 생각한 장면이 두 가지 있어요. 하나가 방금 이야기한 통영 취조실 장면이고, 다른 하나는 드라마 후반부에 케이가 출렁다리 위에서 용 국장(김해숙)의 아들 허성태(최대철)를 내려다보는 장면이에요. 사실 그날 현장 여건은 좋지 못했습니다. 워낙 춥고 바람이 세서 혜준 배우의 얼굴이 창백해진 데다 코만 빨갰거든요. 그런데도 그 모습이 너무 예쁜 거예요. 거기에 황민식 촬영감독이 배우 뒤로 해가 쨍하게 뜬 순간을 기가 막히게 잡아줘서 만족스러운 장면이 완성됐죠.

- 취조실의 구경이는 의심에 차 카메라를 올려다보는 부감 숏이고 출렁다리의 케이는 해사한 미소와 함께 타깃을 내려다보는 앙각 숏으로 찍혔습니다. 두 주인공을 대표하는 클로즈업 숏의 각도가 마주 보고 있는 점도 흥미로워요. 두 장면 사이의 시간적 거리가 꽤 있음에도 불구하고요. 처음부터 의도된 것이었나요?

이정흠/ 원래 다 계획이 있었다고 해야죠 이럴 땐. (웃음) 전체적인 시선의 컨셉은 분명히 정해져 있었어요. 둘의 관계를 볼 때 확실히 케이가 공세적이기 때문에 케이는 주로 내려다보는 시점. 구경이는 올려다보는 시점으로 잡았어요. 그러다 11화 즈음 역전됩니다. 화상 입은 용 국장으로 분했던 구경이가 붕대를 벗은 뒤 케이를 호기롭게 내려다보잖아요. "이제 알았니?" 하면서요. 그 순간을 위해 웬만해선 구경이를 앙각으로 찍지 않으려고 아껴 뒀어요. 이런 구상은 모두 작가가 미리 전체 대본을 다 작업해 둔 터라 가능했던 것입니다.

- 비슷한 예로 엔딩에서 감옥에 갇힌 케이를 덮는 흑백과 구경수 탐정사무소를 찾아온 특별출연자 이영애 배우 뒤편에 물드는 초록의 대비도 인상적입니다. 영화에 비해 상대적으로 컬러감에 대한

집착이 덜한 TV 드라마 환경에서 보기 드문 연출이었어요.

이정흠/ 제가 색감이나 화질에 집착하는 성향이 있어요.
〈구경이〉도 전부 4K로 만들었는데 방송은 그렇게 못 나가서
속상한 부분도 있고요. 인물의 성격이나 상황에 따라 색채와
명암으로 대조감을 주는 미장센이 그것 자체로 아주 창조적인
발상이라고 할 수는 없지요. 그런데 드라마 환경에서 힘든
건 사실이에요. 각본이 미리 완전히 나와 있지 않기 때문에
통일된 컨셉을 구상하기 힘들고, 또 촬영 스케줄이 촉박해지면
현장에서 팀을 나눠 B 유닛을 돌려야 하니까요. 〈구경이〉는
B팀 없이 모두 한 팀으로 일했습니다. 이 또한 대본이
처음부터 마지막 회까지 나와 있기에 가능한 시도였고 제
경험상으로는 데뷔작이었던 2부작 드라마를 제외하고는 처음
있는 일이었죠. 감독 입장에서 성초이 작가님은 정말 훌륭한
분이에요. (웃음)

/ "만드는 사람들이 다 같이 미스터리를 체험해 본 겁니다" /

- 케이가 살인의 영감을 연극에서 얻는다는 설정으로 인해 하드보일드 블랙 코미디 장르 안에
신화, 오페라, 동화 등의 모티프가 태연하게 똬리를 틀고 있습니다. 마찬가지로 배우의 연기도
파노라마를 그려요. B급 탐정물처럼 익살스럽게 대사를 읊다가도, 캐릭터가 자신의 깊은 내면과
접속하는 순간이 오면 일순 정직한 비극의 연기로 전환해 묵혀둔 슬픔을 꺼내어 보여주지요.
단번에 장악하기는 어려운 컨셉이라는 생각도 들던데요.

이영애/ 그게 정말이지 배우로서 하나의 도전이자 재미, 그리고
노력이 필요한 부분이었어요. 예를 들어서 병원에서 마주친
케이에게 죽은 남편 얘기를 들은 구경이가, 돌아가는 차
안에서 남편의 환상을 보는 장면이 있어요. 잠결에 남편이
주는 초콜릿을 받아먹다가 갑자기 확 돌변해야 하는 장면이죠.
("'남들이랑 같이해, 경이 씨. 혼자 짊어지려고 하지 마.' 구경이,
그 말을 듣다가 눈을 뜬다. 장성우의 환상을 불러낸 자기

자신에게 실망스럽다. 자신이 다정한 목소리를 그리워한다는 것도 역겹게만 느껴진다.") 심리적으로 복잡한 장면이지만 저는 어렵다기보다 재미있었어요. 제가 생각하는 구경이, 감독님과 작가님이 생각하는 구경이에 관해서 끊임없이 대화하면서 합의점을 찾아 나가는 과정이 있었던 덕분이에요. 충분히 대화를 나누고 나면 현장에 가서는 다 믿어버리게 돼요. 촬영 도중에 의심이 들면 진행이 안 되니까요. '방금 이게 괜찮았을까?' 조금 의문이 생기거나 헷갈린다 해도 감독님이 인정하면 그냥 믿고 앞으로 나아가는 거지요.

김혜준/ 저는 살짝 괴롭긴 했어요. (웃음) 인간 김혜준은 꽤 플랫한 편이 아닐까 싶은데 송이경은 좋음도 싫음도 극으로 치닫잖아요. 그래서 어떻게 접근했냐면, 숨겨진 의중에 너무 골몰하지 않으려 했어요. '좋아! 싫어! 속상하고 짜증 나!' 전부 다 순간의 감정과 대사를 있는 그대로 솔직하게 표출하기로요. 그럼에도 이경이는 워낙 왔다 갔다 요동치는 인물이라 촬영 중반 무렵엔 완전히 감을 잃은 것 같기도 했어요. 어느새 내가 잘하고 있는 게 맞나 주눅이 들어서 감독님께 자꾸 이게 맞는지, 잘하고 있는지 답을 구했어요. 그러자 한번은 감독님이 "무슨 말이 듣고 싶은 거야? 잘한다는 말이 듣고 싶은 거야?"하고 웃으시더니 "혜준, 정말 너무나 잘하고 있어-!" 하면서 모니터 너머로 힘차게 응원해주셨어요. (웃음) 기분이 정말 좋았죠. 그때부터 혼란은 줄이고 앞으로 나아가는 데 집중했습니다.

- 서사의 치밀성이 주요 덕목인 작품이 있는가 하면, 〈구경이〉처럼 뼈대를 과감하게 세운 뒤 숨 쉴 구멍을 열어두는 작품도 있습니다. 각본이 끝까지 밝히지 않는 인물들의 전사, 그리고 비밀에 대해서는 어떤 태도로 접근하셨나요? 공백을 보존한 편인가요, 아니면 구체적으로 상상하면서 나름의 밑그림을 그려둔 쪽인가요?

이정흠/ 한국 드라마들은 설명에 집착하는 경향이 있죠. 개연성을 중시하기 때문인데 그러다 보면 템포가 떨어질 수밖에 없습니다. 성초이 작가는 그 강박을 과감히 떨쳐버린 담력의 소유자들이라 연출자에겐 행운입니다. 드라마 감독이라는 사람들은 아무래도 대본의 의도를 완벽하게 구현하는 것이 가장 큰 목표일 수밖에요. 빈틈없이 꽉 짜인 대본을 실현하는 일은 즐겁고 행복하지만, 각본에 있는 그대로만 하게 되면 가끔은 '나는 그냥 찍는 사람인가' 하는 약간의 자괴감이 들기도 해요. 반면 〈구경이〉의 공백은 감독에게 즐거운 긴장을 줘요. 상상력과 창조력을 자극하는 거죠. 작가가 끝까지 정답을 정해두지 않으려 한 부분이 있기 때문에 저는 이영애, 김혜준 배우의 연기를 보면서 뒤늦게 단서를 얻기도 했어요. 가령 내가 생각하지 못한 순간에 김혜준 배우가 카메라 속에서 너무 이상하게 웃으면 (일동 웃음) "아− 전에 사람 죽일 때 저렇게 죽였나 보구나?" 하고 케이를 알아가는 거예요. 구경이와 죽은 장성우가 함께 등장하는 과거 장면들도 마찬가지인데, 이영애 배우는 항상 대본에 쓰인 것보다 감정을 한 겹 더한 느낌으로 연기했어요. 그걸 보면서, 남편에 대한 구경이의 마음이 내가 해석한 것보다 더 깊고 복잡할 수 있겠다고 깨닫는 거죠. 〈구경이〉는 그렇게 만들어진 작품이에요. 만드는 사람들이 다 같이 미스터리를 체험해 본 겁니다.

이영애/ 구경이가 오크통에 갇혀서 굴러떨어진 뒤 저유조에 갇힌 장면은 수차례 읽어도 명확히 그려지지가 않았어요. 다 찍고 나서도 이게 어떻게 나올지 감이 안 잡힐 정도로요. 게임 장면처럼 완성된 드라마를 보고 그제야 제가 '감독님 천재 아니야?' 그랬죠. 대본 이상의 것이 나올 수 있었던 건 작가들이 여백을 남겨두었기 때문이고 저는 그게 무척 정제된 틈이었다고 생각해요. 작가마다 스타일이 다르니까 어떤 드라마를 할 때는 주어진 것에만 집중하게 되기도 해요. 정해진 대사와 동선을 정확하게 소화하는 것이 곧 작품의 목표를 달성하는 것이니까요. 그런데 〈구경이〉는 대본 위에 뿌려진 단서들을 제 방식대로 꿰어내야 하는 작품이었어요. 유독

애착이 가는 것도, 팀워크가 좋았던 것도 이런 이유 때문이
아닐까요?

- 각본에 대한 적극적인 해석이 눈에 띄는 장면은 그 밖에도 여럿 있습니다. 3화 2씬, 병원
엘리베이터 앞에서 케이가 굳이 죽은 남편에 대한 이야길 꺼내자 구경이는 무너져요. 각본에는
'순간 숨이 컥 막힌다'는 표현과 함께 짜증을 내는 것으로 묘사되어 있는데 이영애 배우는 이보다
훨씬 극심한 감정적 공황의 상태로 표현했어요.

이정흠/ 원래는 구경이가 다급히 뛰쳐나가면서 사람들을
마구 밀치고 지나가는 모습 정도로 생각했어요. 그런데
그날 현장에서 선배님이 구경이가 엘리베이터 옆에 있는
비상계단을 간신히 기어서 나가보면 어떻겠냐고 했죠. 실은
현장에서 조금 놀랐습니다. 이 장면만큼은 배우가 어떤
감정을 갑자기 툭 꺼내어 보여준 것이라 저도 약간은 당황한
셈이에요. 나중에 편집실에서 다시 보면서 신민경 편집
기사님과 너무 좋다고 몇 번을 말했는지 몰라요. 이 씬으로
인해 6화에서 후배 형사들이 구경이에게 자백서를 들고
찾아왔을 때 구경이가 또 한 번 과호흡을 일으키는 장면도
훨씬 단단해졌죠. 구경이와 장성우 사이의 깊이는 대체로
배우가 생성해 낸 것입니다. 그리고 그는 함께 작업해보니
의외로 더 본능적인 면이 있는 배우였어요.
이영애/ 현장에서 감독님이 그렇게 느낀 줄은 몰랐어요.
이제야 아는 게 너무 많네요. (웃음) 저도 대본을 읽을 때는
놓쳤다가 현장에 가서야 이 장면에서 감정의 진폭을 크게
가져가야겠다는 확신이 섰어요. 우리가 직접 보지 못하는
구경이의 어떤 부분, 이를테면 트라우마를 확실한 반응으로
표현해야 이 사람이 과거와는 완전히 다른 삶을 살고 있다는
사실이 뒷받침될 것 같았어요.

- 〈구경이〉를 둘러싼 프로덕션의 여러 요소 중 뜻밖에 배우의 본능을 부추겼던 것이 있을까요.

이영애/ 사전에 카메라 리허설, 의상-분장 테스트를 많이
했잖아요. 이런저런 머리도 해보고 옷도 여러 벌 입는 동안
제가 구경이로 살아갈 수 있는 최적의 외양을 찾아 둔 거예요.
트렌치코트를 입는 순간 딱 구경이가 되는 것 같았어요.
언젠가부터는 카메라 앞에서 감독님과 상의할 때 제가 저답지
않게 구경이 씨처럼 물렁물렁하게 말하고 있더라고요. (웃음)
배우는 자기가 천성적으로 갖지 못한 성격도 연기로 누려볼
수 있으니 얼마나 좋은가요. 구경이로 존재할 때는 제가 무얼
하든 다 이해받았어요. 혜준이도 평소에는 참 얌전한 성격인데
케이로는 다르게 살아갈 수 있고요. 그래서 새삼 행복함도
느꼈는데요. 쓰레기 처리장에 던져진 구경이가 비탈을
올라오다 넘어지는 장면이 있잖아요. 그때 실은 막판에 실제로
넘어졌어요. 옛날의 저였다면 너무 아프니까 NG를 냈을지도
몰라요. 그런데 구경이라면 넘어져도 아무렇지 않게 벌떡
일어나서 다시 제 갈 길 갈 거야, 하는 생각이 스쳤지요. 제가
넘어진 순간 다들 숨죽이는 게 느껴졌지만 그냥 다시 일어나
앞으로 당당하게 걸어갔어요. 이상하게 그 이후부터 구경이의
캐릭터를 만들어가는 과정이 한결 편하고 자유스러웠던 것
같아요.

이정흠/ 쓰레기장 장면에선 이영애 배우가 넘어진 순간 놀라서
컷을 하려고 했는데, 순간적으로 선배가 뭔가 더 하실 것
같다는 감이 딱 왔어요. 오케이 사인 이후에 현장은 빵 터졌죠.

이영애/ 덧붙이자면 음악도 아주 중요했어요. 사전 회의를 할
때부터 혜준 배우와 액션 씬에 어울릴 만한 음악을 골라 두고
'이 음악을 생각하면서 우리가 한번 붙어보자' 하는 식으로
음악을 통해 자극받으면서 준비했어요. 음악과 장면을 연결해
적극적으로 상상해보는 시너지가 저에겐 큰 힌트였던 것
같아요. 그리고 저는 원래 연기할 때 음악으로 많이 좌우되기도
해요. 〈친절한 금자씨〉를 할 때도 박찬욱 감독님이 촬영 직전에

음악 테이프를 주셨고, 평소에도 작품 전에 동기가 될 만한 음악을 많이 찾고 떠올려보는 편이고요. 처음 〈구경이〉의 OST를 들었을 땐 '이거다!' 싶어서 흥분했지요.

이정흠/ 저의 전작들과 비교하면 〈구경이〉의 음악은 확실히 결이 달라요. 작품이 남다른 만큼 음악도 기존의 드라마 음악과는 톤 앤 매너가 확실히 달라야 하겠다는 생각을 갖고 있었는데, 김태성 음악감독님이 제안한 밴드 TRPP의 음악을 듣자마자 확신할 수 있었어요. 작품 자체가 매니악한데 음악까지 매니악하니까 시청률에 대해서는 일찌감치 기대를 접는 계기도 됐고요. (웃음)

- 구경이에게 남편 장성우에 얽힌 트라우마가 있듯이 케이에게도 유년 시절에 박힌 큰 말뚝이 있잖아요. 말하자면 송이경은 가족 살해 후 자살 사건의 생존자입니다. 거기서 어떤 단서를 얻었나요?

김혜준/ 이경이가 사이코패스적 기질을 타고난 것인지 아니면 어린 시절에 겪은 큰 트라우마로 인해 어떤 특질을 갖게 된 것인지는 답을 내리지 못했어요. 오히려 제게 중요했던 건 제가 살아온 인생을 토대로 케이를 이해해서는 안 될 것 같은 직감이었어요. 새로운 접근이 필요했어요. '이경이는 왜 이렇게 되었을까?' 논리적으로 매달리다 보면 배우인 저 자신을 설득하기 힘들지도 모른다고 판단했기 때문에, 차라리 더 경쾌하게 '이경이는 제멋대로인 애야'라고 생각하면서 밀어붙이는 연기를 했던 것 같아요.

- 불도저처럼 밀어붙일 때 뒤따르는 쾌감이나 해소감도 있었겠습니다.

김혜준/ 네. 카타르시스가 있었어요. 대본에 지문이 없지만 제가 멋대로 웃어도 이경이답게 이상해서 납득이 되고, 또 웃어야 할 것 같은 상황에 전혀 안 웃어도 그 나름으로 이상해서 납득이 되는. 특이한 조건 속에 있었던 거죠. 앞으로도 분명

드문 경험일 거예요.

/ 필사적으로, 지독하게 /

- "쌤이 내가 할 거 다 예상하고 나를 갖고 놀았으니까 열 받아야 될 거 같은데⋯ 나 이해받는 기분이 들어. 쌤은 왜 이렇게 내 마음을 잘 알아?" 케이가 용 국장의 휠체어에 탄 구경이를 끌어안고서 나누는 대화는 기묘하게 감동적입니다. 김혜준 배우는 여기서 눈물을 떨어트려요. 각본에는 눈물의 묘사가 없는데, 김혜준 배우가 따로 준비한 것일까요? 혹시 촬영 도중에 의도치 않게 눈물이 나온 것일지도 모르겠다고 생각했어요.

　　　　김혜준/ 저는 대본을 읽을 때마다 이경이로서 가슴이 자주
　　　　아팠어요. 울컥했다고 해야 하나, 아니면 감동받았다고 해야
　　　　할까요? 특히 그 장면에선 케이가 얼마나 외로운 사람인지
　　　　실감할 수 있었어요. 저도 모르게 그런 마음이 전해진
　　　　장면이었네요. 감독님도 감정을 좀 더 불어넣어 달라고
　　　　하셨고요. 촬영 스케줄이 특히 빡빡했던 날 맨 마지막에 찍은
　　　　장면이라, 송이경의 외로움과 김혜준의 힘듦이 합쳐져서 더
　　　　눈물이 났을지도 몰라요. (웃음)

- 멜로드라마적인 상황이 아니고서야 두 인물이 서로 그렇게 오랫동안 끌어안고 있기는 힘들죠. 포박과 포옹이 한 데 있는 굉장히 독특한 설정이에요. 두 배우는 화면에 담긴 것보다 훨씬 더 긴 시간 서로를 안고 있었을 텐데요.

　　　　김혜준/ 맞아요! 약간 지친 상태였는데도 선배님을 꽉 끌어안는
　　　　순간 저도 모르게 울컥하면서 힘이 났어요. 사람을 안으면
　　　　전해지는 따뜻한 체온이 있잖아요. 이경이는 이모를 제외하면
　　　　누군가와 그런 순간을 많이 가지지 못했을 것 같아요. 구경이
　　　　쌤과 안고 있을 때 이경이가 느낄 복잡한 마음이 저에게도
　　　　고스란히 다가왔어요. 감정적으로 고조되는 순간이었죠.
　　　　요약하자면 전 정말 좋았습니다. (웃음) 언제 그렇게 선배를
　　　　안아보겠어요!

이영애/ 〈구경이〉에 대한 시청자 반응 중 유독 인상적이었던 것이 이 드라마엔 뻔한 멜로드라마적 전개가 없어서 좋다는 거였어요. 우리가 흔히 말하는 멜로는, 맞아요, 없을지도 몰라요. 그런데 감독님은 어떻게 표현하실지 모르겠지만 저는 그 장면에 무척 구경이답게 표현된 또 다른 사랑이 담겨있다고 생각했어요. 제가 너무 멀리 갔나요?

이정흠/ 아뇨. 저는 사실 〈구경이〉가 멜로드라마라고 생각하는데요. (일동 웃음)

- 저도 부정할 수 없겠습니다.

이정흠/ 눈에 잘 보이는 멜로도 있죠. 건욱이와 대호의 사랑은 가슴 아파요. 구경이와 케이의 경우 두 사람의 관계성 안에 너무나 복잡하고 다채로운 요소들이 응축되어 있고요. 세대의 차이, 신념의 차이, 그리고 의심과 확신의 차이도 중요합니다. 서로를 좋아했다가 또 미워하는데 그게 참 지독한 거잖아요. 김혜준 배우에게 조금만 더 꽉 끌어안아 달라고 부탁한 것도 그래서이고요. 어떤 장르나 용어로는 한정 짓기 어려운 관계죠.

이영애/ 둘은 평행선 같아요. 하나로 가까워질 수는 없지만 동시에 계속 서로 마주 보고 걸을 수밖에 없는. 애틋하지만 서로를 잡아야 하고, 미워하지만 그래도 미워할 수 없는, 그렇게 계속되는 평행의 관계요.

김혜준/ 그래서 서로 계속 신경이 쓰이는 관계요! 저는 둘 사이에 말로 표현하긴 애매한 감정들이 마구 뒤섞여 있는 것이 참 좋았어요. 서로 닮아서 끌리는데 숙명적으로는 싫어해야만 하니까 긴장감도 생기고요.

이정흠/ 구경이와 송이경이 같이 등장하는 씬을 세어보면 정작 그리 많지가 않아요. 그런데 드라마를 다 보고 나면 이 둘이 항상 같이 나온 것 같은 느낌이 들기도 해요. 상대방이 부재할 때도 그 존재감이 떠오르게 만드는, 꼭 서로를 유령처럼 달고

다니는 느낌입니다. (웃음)

- 종합해보면 경이와 이경은 초반에는 서로의 과거와 미래처럼 보였다가 이내 적수가 되고, 점차 우정과 사랑을 아우르는 복잡한 감정선을 그리는 분신이군요. 여기에 한 가지 재밌는 요소를 첨언하자면, 두 캐릭터 사이에 나이 차가 꽤 있다는 사실입니다. 케이는 꼬박꼬박 구경이를 '쌤!'이라 부르고, 구경이는 가끔 어린애 타이르듯 케이의 어리석음을 애석해하지요.

　　　　이영애/ 둘의 관계에 있어 나이 차이가 끼치는 영향을 염두에 두진 않았어요. 다만 구경이의 나이로 인해서 장르의 톤이 뒤틀리는 지점은 잘 살려보고 싶다고 생각했죠. 결혼하고 이혼하고 경찰 경력도 꽤 되는 사람이니까 거칠게 잡아 40대에서 50대 사이 정도의 여자잖아요? 그래서 액션을 할 때 날렵하고 멋지기보단, 약간 실제의 이영애 같은 모습도 나오는 거고요. (웃음) 뛰다가 넘어지고, 무리하면 허리도 아프고 그런 거지요. 그리고 케이-나제희-구경이-용 국장으로 이어지는 여성 캐릭터의 나이대가 저마다 다 다르기 때문에 약간의 세대 차이로부터 생기는 심리도 재미있어요. 일단 모두 여성이고, 그 여자들이 각각 대립하는데, 심지어 나이 차이가 조금씩 있기 때문에 이상한 시너지가 생기는 거죠.

- 가족드라마를 할 법한 구성으로 여자들의 누아르를 하니까 사소한 장면인데도 특이하게 느껴지고요.

　　　　이영애/ 맞아요. 용 국장이 구경이를 납치해 목욕탕에서 협업을 제안하는 장면도 그런 맥락에서 디테일이 좋았어요. 사우나에서 은밀히 만나는 장면은 그동안 주로 남성 캐릭터의 몫이었는데 여자들끼리 거래하는 장면에서 나오니까 신선했다는 주변의 반응을 들은 적 있어요. 연기하는 입장에서도 이런 장면은 참 재밌죠.

- NT생명 조사B팀의 팀워크는 롤러코스터의 안전장치 같았지요. 구경이가 그들과 함께 있으면 묘하게 안심이 되곤 했습니다. 각본 역시 서브컬처적인 감수성을 동원해 이들의 케미스트리를 현명하게 살려냈고요. 분량과 성격 면에서 독자성이 분명한 인물을 주로 연기해왔기에, 구경이처럼 팀원들과 자주 복작거리는 캐릭터는 이영애 배우에게도 사실상 처음이 아니던가요? 어떤 즐거움이 있었을지요.

이영애/ 우리 NT생명 조사B팀이요? 너무 웃기지요. (웃음) 곽선영, 조현철, 백성철, 그리고 저까지(나제희, 오경수, 산타, 구경이) 모여서 보면은요, 다들 찌질해요. 한 명도 빠짐없이 다 문제가 있어요. 각본에 묘사되기로도 마냥 착한 사람들은 아니거든요. 제각기 뾰족한 구석이 있는 사람들이 모여서 공통의 문제를 헤쳐 나가고 서로의 어깨에 기대죠. 저 혼자서 헤쳐 나가야 할 땐 가끔 외롭기 마련인데 〈구경이〉에선 외롭지가 않았어요. 처음에 감독님한테도 얘기했지만, 제가 애들 키우고 사느라고 사실 요즘 배우들을 그리 잘 알지는 못했어요. 감독님이 자꾸 본인만 믿으라는 거예요. 적극 추천하는 배우들이라고, 만나 보면 그 진가를 알 거라고요. 그런데 정말이었어요. 제가 지금은 조사B팀 배우들 모두의 팬이 됐어요. 곽선영 씨 얼마나 잘해요? 산타는 맑고, 현철 씨는 그 특유의 어눌한 톤이 정말 인상적이었는데, 사실 이 정도로 유명한 사람인지 전 몰랐어요. (일동 웃음) 하지만… 케이는 혼자서 외로웠겠죠? 혜준이가 한번은 제게 부러웠다고 말하기도 했어요.

- 구치소 독거실 안에서 한 조각의 햇볕을 음미하는 케이의 마음은 무엇일까요? 그리고 산타를 있는 그대로 받아들이기로 하는 구경이의 마지막 태도는 감독과 출연진 모두에게 자연스럽게 이해받았나요.

이영애/ 네. 그게 구경이다웠고 또 〈구경이〉 다웠죠. 시작부터 끝까지 우리 작품은 이것저것 설명하거나 억지로 납득시키는 그런 작품이 아니었고, 그래서 마지막까지 그러기를 바랐거든요. 산타를 포용하고 끌어안는 구경이 씨의 선택이 인간적으로 마음에 들어요.

김혜준/ 저는 마지막 엔딩에 거창한 의미를 부여하지 않았던 것 같아요. 분명하게 정했던 건 케이가 그저 그 순간을 좋아한다는 사실이에요. 구치소에 갇혔어도 자기가 좋아하는 시간만큼은 챙기는 사람이라는 거죠. 그리고 어쩌면, 정말 어쩌면 구경이를 떠올리는 시간이었을 수도 있고요. 케이에게 구경이 쌤은 자기가 진짜 좋아하는 것을 알아주고 같이 해 준 유일한 사람이잖아요.

이정흠/ 방영이 끝난 뒤 세상이 돌아가는 모습을 보면서 〈구경이〉에 대한 생각을 더 많이 하게 됩니다. 사람이 무언가 늘 확신하며 살 수는 없잖아요. 내가 맞는지, 나의 선택이 옳은지 늘 고민하고 혼란한 것이 인간의 기본형일 겁니다. 케이는 늘 확신에 차 있는 반면 구경이는 늘 깊이 의심하는 인물이죠. 이 두 사람의 화학 작용을 거쳐 케이가 외롭게 감옥에 갇히는 결말로 이어지는 게, 우리 드라마에 그다지 어울리지 않는 표현이라는 건 알지만, 저에겐 '옳은' 방향으로 느껴져요. 구경이는 자기 자신의 의심 때문에 괴롭고 힘든 시간을 보냈지만 그 덕분에 함께 하게 된 사람들이 구경수 탐정사무소의 식구가 되기도 합니다. 이영애 배우가 묘사한 대로 각자 조금씩 부족한 구석이 있는 사람들인데 다들 스스로도 그걸 알고 있어요. 그래서 나의 모자란 부분을 옆 사람이 채워주고 감싸줄 기회를 열어 주기도 하죠. 장성우가 죽고 가족을 잃었던 구경이가 새로운 공동체의 일원이 되는 이야기인 거예요. 〈구경이〉는 작품을 감싸고 있는 트렌디한 요소들로 주목받았지만, 중핵은 사랑이라고 봅니다. 이영애 배우가 작품 준비 단계 때부터 〈구경이〉는 사람을 향한 사랑의 가치를 말하는 작품이라고 했거든요. 시간이 흐르고 다시 생각할수록 저에게도 그것이 가장 중요하게 느껴져요.

- 〈구경이〉는 시청률 수치로는 수렴되지 않는 반향을 생산한 작품이기도 합니다. 트위터를 비롯한 SNS를 중심으로 열렬한 팬덤이 형성되었는데 세 분은 이런 현상을 어떻게 체감했나요.

이영애/ 〈구경이〉를 하기 전까지 한동안은 밖에서 알아봐주시고 말씀 전해주시는 분들이 "와! 저희 엄마가 팬이세요" 그랬답니다. 그런데 〈구경이〉 이후엔, 얼마 전 어떤 식당에 가니까 20대 초반으로 보이는 직원분이 가게가 한참 정신없는 와중에도 드라마 잘 봤다고 사인해달라고 하시는 거예요. 요즘 그런 경우가 많았어요. 저도 깜짝 놀라요. 시청률 50% 달성했을 때보다도 기분이 더 좋네요. 작지만 탄탄하게, 또 끈끈하게 교류한 만큼 오랫동안 빛나는 작품으로 남을 것 같고요. 〈대장금〉처럼 폭넓은 시청자층을 겨냥한 작품과는 또 다른 성질이 있는 거지요. 젊은 시청자분들과 공감할 수 있어서 다행스럽습니다. 그래서 제겐 유리알같이 소중해요.

김혜준/ 〈구경이〉는 파고 또 파도 계속 새로운 무언가 나오는 것 같아요. 이런 해석도 있지 않을까, 사실 두 사람이 이런 관계는 아니었을까, 그렇게 뭉게뭉게 이어지는 팬분들의 생각과 2차 창작물을 보는 게 정말 즐겁습니다. 작품이 그만큼 가치 있다는 뜻으로 생각해도 되겠죠? 그래서 〈구경이〉는 저에게 자부심이에요. 또 팬분들의 반응을 통로 삼아서 과거에 제가 어떤 생각으로 연기했는지 되돌아보기도 해요. 소중한 저만의 일기장을 들추어보는 느낌으로요.

이정흠/ 작품을 만드는 도중엔 보통 SNS나 커뮤니티 사이트를 보지 않으려고 해요. 쉽게 영향을 받을 수도 있고, 또 혹시나 반응이 안 좋으면 정신적으로 흔들리기도 하니까요. 그런데 〈구경이〉는 1화 방영 직후부터 주변에서 자꾸 뭔가를 보내주는 거죠. (웃음) 트위터에 누가 그림을 올렸다더라, 뭐가 있다더라, 하는 식으로요. 그러니까 이게 참기가 힘들고, 너무 궁금한 거예요. 결국 저 트위터에 가입했잖아요.

이영애/ 저도요, 이번에 처음 가입했어요!

김혜준/ 팬아트 전부 보셨어요?

이정흠/ 솜씨도 좋고 센스도 넘쳐서 얼마나 놀랐는지요. 제가 가끔 캡처해서 이영애 배우에게 보내기도 했습니다. 그런데 이미 다 보고 계시더라고요. (웃음) 여성 시청자들이 마음 놓고 즐겁게 보는 장르물을 만드는 것이 처음부터 명확한 목표였기 때문에 이런 반응들이 더 감사했어요. 잔인한 묘사, 소모되는 여성 캐릭터로부터 불편함을 느끼는 시청자들이 있다면 우리 드라마가 그런 관습에서 탈피한 안전지대가 되어주길 바랐어요. 기대했던 사랑을 정확히 보답 받은 것이라 더 감격스러워요.

이영애/ 맞아요, 저는요. 〈구경이〉를 하는 동안 그래서 너-무 좋았어요. 덕분에 새로운 모습으로 존재하면서 시간 가는 줄 모르고 작업한 거예요. 새롭고, 독특하고, 도전적인 시간이었습니다.

- 〈구경이〉에 대한 상상력은 이곳저곳에서 아직도 현재진행형이죠. 자, 그럼 이제 슬슬 마무리를 할까요?

김혜준/ 감독님, 비하인드 좀 더 알려주세요. 숨겨놓은 장치들이요.

이정흠/ 아잇, 구체적으로 물어봐야 알려주지. 내 입으로 다 이야기하긴 TMI 같아서 좀 그렇잖아요.

이영애/ 우리는 모르고 감독님만 아는 것 중에 또 뭐가 있어요?

이정흠/ 예? 부끄럽네요… 그럼 우리 만날까요? 조만간…

성초이 대본집 세트 구경이 2 INSPECTOR KOO 2

초판 1쇄 발행 2022년 9월 29일

지은이 | 성초이

제공 | JTBC스튜디오, 키이스트
펴낸곳 | 플레인아카이브
펴낸이 | 백준오
편집 | 장지선
교정 | 이보람
지원 | 임유청
디자인 | 김현진 POT
일러스트 | 김현진 POT

이미지 자료
컨셉아트 | 퍼스트라인
애니메이션 | 콥 스튜디오
방송 타이틀 타이포 | 나인컨셉 studio
미술 | 신승준 김휘연
게임영상 | SBS A&T

도움 주신 분 | 곽선영, 김지원, 김성훈,
김소미, 김해숙, 김혜준, 남선우,
바로엔터테인먼트, 박은진, 백성철,
블러썸 엔터테인먼트, 송민선, 씨네21,
이다혜, 이영애, 이정흠, 이홍내, 조현철,
준앤아이, 키이스트, ANDMARQ,
GOOD PEOPLE

출판등록 | 2017년 3월 30일 제406-2017-000039호
주소 | 경기도 파주시 회동길 336-17, 302호
홈페이지 | www.plainarchive.co.kr
이메일 | cs@plainarchive.com

27,500원
ISBN 979-11-90738-24-8 04680
979-11-90738-22-4 (세트)